KB075624

FOR A BEGINNER
FOR ARCHITECTURAL DESIGN
& ENGINEERING

오 토 캐 드
2025 기초 및 응용

정경석 김자연 강인원 공저

A AutoCAD 2025

BOOKK✎

머 리 말

CAD는 건축은 물론 기계, 토목, 전기 등 엔지니어링 분야에서 도면을 그리는데 절대적으로 필요한 프로그램이다. 설계자를 전공 하고자하는 사람은 우리가 한글 프로그램을 오랫동안 사용하여 능숙하게 다룰 수 있듯이 캐드를 능숙하게 운용할 줄 알아야, 본인이 생각한 공간이나 물건을 제작자가 충분히 알도록 도면을 캐드로 표현할 수 있게 된다. 이렇듯이 이제는 캐드의 사용 능력이 특별한 것이 아니라 기본적으로 갖추어야할 능력이 되었다.

AutoCAD는 미국 오토 데스크(Auto Desk)사가 개발한 컴퓨터 지원 설계(CAD) 프로그램으로서, 개인용 컴퓨터(PC)용으로 개발한 최초의 주요 CAD 프로그램의 하나로 업계 표준이 되었다. AutoCAD는 PC, VAX, 매킨토시, 유닉스 워크스테이션 등에서 동작하는 CAD 소프트웨어 시장에서 세계적으로 최고의 점유율을 자랑하고 있다. AutoCAD 소프트웨어의 외부 파일 형식인 DXF는 다른 기종의 다양한 CAD 프로그램 간에 도면 데이터를 주고받는 데 업계 표준 파일 형식과 같이 사용되고 있다. 이런 이유 때문에 수 많은 설계 프로그램 중에서 AutoCAD를 대학에서 선택하여 쓰고 있는 이유이다. 영역에 따라서 AutoCAD를 기본으로 하여 보다 편리한 서드파트 솔루션을 부가하여 편리하게 사용하고 있고, AI시대에 부응하는 프로그램의 개발 또한 지속적으로 이루어지고 있어 보다 보편적인 프로그램이 된 것이다.

본서에서는 AutoCAD 2025 버전을 중심으로 기술하였으며, 설계와 관련된 업종에 진출하거나 관리자들이 도면을 제작하거나, 출력할 수 있는 기초적인 명령어의 적용, 실무에서 편리하게 사용할 수 있는 응용 방법과 예제를 통하여 반복적인 연습을 통하여 숙련되도록 하였다. 캐드는 완전히 숙련되지 않으면 잊어버리게 되거나, 비효율적 일 수 있으니 보다 열심히 연습하는데 도움이 되기를 바란다.

2024.7 저자

◉ 목   차 ◉

CHAPTER 01   제도통칙일반

1. 제도의 정의 ·· 10
2. 기본제도 ··· 10
3. 도면의 배치 ··· 48
4. 건축설계와 소방설계 ·· 52

CHAPTER 02   CAD 일반

1. CAD의 개념 ··· 58
2. AutoCAD의 시스템 요구사항 및 특징 ·································· 62
3. AutoCAD 화면구성 및 도구막대 ··· 65
4. AutoCAD 작업환경의 설정 ··· 73

CHAPTER 03   화면제어의 기능

1. LIMITS(도면한계 설정) ·· 92
2. ZOOM(화면제어) ··· 94
3. GRID(모눈) 설정 ··· 106
4. SNAP 지정하기 ··· 107
5. 객체스냅 설정 및 이용하기 ·· 108

CHAPTER 04   객체 그리기

1. 좌표의 이해 ··· 114
2. LINE(선) 그리기 ·· 117
3. POLYLINE(폴리선) 그리기 ·· 119
4. SPLINE(스플라인) 그리기 ··· 123
5. Construction Line(구성선) 또는 Xline(무한선) 그리기 ········ 126
6. RAY(반무한선) 그리기 ·· 128
7. MLINE(Multiline:다중선) 그리기 ··· 128
8. 곡선 그리기 ··· 134
9. 다각형 그리기 ·· 143

10. Point ··· 147
11. DIVIDE(등분할) ··· 148
12. MEASURE(길이분할) ··· 149
13. HATCH ··· 150
14. BLOCK ··· 157
15. TABLE 그리기 ··· 166

CHAPTER 05 　수정 및 편집하기

1. MOVE(이동)하기 ··· 182
2. COPY(복사)하기 ··· 188
3. MIRROR(대칭복사)하기 ··· 189
4. ARRAY(배열)하기 ··· 190
5. ROTATE(회전)하기 ·· 197
6. EXPLODE(분해)하기 ·· 199
7. STRETCH(객체신축)하기 ······································· 200
8. MIRROR(대칭복사)하기 ··· 201
9. OFFSET(수평간격복사)하기 ···································· 203
10. SCALE(크기변형)하기 ··· 204
11. TRIM(자르기)하기 ··· 206
12. EXTEND(연장)하기 ·· 208
13. FILLET(모깍기)하기 ·· 209
14. CHAMFER(모따기)하기 ·· 212
15. BREAK(끊기)하기 ··· 214
16. CHANGE(속성변경)하기 ······································· 215
17. PROPERTIES(속성변경 대화상자) ···························· 216
18. MATCHPROP(특성일치)하기 ·································· 217
19. GRIP 명령어 활용 ··· 219

CHAPTER 06 　문자 쓰기

1. 문자 쓰기 및 편집 ·· 222
2. Qtext(문자 감추기) ··· 232
3. 문자 편집하기 ··· 233

CHAPTER 07 치수 넣기

1. 치수 기입 순서 ··· 240
2. Dimstyle(치수스타일) 설정 ······························· 240
3. Linear Dimension(직선치수) ···························· 258
4. 원 또는 원호의 치수기입 ································· 263
5. 치수공간(Dimspace) ····································· 271
6. 신속치수(Qdim)기입 ····································· 272
7. Oblique(경사치수) 기입 ································· 274
8. 치수의 편집 ··· 275
9. 다중지시선(Multileader) ································· 278

CHAPTER 08 도면층과 정보조회명령

1. 도면층(Layer) ·· 294
2. 정보조회명령 ··· 301

CHAPTER 09 도면출력하기

1. Model(모형공간)과 Layout(배치공간) ··············· 312
2. PLOT(플롯) ··· 316

CHAPTER 10 명령을 이용한 객체 그리기 및 편집

1. 단계별 필수예제 그리기 ································· 326
2. CAD 명령활용 그리 신화 학습 ······················· 400

CHAPTER
01

제도통칙일반

1. 제도의 정의

2. 기본제도

3. 도면의 배치

4. 건축설계와 소방설계

1. 제도의 정의

 물건을 제작하기 위해 도면을 그리는 것을 말한다. 도면이란 설계자의 의도를 정확·신속하게 제작자에게 전달하는 것을 목적으로 하며, 물건의 모양·크기·구조·사용재료·공정·수량 등 제작에 필요한 모든 사항을 점·선·문자·기호 등으로 평면에 표시하는 것이다. 그러나 단지 물건의 제작 외에 일의 진행절차, 재료의 준비, 제품의 시험, 출하, 수리, 상거래·취급의 설명 등 넓은 분야에서 사용되어 그 능률에 크게 기여하고 있다.
 제도를 각자가 제멋대로의 방법으로 그린다면 비능률적일 뿐만 아니라 잘못이 생기므로 현재는 각국이 모두 국가단위의 규격으로 통일하고 있다. 한국도 한국산업규격(KS)의 제도 통칙으로 각 공업 부문 전반에 공통되는 기본적인 제도법을 규정하고 있다.

2. 기본 제도

2.1 도면의 분류

1) 사용 목적에 따른 분류

① **계획도**(Layout Drawing) : 제작도등을 만들기 위한 기초 계획에 사용되는 도면
② **제작도**(Working Drawing) : 제작에 사용되는 도면, 공장이나 작업 현장의 실무자를 대상으로 하여 만든 것.- 설계한 사람의 뜻한 바를 제작하는 사람이 쉽게 이해할 수 있도록 그려야 한다.
③ **주문도**(Order Drawing) : 주문하는 사람이 주문서에 붙여 요구사항을 나타내기 위한 도면-주문할 물품의 모양, 기능, 정밀도, 수량 등을 나타낸다.
④ **승인도**(Approved Drawing) : 주문(발주)을 받은 사람이 납품하기 전 주문한 사람의 검토와 승인을 얻거나, 그 외의 관계가 있는 사람(감리 등)의 승인을 얻기 위하여 만드는 도면-승인도를 제출한 후 고객의 요구사항이나 기타 변경 사항이 발생하여 다시 승인을 받는 경우는 재승인도라고도 한다.
⑤ **견적도**(Estimation Drawing) : 견적서에 붙여 물품의 내용을 설명하는 도면
⑥ **설명도**(Explanation drawing) : 물품을 사용하는 사람에게 그 물품의 구조, 성능, 조작방법 등을 설명한 도면
⑦ **최종도**(Final Drawing) : 승인도에 의거 주문자에게 제품을 납품하고 최종적으로 제출하는 도면
⑧ **수정도** : 변경된 사항을 반영하여 그린 도면

2) 도면 내용에 따른 분류

① **조립도(Assembly Drawing)** : 기계 전체의 조립 상태를 나타낸 도면

② **부분조립도(Part Assembly Drawing)** : 복잡한 기계 등의 조립 상태를 한 장의 조립도로 나타낼수 없을 때나 어느 부품의 조립된 상태를 나타낼때(그 부품에 대해서는 전체조립도 또는 부품도임) 부분별로 자세한 조립 상태를 나타낸 도면

③ **부품도(Part Drawing)** : 기계를 구성하는 각 부품을 개별적으로 상세하게 나타낸 도면

④ **공정도(Process Drawing)** : 작업 현장에서 분업적으로 실시하고 있는 어느 한 공정에 대하여 필요한 사항을 나타낸 것. 즉, 공정도는 가공해야 할 부분을 나타내고, 그에 대한 가공법, 사용공구 및 치수, 재료 등을 상세히 나타내며, 제작 과정을 나타내는 도면

⑤ **상세도(Detail Drawing)** : 기계, 건축, 선박등에서 필요로 하는 부분을 더욱 상세하게 또는 확대하여 보기 쉽게 그린도면

⑥ **접속도(Connection diagram)** : 전기 회로의 접속을 나타내는 도면

⑦ **배선도(Wiring Drawing)** : 전기 설비와 배선등의 배치을 평면도에 나타내는 도면

⑧ **배관도(Pipe Drawing)** : 배관의 위치및 설치도면으로서 펌프, 밸브등의 위치, 관의 굵기, 관의 길이, 배관의 위치, 설치 방법등을 자세히 나타낸 도면

⑨ **계통도(Distribution Drawing)** : 배관, 전기 장치의 결선 등의 계통을 나타내는 도면

⑩ **기초도(Foundation Drawing)** : 기계나 구조물을 설치하기 위하여 기초 공사에 필요한 사항을 그린 도면

⑪ **설치도(Setting diagram)** : 보일러, 기계등을 설치할 경우에 관계되는 사항을 나타내는 도면

⑫ **배치도(Arrangement Drawing)** : 공장안에 많은 기계, 사무실의 집기 배치 등을 설치할 경우에 이들 기계(집기)의 설치 위치를 그린 도면

⑬ **장치도(Equipment Drawing)** : 여러 장치의 배치 및 제조 공정등의 관계를 보여줄때 사용되는 도면

⑭ **전개도(Development Drawing)** : 물품, 구조물 등의 표면을 평면에 전개(펼쳐)한 도면

⑮ **외형도(Outside Drawing)** : 기계의 겉모양을 그려, 기계의 설치와 기초 공사 등에 필요한 사항을 나타내는 도면

⑯ **구조선도(Skeleton Drawing)** : 기계 또는 건축 구조(골조)를 나타내는 도면

⑰ **곡면선도(Curved surface Drawing)** : 배의 선체, 자동차의 차체 등 복잡한 곡면을 나타내는 도면

3) 작성 방법에 의한 분류

① **연필도(Pencil Drawing)** : 제도 용지(백상지, 트레싱지, 트레팔지등)에 연필로 도면을 그린도면으로서 원도로서 보관하는 경우도 있으며, 먹물제도의 밑그림으로도 사용한다.

② **먹물도(Inking Drawing)** : 연필로 그린 도면에 먹물로 다시 입히거나 트레싱지 위에 윗 그림으로 먹물로 그린도면으로 일명 트레싱도라고도 함

③ **착색도(Coloring Drawing)** : 도면에 그린 구조나 재료를 쉽게 구별할 수 있도록 일정한 규정에 따라 먹물 제노에 재료별 또는 기타 특성별 여러 가시 색상을 칠한 도면.

4) 기타

① **참고도** : 참고용으로 사용하는 도면
② **배포도면** : 제작 및 기타 목적으로 지급된 도면
③ **발송도** : 발송 목적으로 배포된 도면
④ **원도** : 원본 도면으로 근본이 되는 작성자가 보관한 도면
⑤ **제1원도** : 보통 배포용 또는 발송용 도면으로 작성된 원본도면
⑥ **사도** : 복사된 도면
⑦ **청사진** : 주로 배포용으로 트레싱 도면을 원본으로 하여 사진처럼 1:1로 인화하며 (보통 암모니아 가스 사용) 내용이 청색으로 표시된 도면

2.2 제도의 규격

설계자의 요구 사항을 제작자에게 전달하기 위하여 통일된 선, 문자, 기호 등을 사용하여 생산품의 형상, 구조, 크기, 재료, 가공법 등을 정확하고 간단 명료하게 나타내도록 규정하는 제도 규정을 말한다. 규격에는 개개의 기업 내에서 통용되는 사내규격, 업계가 공동으로 이용하는 업계규격, 한 나라의 제도로서 설정되는 국가규격, 그리고 국제간의 협정에 입각하여 널리 적용되는 국제규격 등이 있다.

1) 국제규격

국제규격은 국제표준화 기구에서 제정한 규격으로 국제적으로 통일된 규격을 사용하기 위하여 제정하였다. 우리나라는 1963년 전 공업진흥청 표준국이 KBS(Korean Bureau of

Standards)라는 명칭으로 처음 가입했는데 정부조직개편에 따라 1997년 국립기술품질원으로 회원기관 명칭 변경을 신청했고 1999년 이후로는 기술표준원이 정회원으로 활동하고 있다.

우리나라의 KS, 일본의 JIS, 소련의 GOST 등은 국가규격이며, 미터나사·베어링·키·리벳 등 30여 종의 규격을 정해 국제간에 통용되는 이른바 ISO는 국제규격이다. 1946년에 런던에서 국제표준화기구, 즉 ISO가 조직되어 규격의 국제통일 활동을 시작했다. GATT는 79년에 스탠더드 코드를 만들어 규격이나 표준을 무역장벽으로 사용하지 못하도록 규제했다

2) 국가규격

한 나라의 국가 내에서 적용되는 표준을 이해 관계자의 합의를 얻어 제정하고 관계자가 사용하는 것으로 우리나라의 경우 1961년 한국산업규격(Korean Industrial Standards : KS)이 공포되었다. 이후 1962년 토목 제도 통칙(KS F 1001), 건축 제도 통칙(KS F 1501) 제정이 제정되고, 1966년 제도통칙(KS A 0005)이 제정 확정되어, 이 규격은 공업의 각 분야에서 사용하는 도면을 작성할 때의 요구사항에 대하여 통괄적으로 규정하고 있다. 선·문자·기호·도형의 표시 방법, 치수 기입 방법 등이 규정되어 있다.

기 호	분 류	기 호	분 류
KS A	기 본	KS K	섬 유
KS B	기 계	KS L	요 업
KS C	전 기	KS M	화 학
KS D	금 속	KS P	의 료
KS E	광 산	KS R	수송기기
KS F	토 건	KS V	조 선
KS G	일용품	KS W	항 공
KS H	식료품	KS X	정보산업

2.3 제도 통칙

1) 도면

가. 도면의 규격

KSF 건축제도통칙에는 도면의 규격에 대해 규정하고 있지는 않지만 완성된 도면의 크기로서 A0~A6으로 한다는 규정이 있다. 이를 보편적으로 준용하고 있다. 다만 필요에 따라 장 방향으로 길이를 조정하여 사용하기도 한다. 그 규격을 보면 다음 표와 같다.

번 호	국 제 규 격		일 반 규 격	
	A 열	B 열	명 칭	규 격
0	841 × 1189	1030 × 1456	대 판	1092 × 798
1	594 × 841	728 × 1030	중 판	798 × 546
2	420 × 594	515 × 728	소 판	546 × 399
3	297 × 420	364 × 515	1 / 2	399 × 270
4	210 × 297	257 × 364	1 / 4	270 × 200
5	148 × 210	182 × 257		
6	105 × 148	128 × 182		

나. 도면크기결정법

설계도면은 작업의 내용에 따라 적당해야 하는 데 설계작업에서 보편적으로 가장 많이 사용하고 있는 규격은 A1과 A2 규격이만, CAD가 보편화 되면서 A3 규격이 일반화되어 사용되고 잇다. A0(통상 대판)은 너무 커서 한 장의 도면에 부득이 넣어야 할 도면의 경우에 사용하고 보통의 경우에는 잘 사용하지 않는다. 동일 설계도에서는 규격이 같은 종이를 사용하는 것이 원칙이고 관리 보관이 용이하나, 부득이 한 경우에는 부분적으로 종이 규격을 달리하여 사용하기도 한다.

도면의 훼손의 방지와 프레임 형성으로 인한 효과를 주어 도면이 짜임새 있게 보이도록 한다. 테두리에 의한 여백은 아래 그림과 같이 치수를 두되 도면을 철 할 때 좌철을 원칙으로 하는 것이 보통인데 이 경우 다른 테두리 여백의 2배 이상으로 하는 것이 좋다.

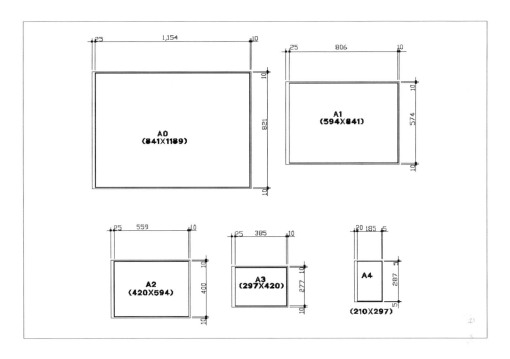

다. 표제란(Title Block)

표제란에는 공사의 명칭, 도면명, 축척, 도면번호, 분류번호, 설계자 명, 설계자 서명, 설계 년. 월. 일들을 기록하기 위한 것으로 보통은 우측 맨 아래에 두는 것이 일반적이다. 보통 설계사무소에서는 고유의 상호와 수정사항 등을 같이 기입 하도록 60 ~ 80㎜정도의 폭으로 우측 면 또는 하단부 전부를 할애하여 사용하고 있다. 구체적인 내용을 보면 다음과 같다.

① 제 도 : 도면작성자 및 지시자의 서명과 작성 완료일 기입(예, 홍길동 - 03. 01. 01
② 검   토 : 프로젝트 메니저의 서명
③ 설   계 : 설계 대표자의 서명
④ 협동설계 : 기계설비, 전기설비, 토목, 조경, 등 협동설계의 회사명 기입(각 해당 회사에서 기입)
⑤ 승   인 : 건축주 및 설계 발주자의 서명 날인
⑥ FILE 명 : CAD에 의한 파일일 경우 파일명 기입
⑦ 공 사 명 : 공사명 혹은 발주회사의 마크와 공사명 기입
⑧ M a r k : 각 회사의 성격에 맞는 로고 삽입
⑨ 축   척 : 여러 가지 축척을 사용할 때에는 대표적인 것 1개 기입
⑩ 도 면 명 : 해당 도면의 주제목 기입
⑪ 도면번호 : 도면의 순서는 작성 기준에 준한다.

공사별로 구분하여 기입하고 여러 동일 경우 용도별 분류에 따라 복합 표기한다.

⑫ 수 정 란 : NO. – 설계변경 차수를 아라비아 숫자로 표시

NOTE – REVISION 내용을 간략하게 기입

DATE – 수정한 년, 월, 일을 기입

APP. – 쉬정한 사항에 대하여 승인을 받음

(예) 표제란

분 류	내 용 설 명	도 해
① 보조공간	· LEGEND/KEY PLAN(아래참조) · 건축주의 로고 기입 필요 시 최상부에 표기	
② 협력업체	· 해당 도면에 대한 협력업체 표기	
③ KEY PLAN	· 배지도나 선제 뼝면의 일무 혹은 입변노, 단면도에서 그 위치를 알려줄 필요가 있는 도면에 작성 · 주열번호는 처음과 끝번호만 표기하는 것을 원칙으로 하며 주열 간격은 표시하지 않음	
④ NOTE	· 도면으로 표기하기 곤란한 사항이나 해당 도면 및 해당 도면에 대한 일반사항 기입 · 글짜 크기는 3MM 정도로 한다.	
⑤ REVISION	· 수정사항이 발생한 경우에 기입한다.	
⑥ 건축주명 (CLIENT)	· 건축주의 명을 기입(기밀 요하는 경우 생략)	
⑦ 사무소명	· 설계사무소의 로고 및 고유명칭을 기입	
⑧ 프로젝트명 (PROJECT TITLE)	· 공사의 명칭을 기입한다.	
⑨ 승인 (APPROVED BY)	· (주)○○건축사사무소의 대표가 날인한다.	
⑩ 검토 (CHECKED BY)	· 검토자(팀장·실장)의 서명을 기입한다.	
⑪ 담당 (DRAWN BY/DATE)	· 도면 작성자의 이름과 작성일자를 기입한다.	
⑫ 도면번호 (DRAWING NO.)	· 공종과 도면번호를 기입 예)A-001, S-001, C-001, M-001, E-001 등 · 글자의 크기는 5MM로 한다.	
⑬ 도면명 (DRAWING TITLE)	· 도면의 주된 명칭을 기입(글짜 크기 : 5MM)	
⑭ 승인날짜 (APPROVED DATE)	· 최종 승인 일자를 기입	
⑮ 프로젝트번호 (PROJECT NO.)	· 프로젝트 관리번호 기입(업체자처별 고유관리번호 부여)	
⑯ 엔지니어 (ENGINEER)	· 설비, 구조, 전기 등의 대표자가 날인한다.	
⑰ 축 척 (SCALE)	· 분수로 기입. · 축척이 2가지 이상 : 작은 것부터 기입 · 축척이 4개 이상 : "도면참조" 또는 "AS SHOWN"으로 표기 · 축척이 없는 경우 : "없음" 또는 "NONE"으로 표기	

라. 도면 접는 방법

도면을 접을 때는 FILE을 할 경우와 하지 않을 경우가 약간 다르나 기본 원칙은 A4를 기준으로 하여 표제란이 앞으로 향하도록 접도록 KSF제도통칙에 규정 되어 있다. 그러나 CAD 도면의 보편화로 A3도면을 반을 접은 A4를 기준으로 하거나 편철하여 반을 접어 파일을 하는 경우도 많다.

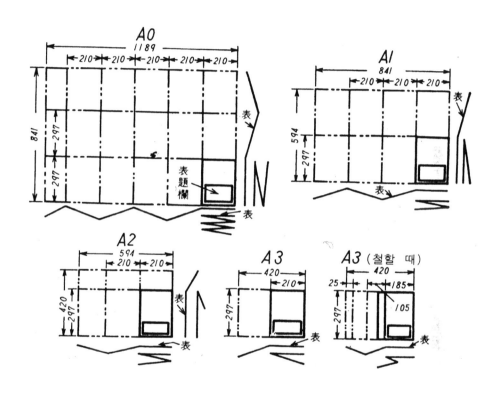

마. 도면의 분류 체계

건축도면의 분류체계는 공사 단계에 따라 분류함을 원칙으로 하며 동일한 성질의 도면 분류는 평면→ 입면→단면의 순서로 분리함을 원칙으로 하며 또한 두면 일람표가 삽입되어 있는 경우의 도면은 도면 일람표가 맨 앞으로 오도록 한다.

① 일반적인 도면 배열 체계

균형 있고 짜임새 있는 도면을 작성하기 위해서는 도면을 그리기 전부터 다음에 준하여
도면배열 계획을 세운다.

(a) 무의미하고 불필요한 도면과 NOTE로 표기 될 수 있는 경우는 생략한다.

(b) 배치도, 평면도 등은 원칙적으로 북쪽을 위로하고, 배치도와 평면도는 동일 방향으
로 배치한다.

(c) 도면을 작도 전에 표제란, 테두리선을 그리고 세도범위를 시변상에서 결정한다.

(d) 도면 내에 적성되어야 할 각 설계도와 기타 사항들을 적당한 위치에 적당한 축척의
크기로 배치되도록 계획해야 하며 각 설계도를 지나치게 한 쪽이나 중앙으로 치우침
으로써 주위에 여백이 필요이상으로 많이 남지 않도록 한다. 여백이 많이 남을 경우
에는 차후에 추가될 설계도 등을 고려하여 좌측 상부에 우선적으로 배치한다.

(e) 그림의 크기, 치수선, 문자를 써넣을 여백, 기타 전체적인 여백을 적당하게 고려하여
배치한다.

(f) 동일 계열의 그림은 되도록 한 장에 그리되 그렇지 못할 경우에는 바로 다음 장에
오도록 한다.

(g) 입면도, 단면도 등은 위, 아래 방향을 도면의 위, 아래와 일치시키는 것을 원칙으로
한다.

(h) 입면도는 정문 또는 현관이 있는 면을 통상 정면으로 기준삼아 좌측면도, 우측면도,
배면도라 명명하기도 하고, 방향에 따라 동측 입면도, 남측 입면도, 서측 입면도, 북
측입면도로 표시하기도 한다.

(i) 모든 재료명은 시방서와 동일하게 표시한다.

(j) 근본적인 도면 구성 방식은 좌측 상단에서 우측 하단으로 배치하고, 순서는 평면,
입면, 단면에 따라 도면을 배열, 나열한다.

② 도면의 배열

도면 한 장에 같은 도면이 여러 개 나올 경우는 다음 그림과 같이 배치하는 것이 좋다.

(a) 기본적인 도면 배열 순서

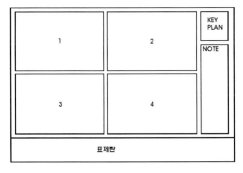

(b) 절단된 도면의 배열 순서

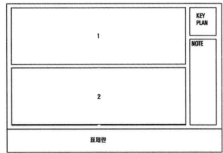

(c) 여러 개의 평면도 배열 순서

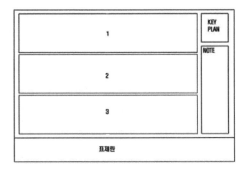

(d) 여러 종류의 도면의 배열 순서

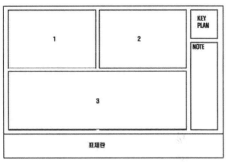

(e) 전개도 배열순서

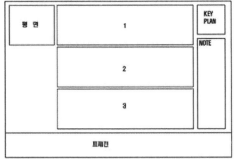

(f) NOTE 및 KEY PLAN의 위치

2) 척도(SCALE)

도면에는 반드시 실물에 대한 일정한 비율로 그리는데 이를 척도라 한다.

가. 축척의 종류

척도에는 배척, 실척, 축척의 3종류가 있다. 건축제도에서는 대상물이 크기 때문에 배척이나 실척은 사용하지 않지만 기계제도 고 일반적으로 축척을 사용한다.

① MATRIC SCALE : 1/1, 1/2, 1/5, 1/10, 1/20, 1/30, 1/50, 1/100,   1/200, 1/300, 1/400, 1/500, 1/600, 1/1200, 1/3000 등을 사용

② INCH SCALE의 경우 : 1'=1'-0", 3"=1'-0", 1"=1'-0", 1/2"=1'-0", 1/8"=1'-0", 1/16"=1'-0", 3/4"=1 '-0", 3/8"=1'-0", 3"/16"=1'-0', 3/32"=1'-0", 1+1/2=1'-0"등을 사용한다.

나. 축척의 표기 방법

① 1/100, 1:100, $\dfrac{1}{100}$ (MATRIC SCALE 의 경우)

없 음   (NONE SCALE의 경우)

1/4"=1"-0"   (INCH SCALE의 경우)

② 한 장의 도면에서 서로 다른 축척의 설계가 다수 있을 때 각각의 도면 명 밑에 축척을 기입하고 타이틀 블록 내의 축척란에는 "도면참조"라 기입한다.

③ GRAPHIC SCALE의 사용은 MASTER PLAN, SITE PLAN, 차수표기가 곤란한 도면이나 도면을 축소하여 복사할 경우에 표기하며 그 위치는 도면명 하부 축척란에 표기한다

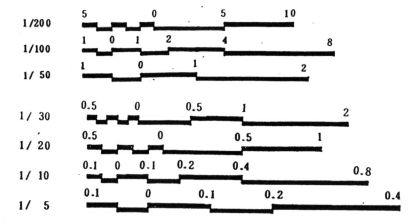

3) 선 (LINE)

가. 제도에서 사용되는 선의 종류

① 명칭에 따른 선의 종류

제도에서 사용되는 선의 종류는 실선, 파선, 점선, 쇄선 등 4종류가 있다. 그 사용법으로 기준선은 쇄선(1점 쇄선)을 기준선으로 사용한다는 것 이외에는 정하여 진 것이 없지만 관례적으로 다음 표와 같이 사용하고 있다.

명 칭		굵기	용도에 의한 명칭	용 도
실선		굵은 선(0.3-0.8)	단면선, 외형선, 파단선	물체의 보이는 부분을 나타내는 선으로 단면선과 외형선으로 구별하여 사용하기도 한다.
		가는 선(0.2이하)	치수선, 치수보조선, 지시선, 해칭선	치수선, 치수보조선, 인출선, 각도 설명 등을 나타내는 지시선 및 해칭선으로 사용한다.
허선	파선	중간선(점선의 약1/2, 가는 선보다 굵게 그림)	숨은선	물체의 보이지 않는 부분의 모양을 표시하는데 사용한다. 파선과 구별할 필요가 있을 때에는 점선을 쓴다.
	일점 쇄선	가는 선	중심선	물체의 중심축, 대칭축을 표시하는데 사용한다.
		중간선(점선의 약1/2, 가는 선보다 굵게 그림)	절단선, 경계선, 기준선	물체의 절간 위치를 표시하거나 경계선으로 사용한다.
	이점 쇄선	중간선(점선의 약1/2, 가는 선보다 굵게 그림)	가상선	물체가 있는 것으로 가상되는 부분을 표시하거나 일점쇄선과 구별할 때 사용한다.

② 용도에 의한 선의 종류

(a) 파단선

긴 기둥을 도중에 잘라 표현하거나, 파단되는 곳이 명백할 때, 자를 사용하지 않을 때 직선이 계속 될 때 사용한다.

(b) 단면선

단면의 윤곽을 나타낼 때 굵은 선으로 그린다.

(c) 해칭선

가는 선을 일정간격으로 긋는다.

(d) 절단선

절단하여 보이지 않는 위치를 표시하는 선으로 일점쇄선으로 그린다.

(e) 가상선

가공하기 전에 모양을 나타낸다. 움직이는 물체의 위치, 가상의 단면을 나타낼 때 이점쇄선으로 그린다.

나. 선의 굵기

연필제도의 경우 선의 굵기를 엄밀하게 몇㎜라 규정하기는 어렵지만 굵은 선과 중간 선과 가는 선이 명확하게 구별이 되면 되는 것이다. 선 상호간의 굵기의 관계는 도면의 정교함, 박력에 의해 결정된다. 그러나 CAD도면에서는 선의 굵기를 가는 선은 0.2㎜, 중간선은 0.3 ~4㎜, 굵은 선은 0.5 ~ 0.7㎜로 설정하면 된다.

점의 표시	선위에서	
	평면위에서	
선의 굵기	굵은 선	0.8mm
		0.6mm
	중간 선	0.4mm
		0.3mm
	가는 선	0.2mm
		0.1mm
	극히 가는 선	0.1mm이하

다. 선의 절단 표시

선의 절단표시

2방향절단

1방향절단

관의 절단표시

라. 치수선(DIMENSION LINE)

① 치수는 도면 판독을 정확하게 하기 위해서 부득이한 경우를 제외하고는 도형 밖에 기입하는 것이 좋다. 치수는 도형에서 인출한 치수보조선의 사이에 그은 치수선상에 기입한다.

② 치수선의 구간은 화살표, 구슬 표 등으로 표시하되 한 도면에는 혼용하지 않고 통일하여 한 가지를 선택하여 사용한다.

③ 치수선의 한쪽 구간이 도면에 나타나지 않을 경우 화살표와 구간을 표시한다.

④ 큰 치수선은 바깥쪽에, 작은 치수선은 안쪽 순으로 표시한다.

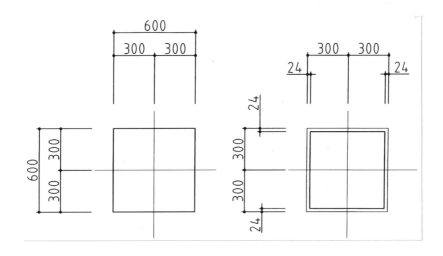

⑤ 계단의 단 높이와 단 너비가 일정할 때 그 치수를 일일이 기입하지 않는다.

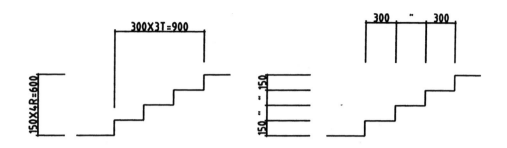

⑥ 동일한 치수가 반복 될 때 처음 치수와 마지막 치수만을 기입하고 나머지는 ″로 표시한다. 다만 동일 치수가 상대적으로 많을 때에는 적당한 구간마다 치수를 기입한다.

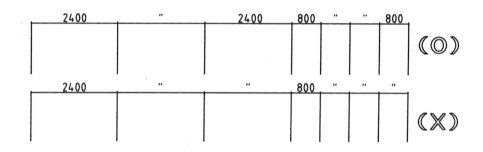

⑦ 소수점 이하의 ㎜는 사용하지 않음을 원칙으로 하되 전체 길이 등 간격으로 나누어서 소수점 이하의 치수가 나오는 경우는 " 1/d"의 형식을 취하여 다음 예와 같이 표기한다.

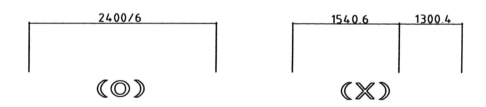

아. 각종 지시선

지시선은 직선 사용을 원칙으로 하며 수평선과 수직선은 될 수 있는 한 사용하지 않는다.

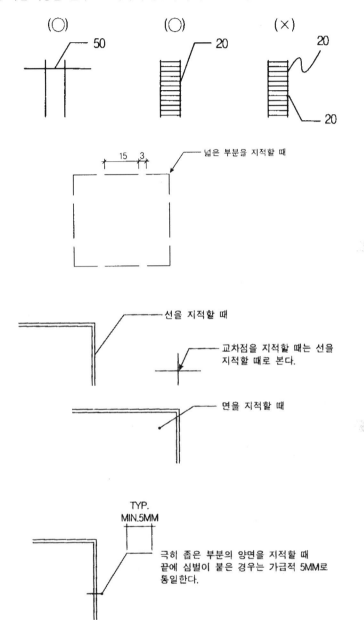

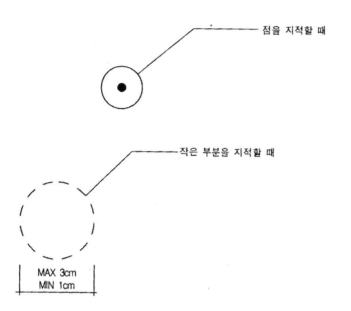

점을 지적할 때

작은 부분을 지적할 때

MAX 3cm
MIN 1cm

바. 인출선

- 재료 등을 표시하기 위한 인출선은 다음과 같은 형태로 다른 선과의 혼돈이 없도록 표기한다.

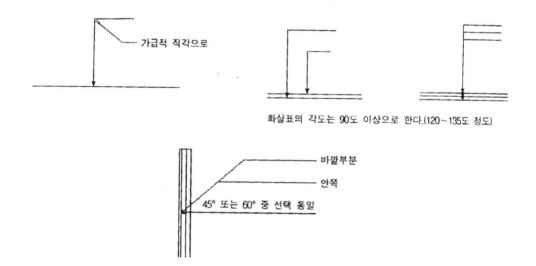

가급적 직각으로

화살표의 각도는 90도 이상으로 한다.(120~135도 정도)

바깥부분

안쪽

45° 또는 60° 중 선택 통일

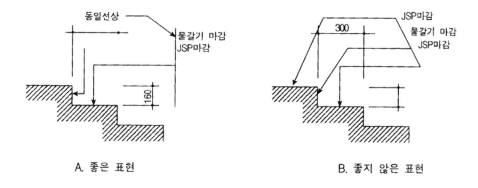

A. 좋은 표현   B. 좋지 않은 표현

사. 접속선 (MATCH LINE)

① 접속선은 나누어 그려진 도면의 위치를 나타낸다.
② 접속선은 가능한 GRID LINE, 벽선, 기둥선, EXP. JOINT등 구별이 용이한 위치를 택한다.
③ 도면을 이어 붙일 경우 치수선 및 기타 표기들이 일치하도록 하며 빠지거나 중복이 되지 않도록   한다.
④ 접속선은 도면의 축선과 직각 또는 평행되게 2점쇄선 (0.7mm 두께 정도)으로 표시하는 것이 좋다.

4) 문자

① 문자는 도면의 종류에 따라 글자체 크기를 구분하여 사용한다. 도면에 따라서는 특수한 문자가 효과적 일수도 있으나 설계도에서는 일반적으로 개성이 강한 문자나 독특한 버릇이 있는 글자체는 부적당하므로 읽고 쓰기 쉬운 글자체를 선택하는 것이 바람직하다.

② 글자의 크기는 글자의 높이를 20, 16, 12.5, 10, 8, 6.3, 5.4, 3.2, 2.5, 2mm 등 11종을 정해놓고 있으나 도면의 밀도, 축척, 기입위치, 보기의 난이도, 도면의 효과 등을 조건으로 하여 조절한다고 판단되고 크기를 선택하여 보기 좋고 알기 쉽게 깨끗한 도면을 작성하는 것이 좋다.

$$1\ 2\ 3\ 4\ 5$$
$$6\ 7\ 8\ 9\ 0$$
1 2 3 4 5 6 7 8 9 0

ABCDEFGHI
JKLMNOPQR
STUVWXYZ

建築設計製図

자연보호운동

새 마 을 건 축

알기쉬운문자

5) 치수

가. 치수 각부의 명칭과 의미

치수(Dimension)기입은 도면에 그려진 객체의 길이, 각도 등과 주석 등을 화면에 나타
내는 기능이다. 치수 기입 방법으로는 선형(Linear), 정렬(Aligned), 반지름(Radius), 지름
(Diameter), 각도(Angular), 호 길이(Arc), 세로 좌표(Ordinate), 꺾인 선(Jog line)등이
있다. 아래 그림은 치수의 각 부분에 대한 명칭을 나타낸다.

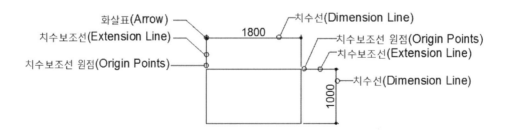

① 치수선(Dimension Line)

: 치수의 범위를 나타내는 선으로 선의 야쪽 끝은 화살표 나 점 또는 사선으로 표시할 수 있고 치수선의 위치는 변경 가능하다. 각도를 기입할 경우에는 호의 모양으로 표시 된다.

② 치수보조선(Extension Line)

: 치수를 기입하려는 객체로부터 치수선까지 연결하는 부분을 표시하기 위한 보조선으로써 치수 유형 명령을 이용하여 화면상 나타나는 보조선의 개수를 지정할 수 있다.

③ 치수보조선 원점(Origin Points)

: 치수보조선이 시작할 위치를 표시하는 것으로서 원점과 치수 보조선의 간격을 지정할 수 있다.

④ 화살표(Arrow)

: 치수선의 양 끝의 종료 지점을 표시하는 기호이며, 사용자 지정에 따라 화살표, Tick, Dot 등 여러 모양을 지정할 수 있다.

⑤ 치수문자(Dimension Text)

: 작성한 객체의 실제 치수를 나타내는 문자이며, 이 값은 실제 거리를 나타내는 것이 기본이다. 하지만 사용자가 임의로 거리를 입력할 수도 있다.

나. 치수 기입의 원칙

① 도면에 길이 · 높이 · 폭 등의 치수 숫자를 표시하는 것. 치수선을 따라서 도면의 아래 또는 오른쪽에서 읽을 수 있도록 기입한다.
② 단위는 원칙으로서 ㎜ 이며, 단위 기호를 붙이지 않는다. ㎜ 이외는 그 단위 기호를 붙인다.
③ 치수는 도면 판독을 정확하게 하기 위해서 부득이한 경우를 제외하고는 도형 밖에 기입하는 것이 좋다. 치수는 도형에서 인출한 치수보조선의 사이에 그은 치수선상에 기입한다.
④ 치수선의 구간은 화살표, 구슬 표 등으로 표시하되 한 도면에는 혼용하지 않고 통일하여 한 가지를 선택하여 사용한다.
⑤ 치수선의 한쪽 구간이 도면에 나타나지 않을 경우 화살표와 구간을 표시한다.
⑥ 치수 숫자는 직립법과 직각법이 있으나 직립법은 관용적으로는 사용하고 있으나 통상적으로는 직각법을 사용하므로 권장한다.

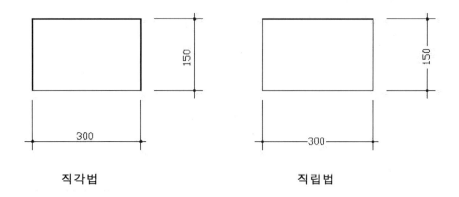

| 직각법 | 직립법 |

⑦ 큰 치수선은 바깥쪽에, 작은 치수선은 안쪽 순으로 표시한다.

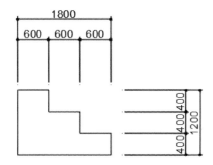

⑧ 계단의 단 높이와 단 너비와 같이 일정한 값이 반복 될 떼 그 치수를 일일이 기입하지 않는다.

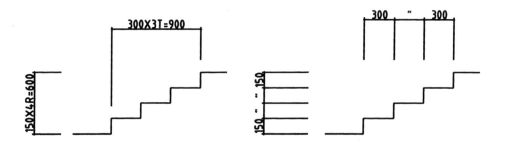

⑨ 동일한 치수가 반복 될 때 처음 치수와 마지막 치수만을 기입하고 나머지는 ″로 표시한다. 다만 동일 치수가 상대적으로 많을 때에는 적당한 구간마다 치 수를 기입한다.

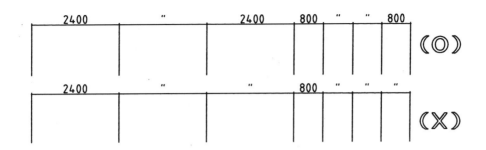

⑩ 소수점 이하의 ㎜는 사용하지 않음을 원칙으로 하되 전체 길이 등 간격으로 나누어서 소수점 이하의 치수가 나오는 경우는 " 1/d"의 형식을 취하여 다음 예와 같이 표기한다.

⑪ 치수 숫자의 위치는 치수선의 중앙 위치에 쓰는 것이 원칙이며 그에 따라 세 가지 방법이 있으나 치수선을 따라 기입하는 것을 권장한다.

치수선을 따라 기입   치수선을 절단하고 기입   치수선위에 기입

⑫ 곡선의 표시

- 곡선의 표기 : 반지름   R=0000

                지름   D=0000

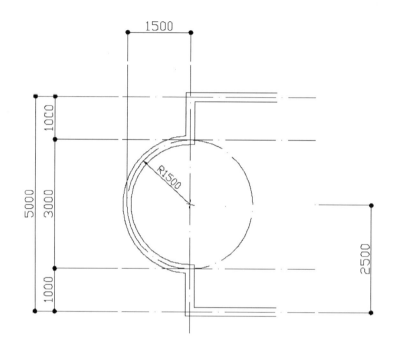

⑬ 각도 구배의 표시

  KSF 제도통칙에서는 각도의 표시에는 직각삼각형의 직각을 낀 두 변에 대하여 그 즉 나타내려는 각도의 정접으로 표시하거나 또는 각도로 표시한다. 정접에 의한 경우에는 분자를 1로 한 분수(½, ⅓, ¼⋯⋯), 또는 분모를 10으로 한 분수(1/10, 2/10, 3/10⋯⋯)를 사용한다. 또 경사진 지붕의 경우에는 정수을 사용하고 분모를 10으로 한 분수로 표시하게 되어 있다.

  각도로 표시할 경우에는 그림과 같이 각의 정점을 중심으로 한 원호를 다른 치수선의 경우와 같이 가는 선으로 그리고 그 양끝은 화살표로 표시하는 것이 보
이고 별로 문제는 되지 않지만, 각도를 나타내는 숫자의 위치와 숫자의 방향을 어떻게 하는 것이 쓰기 쉽고 읽기 쉬울까 하여 여러 가지로 고민하는 경우가 많다.

이에 대하여 KSF 제도통칙에서는 다음과 같이 규정하고 있다.
  ⅰ) 수평선에 대하여 약 30°의 선을 기준으로 하고, 이 선의 왼쪽 윗부분에 문자는 바

깥쪽으로 향하게 기입하고, 오른쪽 아랫부분의 문자는 중심을 향하게 기입한다.

ii) 혼동하기 쉬운 때에는 위로 향하는 직립법으로 기입해도 된다. 또 각도의 기입법은 직립법으로 통일하는 경우가 있는데, 이 방법은 쓰기 쉽고 보기 쉬운 편리한 점이 있어서 흔히 잘 이용되고 있다.

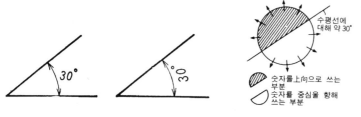

직립법 직각법각도표시법   각도를 표시하는 숫자의 방향

건축제도에서는 지붕·경사로·테이퍼 등의 경사를 표시할 경우가 상당히 많다.

KSF 건축제도통칙에서는 그 표시 방법이 규정되어 있으므로, 원칙적으로는 이에 준해야 되지만, 도면 내용을 더욱 알차고 조화 있게 하는 효과적인 표시방법이 있으면 사용해도 무방하다. 보통 사용하고 있는 표시방법을 다음 표에 나타낸다.

구배(물매)의 표시 방법

표 시 방 법		사 용 예
KSF건축제도 통칙에의한 방법	각도를 표시하는 방법 정점으로 표시하는 방법 분자를 1로 하는 분수로 표시하는 방법 : (1/x) 분모를 10으로 하는 분수로 표시하는 방법 (x/10)(지붕 물매일 때)	(지붕의 경우) 1/3/33(앞에 구배라 기입해도 됨) 1/10(앞에 구배라 기입해도 됨)
관용되고 있는 표시방법	바닥·평지붕·슬로우프 등에 구배 흐름방향을 화살표로 표시하고 분자를 1로한 분수로 표시하는 방법	(구배1/8스로프) (구배1/100스로프)

표기 예)

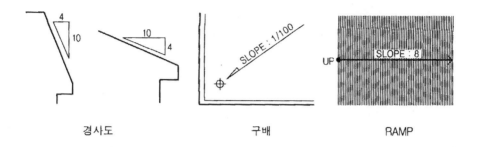

경사도   구배   RAMP

5) 부호

가. 도면의 명칭

- 부분 상세 도면의 도면명을 제외한 모든 도면의 명칭에 쓴다

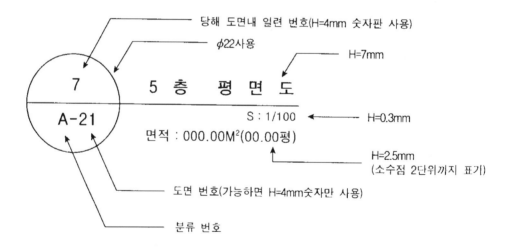

나. 전개도용 부호

① 전개도를 그리기 위한 평면상의 호출 부호

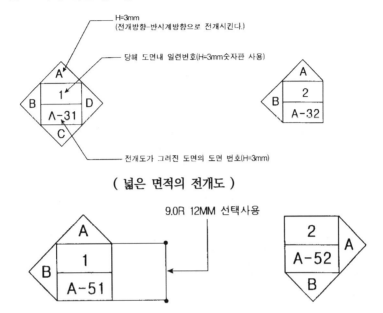

(넓은 면적의 전개도)

(좁은 면적 전개도)   (동일 실내의 전개도가 2장의 도면에 그려질 때

＊ 모든 호출부호는 원도의 뒤면에 표시 한다.

② 전개도에 도면 제목 표기

- 표기가 없는 사항은 도면 명칭에 따른다.

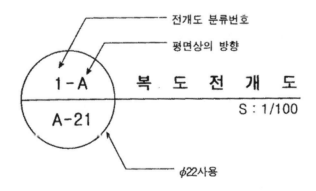

라. 단면도용 부호

- 단면을 그리기 위한 평면상의 호출부호

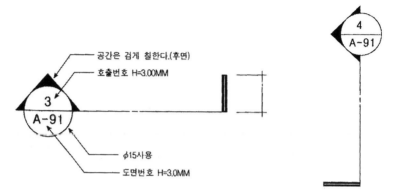

공간은 검게 칠한다.(후면)
호출번호 H=3.00MM
∮15사용
도면번호 H=3.0MM

- 단면도용 호출 부호 표현의 예

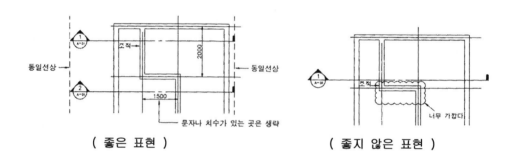

동일선상
조적
2000
동일선상
1500
문자나 치수가 있는 곳은 생략

(좋은 표현)

조적
너무 가깝다.

(좋지 않은 표현)

- 단면도에 도면 제목 표기(표기가 없는 사항은 도면 명칭에 따른다)

단 면 상 세 도
S : 1/50

마. 부분상세도용 부호

- 평면 또는 단면도에서 축척 1/0이상 크게 상세도를 그리기 위한 호출부호(부분 상세도에서 다시 조금 더 확대된 부분 상세도를 그릴 경우도 동일하다)

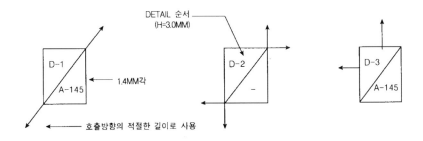

- 부분상세도 범위 표기 방법

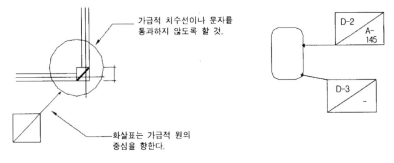

A. 작은 부분을 표기할 때
(원의 크기는 적당한 크기로 한다.)

B. 넓은 부분 혹은 길이가 긴 부분

- 부분단면 상세를 표기할 때 원형을 사용하는 경우
(사각형과 병용하여 프로젝트 관리자가 적당한 것을 선택하여 사용한다.)

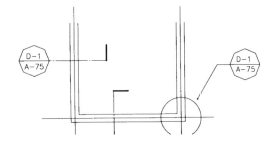

- 부분상세도의 제목 표기
  · 원형을 사용할 때

- 사각형을 사용 할 때(가급적 사용하지 않는다.)

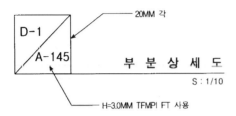

사. 확대평면을 그릴 때의 인출 부호

축척 "1/100"등의 평면을 "1/50"등으로 확대하여 평면을 그릴 때의 인출 부호 표시는 다음과 같다.

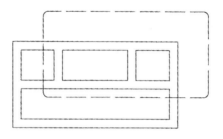

아. 축열 번호 표기 (좌에서 우측, 아래에서 위로 표기한다)

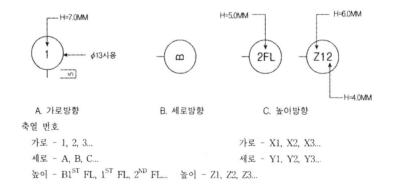

| A. 가로방향 | B. 세로방향 | C. 높이방향 |

축열 번호
가로 - 1, 2, 3...
세로 - A, B, C...
높이 - B1ST FL, 1ST FL, 2ND FL...

가로 - X1, X2, X3...
세로 - Y1, Y2, Y3...
높이 - Z1, Z2, Z3...

자. 높이의 표기

- 평면상의 높이 표기

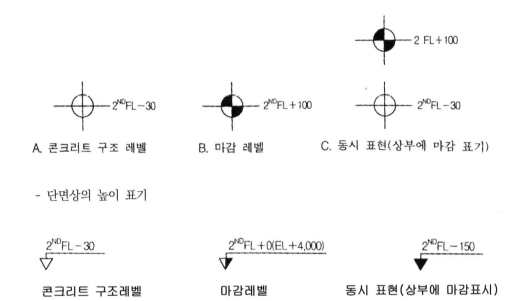

A. 콘크리트 구조 레벨   B. 마감 레벨   C. 동시 표현(상부에 마감 표기)

- 단면상의 높이 표기

콘크리트 구조레벨   마감레벨   동시 표현(상부에 마감표시)

차. 방위표

배치도, 평면도, 구조평면도 등 평면이 있는 평면도에 표시하되 특별한 경우를 제외하고는 다음과 같이 평면도 좌우에 표시한다.

KEY PLAN의 경우는 그 크기에 따라 적당하게 조정한다.

6) 도면의 수정

완성된 도면이 승인을 거쳐 대외적인 도면이 되었을 경우(납품, 견적용, 공사용 등)에 그 이후 변경 및 수정이 있을 경우 반드시 변경개소 및 변경 부분을 표시 한다.(대부분의 경우 기호는 원도 뒤쪽에 그리고 숫자는 원도 앞쪽에 쓰는 것이 일반적이다.)

가. 수정 부분의 표시

- 도면의 수정된 범위를 구름모양으로 표시한 후 번호를 기입하고 수정내용을 표제란의 수정란에 표시한다.

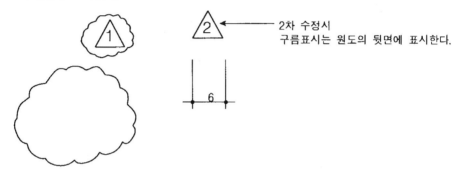

- 삭제된 부분은 "VOID"라 표시한다.

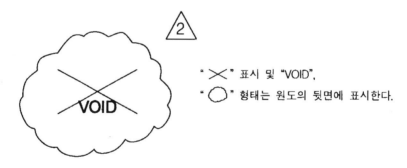

- 수정란에 기입
  · 수정번호(NO.) : 여러 곳을 동시에 수정하는 경우에는 동일 번호 기입
  · 수정날짜(DATE) : 년, 월, 일로 표시
  · 수정내용(REV. DESCRIPT) : 간략하게 기록
  · 서명란 : 수정자 및 검토자의 서명

7) 창호표시 기호

가. 문표시 기호

명칭	평면기호	입면	모양	명칭	평면기호	입면	모양
출입구 일반				양여닫이문			
미서기문				회전문			
외쪽 미서기문				자재문			
외미닫이문				양여닫이방화 문			
덧 문				절곡문			
망 문				신축 간막이 (재질,양식기입)			
외쪽여닫이문				셔 터			

나. 창문 표시기호

명칭	평면기호	입면	모양	명칭	평면기호	입면	모양
창일반				미끄럼창			
양여닫이창				매 달 회전창			
외여닫이창				망 창		적당한 망의 문양에 의	
오르내리창				격자창		적당한 격자의 문양에 의	
미서기창				셔터창			
붙박이창							
회전창							

8) 소방설비 기호

분류	명 칭	도시기호	분류	명 칭	도시기호
배 관	일반배관	———————	헤 드 류	스프링클러헤드폐쇄형 상향식(평면도)	●
	옥내·외소화전	—— H ——		스프링클러헤드폐쇄형 하향식(평면도)	
	스프링클러	—— SP ——		스프링클러헤드개방형 상향식(평면도)	
	물분무	—— WS ——		스프링클러헤드개방형 하향식(평면도)	
	포소화	—— F ——		스프링클러헤드폐쇄형 상향식(계통도)	
	배수관	—— D ——		스프링클러헤드폐쇄형 하향식(입면도)	
	전선관 입상			스프링클러헤드폐쇄형 상·하향식(입면도)	
	전선관 입하			스프링클러헤드 상향형(입면도)	
	전선관 통과			스프링클러헤드 하향형(입면도)	
관이음쇠	후렌지			분말·탄산가스· 할로겐헤드	
	유니온			연결살수헤드	
	플러그			물분무헤드(평면도)	
	90°엘보			물분무헤드(입면도)	
	45°엘보			드랜쳐헤드(평면도)	
	티			드랜쳐헤드(입면도)	
	크로스			포헤드(평면도)	
	맹후렌지			포헤드(입면도)	
	캡			감지헤드(평면도)	

분 류	명 칭	도시기호	분 류	명 칭	도시기호
헤 드 류	감지헤드(입면도)		밸 브 류	릴리프밸브 (이산화탄소용)	
	청정소화약제방출헤드 (평면도)			릴리프밸브 (일반)	
	청정소화약제방출헤드 (입면도)			동체크밸브	
밸 브 류	체크밸브			앵글밸브	
	가스체크밸브			ΓOOT밸브	
	게이트밸브(상시개방)			볼밸브	
	게이트밸브(상시폐쇄)			배수밸브	
	선택밸브			자동배수밸브	
	조작밸브(일반)			여과망	
	조작밸브(전자식)			자동밸브	
	조작밸브(가스식)			감압밸브	
	경보밸브(습식)			공기조절밸브	
	경보밸브(건식)		계기류	압력계	
	프리액션밸브			연성계	
	경보델류지밸브			유량계	
	프리액션밸브수동조작함	SVP	소화전	옥내소화전함	
	플렉시블조인트			옥내소화전 방수용기구병설	
	솔레노이드밸브			옥외소화전	
	모터밸브			포말소화전	

분 류	명 칭	도시기호	분 류	명 칭	도시기호
소화전	송수구		경보설비기기류	차동식스포트형감지기	
	방수구			보상식스포트형감지기	
스 트 레이너	Y형			정온식스포트형감지기	
	U형			연기감지기	S
저 장 탱크류	고가수조 (물올림장치)			감지선	
	압력챔버			공기관	
	포말원액탱크	(수직) (수평)		열전대	
레듀셔	편심레듀셔			열반도체	
	원심레듀셔			차동식분포형 감지기의검출기	
혼합 장치류	프레져푸로포셔너			발신기셋트 단독형	
	라인푸로포셔너			발신기셋트 옥내소화전내장형	
	프레져사이드 푸로포셔너			경계구역번호	
	기 타			비상용누름버튼	F
펌프류	일반펌프			비상전화기	ET
	펌프모터(수평)	M		비상벨	B
	펌프모토(수직)	M		싸이렌	
저 장 용 기 류	분말약제 저장용기	P.D		모터싸이렌	M
	저장용기			전자싸이렌	S
				조작장치	E P
				증폭기	AMP

분류	명칭	도시기호	분류	명칭	도시기호
경 보 설 비 기 기 류	기동누름버튼	Ⓔ	경보설비 기기류	종단저항	(symbol)
	이온화식감지기 (스포트형)	S I	제연 설비	수동식제어	(symbol)
	광전식연기감지기 (아나로그)	S A		천장용배풍기	(symbol)
	광전식연기감지기 (스포트형)	S P		벽부착용 배풍기	(symbol)
	감지기간선, HIV1.2mm×4(22C)	— F ///	배 풍 기	일반배풍기	(symbol)
	감지기간선, HIV1.2mm×8(22C)	— F /// ///		관로배풍기	(symbol)
	유도등간선 HIV2.0mm×3(22C)	— EX —	댐 퍼	화재댐퍼	(symbol)
	경보부저	⒝Z		연기댐퍼	(symbol)
	제어반	(symbol)		화재/연기 댐퍼	(symbol)
	표시반	(symbol)	스위치 류	압력스위치	Ⓟ S
	회로시험기	(symbol)		탬퍼스위치	TS
	화재경보벨	Ⓑ	방연 · 방화문	연기감지기(전용)	S
	시각경보기 (스트로브)	(symbol)		열감지기(전용)	(symbol)
	수신기	(symbol)		자동폐쇄장치	ER
	부수신기	(symbol)		연동제어기	(symbol)
	중계기	(symbol)		배연창기동 모터	Ⓜ
	표시등	(symbol)		배연창수동조작함	(symbol)
	피난구유도등	(symbol)	피뢰침	피뢰부(평면도)	(symbol)
	통로유도등	→		피뢰부(입면도)	(symbol)
	표시판	(symbol)		피뢰도선 및 지붕위 도체	—
	보조전원	T R			

분 류	명 칭	도시기호	분 류	명 칭	도시기호
제연 설비	접 지		기 타	비상콘센트	
	접지저항 측정용단자			비상분전반	
소 화 기 류	ABC소화기	소		가스계소화설비의 수동조작함	RM
	자동확산 소화기	자		전동기구동	M
	자동식소화기	소		엔진구동	E
	이산화탄소 소화기	C		배관행거	
	할로겐화합물 소화기			기압계	
기 타	안테나			배기구	
	스피커			바닥은폐선	— — — — —
	연기 방연벽			노출배선	——————
	화재방화벽	——————		소화가스 패키지	PAC
	화재 및 연기방벽				

3. 도면의 배치

3.1 투상법

일정한 법칙에 의해서 대상물의 형태를 평면상에 그리는 것을 '투상'이라하고, 그린 그림을 '투상도', 투상에 의해서 대상물의 형태를 찍어내는 평면을 '투상면'이라고 한다. '정투상'은 대상물의 좌표면이 투상면에 평행인 직각 투상이며, 일반적으로 세 개의 투상면을 필요로 한다. 물론 이에 의해서 그린 도면을 정투상도라고 한다. 정투상도는 모양을 정밀하고 정확하게 표시할 수 있는 특징이 있고 일반적인 도면에 사용되며 제3각법을 사용해 그린다.

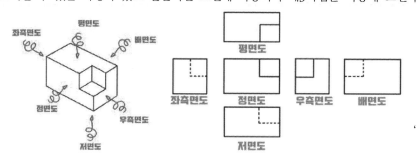

정투상도의 도면배치

- 등각투상도 : 3좌표축의 투상이 서로 120°가 되는 축측투상도로서 하나의 그림으로 정육면체의 세 면을 같게 표시할 수 있는 특징이 있으며, 설명용 도면으로 많이 사용된다.
- 사투상도 : 투상선이 투상면을 사선으로 지나는 평행 투상도로 안쪽 길이를 실제의 1/2로 그린 그림을 캐비닛도라고 한다. 일반적으로 사투상법에서는 캐비닛도를 사용한다. 하나의 그림으로 정육면체의 세 면 중에서 한 면을 중점적으로 정밀하고 정확하게 표시할 수 있는 특징이 있으며, 설명용 도면에 주로 사용된다.

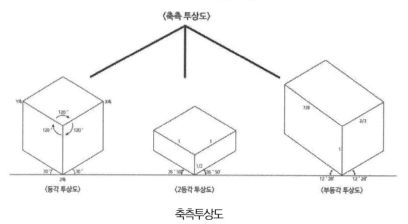

축측투상도

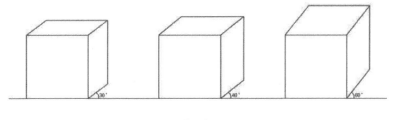

사투상도

3.2 투상도의 작성

1) 제1각법

　수직으로 교차하는 2개의 가상 평면으로 하나의 공간을 4등분하였을 때, 오른쪽 위의 공간을 제1각(1st angle) 또는 1사분면(1st quadrant)이라 하며, 제1각을 기준으로 반시계 방향으로 제2각(2nd angle), 제3각(3rd angle), 제4각(4th angle)이라 한다.

제1각법(1st angle projection)은 아래 그림과 같이 물체를 제1각에 놓고 정투상 하는 방법이다. 따라서 물체는 눈과 투상면 사이에 있게 된다. 평화면, 측화면을 입화면과 같은 평면이 되도록 회전시키면 아래 그림과 같이 정면도의 왼쪽에 우측면도가 놓이고, 평면도는 정면도의 아래쪽에 놓이게 된다.

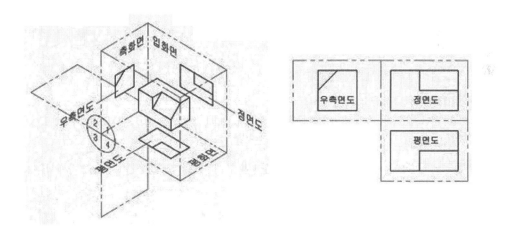

1각법 물체 투시　　　　　　　1각법 3면도의 배치

2) 제3각법

제3각법(3rd angle projection)은 그림과 같이 물체를 제3각에 놓고 정투상 하는 방법이다. 따라서 눈과 물체 사이에 투상면이 있게 된다.

평화면, 측화면을 입화면과 같은 평면이 되도록 회전시키면 아래와 같이 정면도의 위에 평면도가 놓이고, 정면도의 오른쪽에 우측면도가 놓이게 된다. 이것은 정투상도의 원리에서 설명한 것과 같다.

제3각법은 제1각법에 비하여 도면을 이해하기 쉬우며, 치수기입이 편리하고, 보조투상도를 사용하여 복잡한 물체도 쉽고 정확하게 나타낼 수 있다.

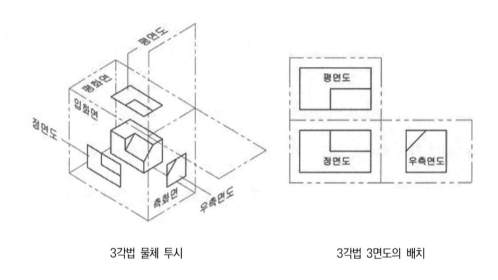

3각법 물체 투시   3각법 3면도의 배치

3) 제1각법과 제3각법의 비교

그림1-10에서처럼 제3각법은 정면도를 기준으로 평면도가 정면도 위에 배치되지만 제1각법에서는 정면도 아래에 배치한다. 또한 제3각법에서는 좌측면도는 정면도 좌측에, 우측면도는 정면도 우측에 배치되나, 제1각법에서는 좌측면도가 정면도 우측에 우측면도는 정면도 좌측에 배치한다.

원칙적으로 같은 도면에서 제1각법과 제3각법을 혼용하지 않도록 되어 있지만 도면을 이해하는 데 필요할 경우 혼용할 수도 있다. 이 때에는 제1각법 기호 또는 제3각법 기호를 투상도 부근에 도시하거나, '제1각법' 또는 '제3각법'이라 표기하여야 한다.

 우리나라, 미국, 캐나다 등은 제3각법을, 독일은 제1각법을 사용하며, 일본, 영국 및 국제 표준규격은 제1각법과 제3각법을 혼용하고 있다.

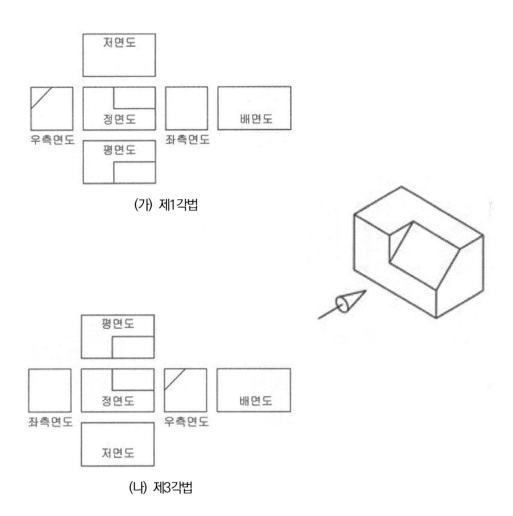

(가) 제1각법

(나) 제3각법

4. 건축설계와 소방설계

4.1 건축설계

1) 기획설계(CONCEPT DESIGN/FEASIBILITY STUDIES PHASE)

건축주로부터 설계의뢰를 받거나 설계 수주을 위한 계획설계이전의 업무를 말한다.
  가) 건축물의 규모검토
  나) 설계비 견적서 제출
  다) 계약체결

2) 계획설계(SCHEMATIC DESIGN)

건축주의 사업계획, 건축물의 사용목적에 대한 합리성을 충족시키고 사업규모를 결정하는 데 참고가 되도록 작성하며 계획설계시 법규조건을 철저히 조사하여 계획상 착오가 없도록 한다.
  가) 배치도
  나) 각 층 평면도
  다) 4면 입면도
  라) 일반단면도
  마) 개요설명도
  바) 개략공사비 내역서
  사) 투시도(조감도)
  아) 기본계획안 확정

3) 기본계획(PRELIMINARY/DESIGN DEVELOPMENT PHASE)

건축계획시의 제반조건과 요구사항 등을 바탕으로 하여 배치, 평면, 입면, 단면, 구조, 재료, 설비, 공사비, 공사기간 등의 기본적인 내용을 설계도서에 표기하여 실시설계에 착오가 없도록 건축주와 최종합의에 목적이 있다.

4) 실시설계

기본설계를 구체화하여 실제 공사에 필요한 사항을 설계도서에 표기해 시공에 지장이 없도록 한다.

구분	기 본 설 계	실 시 설 계
1. 설 계 설 명 서	가. 공사개요 　위치,대지면적, 공사기간, 　공사금액 등 나. 사전조사사항 　지반고, 지질 및 지형개요, 강우량, 　바람, 동결심도, 지하수, 적설량, 　교통,수용인원, 장비, 지역, 지구등 다. 계획 및 방침 　부지선정, 시설 종합배치계획, 방 　침, 배치, 평면, 입면계획, 수평,수 　직동선계획, 개략조경계획, 주차계 　획, 기타 라. 시공방법 마. 개략공정계획 바. 개략공사비 산정 사. 주요설비 계획 아. 주요 자재계획 자. 기타 필요사항	가. 공사개요 　위치, 대지면적, 공사기간, 공사금액 등 나. 설계개요 　지역, 지구, 구조, 규모, 건축면적, 연면적, 건폐 　율, 용석율, 수지면석(대수), 조경면적, 최 　고높이, 층고, 층별면적, 각층 주용도 등 다. 사전조사사항 　지반고, 지질 및 지형개요, 강우량, 바람, 동 　결심도, 상하수, 적설량, 교통, 수용인원, 　장비 등 라. 계획 및 방침 　부지선정, 시설 종합 배치계획, 방침, 배 　치, 평면, 입면계획, 수평, 수직동선계획, 　개략조경계획, 주차계획,　기타 마. 세부 시공방법 바. 개략공정계획 사. 공사비산정(공종별물량 및 공사비) 아. 세부설비계획 자. 세부자재계획 차. 기타 필요한 사항
2. 구 조 계 획 서	가. 설계근거 규준 나. 구조재료의 성질 및 특성 다. 제반 하중 조건에 대한 분석 적용 라. 구조의 형식 선정계획 마. 각부 구조계획 　골조의 평면, 간사이, 층고, 바닥판 　구조, 지붕구조, 기타 바. 구조성능 　단열, 내화, 차음, 진동장애등 사. 구조안전검토 　5층이상 또는 경간12m이상인 경우	가. 설계근거 나. 구조재료의 성질 및 특성 다. 제반 하중조건에 대한 분석 적용 라. 구조의 형식 선정계획 마. 각부 구조계획 　골조의 평면계획, 간사이, 층고 바닥판 　구조, 기타. 바. 구조성능 　단열, 내화, 차음, 진동장애 등 사. 구조계산서

구분	기 본 설 계	실 시 설 계
3. 지질 조사서 (건축주 업무)	가. 토질개황 나. 토질 주상도 다. 표준관입 시험치 라. 토질 시험내용 마. 지내력 산출근거 바. 지하수위면 사. 기초에 대한 의견	가. 토질개황 나. 토질 주상도 다. 표준관입 시험치 라. 토질 시험내용 마. 지내력 산출근거 바. 지하수위면 사. 기초에 대한 의견
4. 시방서	건설부 표준시방 내용에 없는 공법인 경우 이에 대한 시방 내용	해당 공시에 필요한 일반 특기시방
5. 도 면	가. 부근 안내도 나. 투시도(색채사용) 다. 배치도 라. 실내.외 마감표 마. 부착물 계획도(가구, 장식장, 신발장) 바. 각층 평면도 사. 입면도 아. 주단면도 자. 주요구조 평면상세(1-2) 차. 조경계획도 카. 조경시설물 공사계획도 타. 기타 필요한 도면	가. 부근 안내도 나. 투시도, 조감도 다. 도면 목록표 라. 배치도 마. 부분배치도(라의 배치도를 구체적으로 표시) 바. 주차장 평면도 사. 구적도 아. 건물면적 일람표 자. 실내.외 마감표 차. 각층 평면도 카. 지붕 평면도 타. 입면도 파. 주 단면도 하. 평면 상세도 거. 단면 상세도 너. 계단 평.단면 상세도 더. 굴뚝상세도 러. 셔터, 피트, 발코니 등 부분상세도 머. 각층 천장 평면도 버. 각층 창호 평면도 서. 창호 일람표 어. 창호 상세도 저. 각 구조도 처. 조경계획 평면도 커. 조경시설물 공사계획도 터. 오락 및 체육시설물 공사 계획도 퍼. 토공사 허. 식수평면도

4.2 소방설비제도

1) 소방시스템별 계통도

옥내소화전, 스프링클러, 포소화설비 등 전 시스템을 단면도상에 상세하게 나타낸 도면을 말한다.

2) 소화설비 평면도

건축도면 평면도 위에 배관, 스프링클러 헤드 위치, 소화전함 및 소화전 위치 등 각종 소방설비들을 그린 도면이다.

3) 무선통신보조설비평면도

건축도면 평면도 위에 무선통신보조설비의 케이블을 그린 도면이다.

4) 자동화재탐지설비, 유도등설비 평면도

건축도면 평면도 위에 자동화재감지기, 유도등, 전기닥트 등의 위치와 배선을 그린 도면이다.

5) 소방기기 상세도

(a) **소방기기 기계설비 상세도** : 스프링클러헤드, 옥내외 소화전함, 살수헤드, 알람밸브 등 소방기계기기들에 대한 사항을 상세히 그린 도면이다.
(b) **소방기기 전기설비 상세도** : 수•발신기, 유도등, 비상콘센트, 슈퍼바이조리판넬 등 소방전기기기들에 대한 사항을 상세히 그린 도면이다.

6) 소방기기 설치도
발신기, 감지기, 사이렌, 유도등, 각종 단자함 등의 설치를 위한 도면이다.

7) 기타 설계도서

설계도서는 설계한 내용을 문서로 써놓은 것으로 공사에 필요한 설계도를 포함한 일련의 도서를 말한다. 설계도서는 설계도에 시방서, 내역서 등을 첨부한 것을 말한다.

(a) 시방서

시방서는 건물을 설계하거나 제품을 제조할 시 도면상에서 나타낼 수 없는 세부 사항을 명시한 문서를 말한다. 시방서는 사양서라고 부르기도 한다.

일반적으로 사용재료의 재질·품질·치수 등, 제조·시공상의 방법과 정도, 제품·공사 등의 성능, 특정한 재료·제조·공법 등의 지정, 완성 후의 기술적 및 외관상의 요구, 일반총칙 사항(一般總則事項)이 표시된다. 도면과 함께 설계의 중요한 부분을 이룬다. 시방서는 도면과 함께 설계의 중요한 부분을 구성한다

(b) 내역서

내역서는 일정한 기간 동안 사용한 경비를 총괄적으로 합산하기 위해 작성하는 문서로 날짜와 사용 목적 등을 기재하여 금액의 지출 여부를 분명히 하는 데에도 목적이 있다. 내역서는 작성일, 작성자, 일자, 계정과목, 내용, 금액, 비고, 합계내역 등의 항목으로 구성되어 있으며, 지출 경비의 전체적인 흐름을 정확하게 기재하는 것이 중요하다. 내역서를 작성하면 예산을 어느 곳에 사용했는지 등의 자금 흐름을 예측하는 데 도움을 준다.

공사내역서는 시공업자가 공사도급계약을 할 때에 제출하는 서식으로 공사비 상세 내역을 합산하여 차례대로 기록한 서식이다. 공정 항목 당 재료비, 인건비, 경비가 합산되어 작성된, 말 그대로 총 공사비 내역서를 말한다. 보통은 갑지와 을지로 구분되어 있는데 을지는 세부 항목별로 작성되어 있으며 세금 관련한 부분이 빠져 있고, 갑지는 총괄하여 부가가치세 및 안전관리비 등 세금 관련한 실제 총 공사금액을 기재한다. 공사내역서의 단가에 따라 공사비가 증감할 수 있으므로 보다 효율적인 작업을 위해서는 전문적이고 충분한 지식과 경험을 갖춘 건설 사업관리자가 개입하여야 한다.

CHAPTER
02

CAD일반

1. CAD의 개념
2. AutoCAD 시스템 요구사항 및 특징
3. AutoCAD 화면구성 및 도구 막대
4. AutoCAD 작업환경의 설정

1. CAD의 개념

1.1 CAD의 정의

CAD는 Computer Aided Design의 약자로서 컴퓨터를 이용한 설계라 할 수 있다. CAD는 1963년 Steven Coons에 의하여 CAD의 기능이 처음 발된 이래 MIT에서는 Sketchpad system을 제작하여 광펜을 이용하여 상호작용으로 그래픽을 조작하는 가능성을 제시하였다.

CAD란 업무를 산업에 적용하는 사람이나 현장의 여건에 따라 다소가 구분의 차이는 있을 수가 있으나, 가장 기본적인 의미는 현 산업사회의 설계나 생산 가공분야에 컴퓨터를 활용함으로써 가속화 되어 발전하는 산업발전에 부응하고, 설계와 생산을 자동화함으로써 공장자동화에 도달하기 위한 총체적 기술(Systematic Technique)이라고 할 수 있다. CAD라는 말은 설계분야를 컴퓨터의 도움을 얻어 발전시키는 개념으로 설계의 기본개념 단계에서부터 최종 마무리 단계인 해석까지의 전 과정에 걸쳐서 컴퓨터를 활용하여 설계하는 방식이라고 할 수 있으며, 특히 자동적으로 도면을 작성하는 DESIGN AUTOMATION의 개념을 포함하기도 한다. 그러나 CAD에서는 이외의 컴퓨터의 강력한 데이터 처리 능력을 이용하여 설계에 필요한 자료를 그림의 형태로 나타내어 사용자 혹은 설계자의 이해를 돕게 해주는 역할을 하기도 한다. 이와 같은 개념에 의한 CAD 적용 단계는 다음과 같이 구분할 수 있다.

1) 컴퓨터에 의한 제도(drafting)

종전에는 수작업에 의한 도면작업을 할 때 제도판에서 자와 연필로 수행하였으나, 컴퓨터와 도면작성용 소프트웨어에 의해서 도면작업을 수행하는 단계로 주로 기존에 만들어진 도면을 사도(copy)하는 단계를 의미한다.

2) 컴퓨터에 의한 설계(design)

현 산업사회에서 가장 널리 쓰고자 하는 CAD의 적용 단계로 설계자가 제품을 구성해서 만들어내기까지의 전 단계에서 각종 설계계산, 자료선정 등 설계 본연의 일을 컴퓨터하드웨어/소프트웨어)로 처리하는 과정을 의미한다.

3) 컴퓨터에 의한 해석(engineering)

제품시험 나 제품개발 단계에서 R&D그룹용으로 주로 효용성이 높은 단계로 종전에 직접 시제품을 만들어 제품의 안전성, 효율성, 정확성을 입력시켜 제품의 상태를 파악하여 영상 으로 처리하는 주요 단계이다.

1.2 CAD의 필요성

현대 산업사회에서 CAD가 각광을 받게 되는 이유를 살펴보면, 최근 설계나 생산분야에서 사무자동화(OA : Office Automation)와 비슷한 개념의 변혁이 일어나고 있다. 그것은 바로 CAD라고하며 이는 선진국의 예를 보아 산업사회에서 합리화를 이루는 획기적인 계기가 되었기 때문이다. 즉 CAD의 필요성이 부각되고 있다는 뜻이다.

1) 사회환경의 변화

① 소비자 요구의 다양화

경제의 발전으로 국민 생활이 윤택해지기 때문에 소비 계층이 점점 두터워지게 된다. 그러면 자연히 제품 생산회사에서 여러 계층의 소비자를 대상으로 다양한 제품을 개발하게 된다.

② 가격경쟁의 심화

산업경제의 활성화로 많은 회사 및 공장이 설립되게 된다. 그러면 자연히 한 종류의 제품을 여러 회사에 유사하게 제조하여 판매하게 된다. 이럴 때 가격 경쟁이 이루어지므로 저가격의 제품이 비슷한 성능의 제품이라면 시장성이 있게 된다.

③ 국제 경쟁의 심화

국제적으로 제품 성능 및 가격이 경쟁되므로 동일한 성능의 제품이면 자연히 가격이 저가인 제품이 시장성을 갖게 된다.

④ 제품지식의 집약화

여러 계층의 소비자를 대상으로 하다모변 여러 종류의 제품 즉 생산 모델이 다양하게
된다. 다양화된 제품의 지식을 간단히 정의하여 집약의 필요성을 느끼게 된다.

⑤ 제품 life cycle의 단축

소비자의 욕구가 색상, 모양, 크기 등 여러 종류와 분야에서 빠른 주기로 유행에 따라 변
화하므로 제품 유행성에 부합하여야 하기 때문이다.

2) 설계환경의 변화

① 신제품 개발경쟁의 격화

소비자 욕구의 다양화에 따른 각 회사들 간의 제품을 다양화하고 제품의 유행에 따른
신제품 개발경쟁이 필연적이다.

② 고품질•저가격 설계의 피리요성 증대

소비자 욕구의 다양화와 소비 수준의 향상, 경쟁회사들의 난립에 의한 제품경쟁이 치열
해지므로 자연히 제품의 품질과 가격을 소비자는 검토하여 제품을 선정하게 되므로 고품질,
저가 제품을 개발하여야 한다.

③ 설계 납기의 단축

제품의 개발주기(life cycle)가 점점 단축되어 신제품 개발기간이 점점 빨라지게 된다.

④ 제품사양의 다양화로 설계 작업량의 증대

설계 납기의 단축, 모델의 다양화로 인하여 각 회사별로 개발 관리해야 할 제품의 수량
이 급증하여 설계 개발에 필요한 제품사양의 종류가 다양해지게 된다.

이런 이론적 배경을 바탕으로 산업의 고도화, 컴퓨터 산업의 발전 등으로 인해 모든 산업 영역에서 수작업의 제도 용구가 사라지고 CAD를 이용한 설계를 수행하게 되었다. 지금은 설계업에 종사하고자 하는 사람은 CAD 소프트웨어를 능숙하게 다룰 줄 아는 것이 기본이 되었다.

1.3 CAD의 장점 및 효과

CAD 시스템의 장점은 수작업과 비교하여 한번 작업한 자료를 수시로 수정·검토할 수 있고, 단순 반복 작업을 피하고 나아가 작업한 설계 업무를 DB로 구축할 수 있다는 점이다.

CAD 시스템은 자체의 기능도 중요하지만 보다 효율적인 활용을 위해서는 운용방법, 운용기술 등의 문제에 대해서도 충분한 검토가 필요하다. CAD를 소방 설계 과정에 도입함으로써 얻을 수 있는 효과는 다음과 같다.

생산성 향상	• DATA의 보관 및 관리 용이 • 복사, 편집, 수정이 용이 • 우수한 품질의 도면을 작성 • 설계시간의 단축과 공정시간 및 생산비 절약을 통한 원가 절감 • Database 구축으로 방대한 양의 정보를 활용
표현적 효과	• 표현방법의 다양화 • 3차원적 표현 • 동영상 제작과 활용의 극대화
표 준 화	• Block 및 부분 상세도의 Library구축 • 자료를 공유하여 작업의 효율 극대화

1.4 CAD의 이용 분야

설계 및 제도를 기반으로 하는 산업분야에서 주로 사용되는 CAD는 초창기 주로 건축과 기계 분야에서 사용되다가 점점 토목, 전기, 소방분야 등에 까지 사용되고 있다. 그 영역을 보면 다음과 같다.
- 토목 및 건축물 설계 및 모델링 분야
- 기계설비 및 각종 부품 등의 설계
- 비행기 및 선박 설계 관련 분야
- 천문 및 기상관측 관련 분야
- 화학플랜트 설계 분야

- 전기시설 및 전자분야 회로 및 기판설계 분야
- 의상디자인 분야
- GIS 및 인공위성을 이용한 군사 분야
- 각종 의료시스템 설계 분야
- 기타 각종 산업 분야

설계 및 제도에 사용되는 CAD 소프트웨어는 산업 영역에 따라 전기·전자 회로 설계에서는 or-CAD, 제품 디자인 등에서는 Solid works, 조선 자동차, 항공, 금형, 및 일반 산업기계 분야에서는 Cadra, 그 외 범용적으로 Auto-CAD가 사용되고 있다. 소방설계는 건축설계와의 호환을 고려하여야 하므로 건축실계분야에서 주로 사용하고 있는 Auto-CAD를 기본으로 하고 있다.

Auto-CAD는 1980년대 Auto Desk CO.가 만든 CAD 소프트웨어로서 지속적으로 보완하여 지금은 세계적으로 가장 범용적인 프로그램이 되었다.

2. AutoCAD의 시스템 요구사항 및 특징

2.1 CAD 시스템의 구성

CAD를 이용한 설계를 하기 위해서는 우선 CAD시스템에 맞는 사양의 Computer가 있어야 할 것이다. 이 Computer에서 CAD 시스템을 구동하기 위해서는 하드웨어와 소프트웨어가 필요하다.

하드웨어로는 키보드, 마우스, 트랙볼, 터치판넬, 광펜 등 입력장치와 디스플레이장치, 플로터, 프린터 등 출력 장치로 구성된다.

소프트웨어로는 컴퓨터 운영체제(OS)와 운용프로그램이 있어야 한다. 여기서는 AutoCAD 소프트웨어 등과 같은 제도를 할 수 있는 프로그램을 말한다.

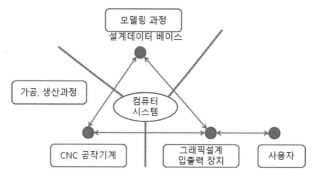

2.2 시스템 요구사항(System requirements for AutoCAD 2025)

* **운영체제** : 64비트 Microsoft® Windows® 11 및 Windows 10 버전 1809 이상
* **Processor**
  - 기본 : 8개의 논리 코어가 탑재된 2.5~2.9GHz 프로세서(기준). ARM 프로세서는 지원되지 않음.
  - 권장: 3GHz 이상 프로세서(기준), 4GHz 이상(터보)
* **Memory** : 기본: 8GB(권장: 32GB)
* **해상도**
  - 일반 디스플레이 : 1920 x 1080(트루컬러)
  - 고해상도 4K 디스플레이 : 최대 해상도 3840 x 2160("권장" 디스플레이 카드 탑재)
* **Display 카드**
  - 기본 : 2GB GPU, 29GB/s 대역폭 및 DirectX 11 호환
  - 권장 : 8GB GPU, 106GB/s 대역폭 및 DirectX 12 호환
  - DirectX 12(기능 레벨 12_0)는 음영처리(고속), 모서리로 음영처리(고속) 및 와이어프레임(고속) 비주얼 스타일에 필요.
  - 참고 : AutoCAD는 뷰 조작, 선 다듬기 및 문자/선종류 생성을 포함하되 이에 국한되지 않는 다양한 필수 그래픽 작업에 컴퓨터의 디스플레이 카드를 사용한다. 최적의 속도로 이러한 작업을 지원하려면 전용 VRAM이 있는 디스플레이 카드를 사용하는 것이 좋다.
* **Disk Space** : 10GB이상(SSD 권장)
* **네트워크** : Windows 10 , Windows Server 2016, 2019, 2022

2.3 AutoCAD 2025의 새 기능

1) AutoCAD 2025의 새 기능

① 스마트 블록 : 검색 및 변환

Autodesk AI의 도움을 받아 도면에서 객체를 검색해 새로 정의된 블록, 기존 블록이나 최근에 사용한 블록, 블록 라이브러리의 추천 블록 인스턴스로 변환할 수 있다. 선택한 형상의 여러 인스턴스를 블록으로 쉽게 변환할 수 있고, 변환할 형상을 선택하면 AutoCAD에서 동일한 형상의 모든 인스턴스를 찾아 강조 표시한다. 그런 다음 선택한 형상과 찾은 인스턴스를 블록으로 변환하도록 선택할 수 있다.

② 스마트 블록: 객체 탐지 기술 프리뷰

Autodesk AI의 도움을 받아 블록으로 변환할 객체를 자동으로 인식해 설계 효율성을 높이고 도면을 정리할 때 시간을 절약할 수 있다. 객체 탐지를 시작하면 도면의 형상이 인식을 위해 AutoCAD 머신 러닝 서비스로 전송된다. 서비스에서 도면을 분석하면 블록으로 변환할 수 있는 객체가 탐지되는 경우 팔레트에서 이를 알려준다. 식별된 인스턴스를 더 검사하고 평가하려면 객체 검토를 클릭한다.

③ 활동 인사이트

상세한 복수 사용자 이벤트 로그를 통해 핵심 설계 데이터에 액세스할 수 있다. 버전 내역과 파일 비교 도구를 비롯한 35가지 이상의 활동 유형을 추적할 수 있고, Autodesk Docs에서 관리되는 파일, 로컬에 저장되거나 타 클라우드 저장소에 호스팅된 파일을 지원한다.

④ Autodesk Docs에서 마크업 가져오기

Autodesk Docs에서 PDF 마크업을 가져오고 연결할 수 있다. 동기화되고 나면 Autodesk Docs에서 작성된 마크업이 AutoCAD의 트레이스 도면층에서 계속 업데이트되므로 응용프로그램 간에 전환하지 않고도 피드백을 검토하고 통합할 수 있다.

⑤ 해치기능향상

익숙한 HATCH 명령을 편리하게 업데이트하여 디자인을 더욱 명확하게 표현할 수 있다. 패턴, 채우기 및 경로를 통해 사전 정의된 쉐이프나 닫힌 경계 없이 도면에 텍스처를 추가할 수 있도록 한다.

⑥ Autodesk 도우미

Autodesk AI가 제공하는 대화형 인터페이스를 통해 유용한 지원 및 솔루션을 빠르게 이용할 수 있다. AutoCAD 내에서 기능 및 설계 과제와 관련된 질문에 대해 자세히 알아볼 수 있다. Autodesk 도우미는 요약된 응답을 통해 지침을 생성하고 도움이 되는 학습 리소스를 제공한다.

⑦ ArcGIS® Basemap

Esri의 ArcGIS® Basemap을 활용해 실제 지리적 정보를 바탕으로 부지 계획을 세울 수 있다. 고해상도 위성 및 항공 이미지, OpenStreetMap 및 Street 형식의 5가지 기본 지도와 함께 밝고 어두운 회색 단색 지도 스타일을 이용할 수 있다.

3. AutoCAD 화면구성 및 도구 막대

3.1 시작화면

AutoCAD를 처음 시작하면 다음과 같은 시작화면이 나타난다.

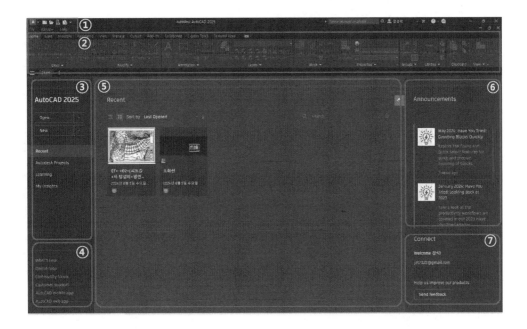

① 앱버튼 및 빠른 실행
② 탭 및 리본 메뉴(비활성)
③ 파일 및 프로젝트메뉴
④ 커뮤니티 및 고객지원
⑤ 최근((Recent)) : 파일 및 프로젝트 선택
⑥ 공지사항(Announcements)
⑦ 계정 및 피드백(Connect)

3.2 AutoCAD 화면구성

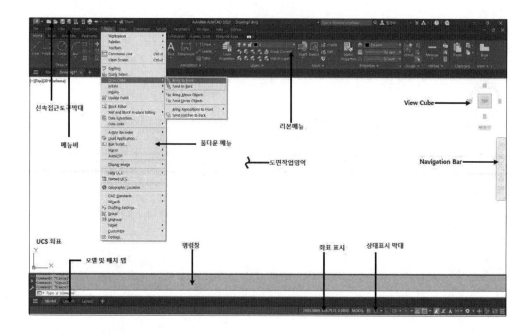

① 작업영역(Drawing Area)

실제도면이 그려지는 공간으로 중앙에 위치하며 도면용지와 같다고 할 수 있다.

② 리본메뉴(Ribbon Menu)

프로그램 상단에 리본 띠처럼 위치해 있는 것으로써 여러 개의 메뉴 타이틀, 즉 홈 (home), 삽입(insert), 주석(Annotate), 파라메트릭(Parametric), 뷰(View), 관리(Manage), 등등으로 분류되어 있고, 각 메뉴 타이틀마다 여러 그룹의 아이콘 툴바들이 들어 있다.

각각의 명령어 아이콘 위에 마우스 커서를 위치시키면 해당 명령어의 간단한 설명이 나온다.
리본 탭의 오른쪽에 있는 화살표를 이용하여 리본 메뉴를 숨기거나 표시할 수 있다.

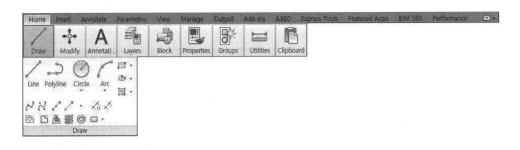

* **최소화 모드**

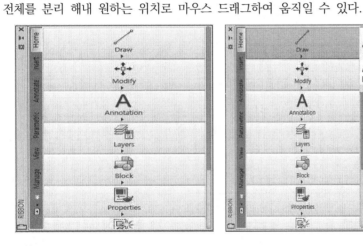

메뉴타이틀 부분을 마우스 왼쪽 클릭하면 옵션창이 나온다. Unlock을 클릭하면 리본메뉴 전체를 분리 해내 원하는 위치로 마우스 드래그하여 움직일 수 있다.

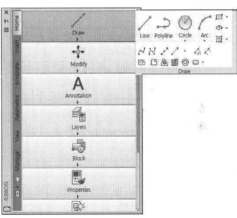

③ Tool Bar On/Off

명령창(command)에서 Toolbar 또는 Pull Down Menu에서 [View] - [Toolbars]버튼을 클릭하여 대화상자가 나타나면 Toolbar폴더에 명령어를 드래그하여 배치한다.

화면상의 Toolbar영역에서 마우스 오른쪽 버튼을 클릭하여 [ACAD]를 선택한 후 해당 Toolbar를 선택하거나 Customize를 클릭해서 Toolbar 대화상자 좌측사각형을 On/Off하면 된다.

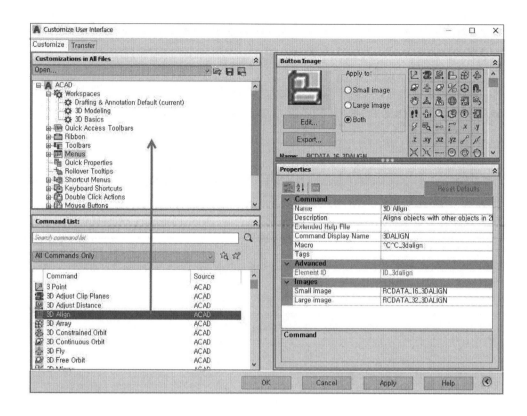

④ 풀다운 메뉴(Pull Down Menu/Bar)

AutoCAD의 명령어를 분류하여 종류별로 모아 놓은 영역으로써 화면 상단 부분에 위치한다. 메뉴나 대화상자에서 〉 표시가 있는 것은 SUB메뉴가 있다는 것을 의미하며, "…"표시는 대화상자가 실행됨을 의미한다.

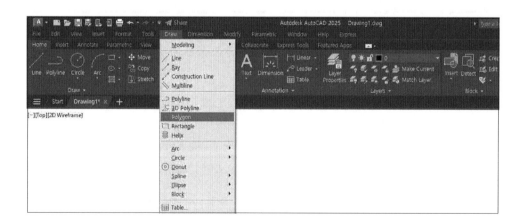

- 메뉴바 상단의 를 클릭하여 Hide Menu Bar를 클릭하면 메뉴를 숨기거나 나타나게 할 수 있다.

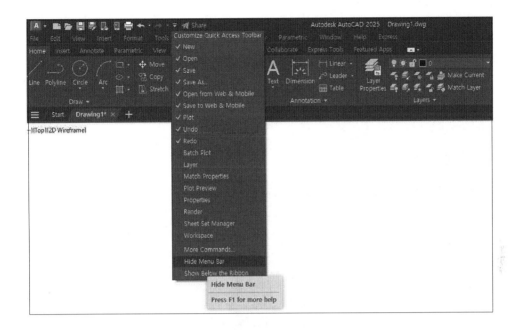

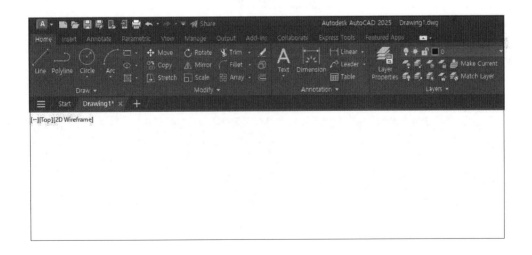

⑤ 신속접근 도구막대

새 도면 그리기, 열기, 저장하기, 출력 등 자주 사용하는 AutoCAD의 명령어를 왼쪽 상단에 모아 놓은 곳이다.

❖ 신속접근 도구막대에 명령어 추가하기

마우스 커서로 ▾ 클릭 →ᴵ Customize Quick Access Toolbar →ᴵ 필요한 명령어 클릭 →ᴵ 명령어 추가

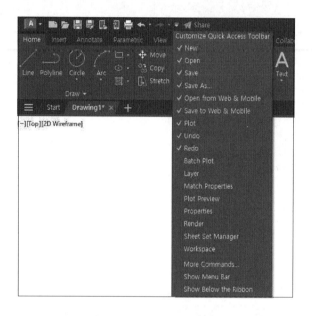

❖ 신속접근 도구막대에 명령어 제거하기

마우스 커서를 신속접근막대 안쪽에 위치 →ᴵ 마우스 오른쪽 버튼 클릭 →ᴵ Remove from Quick Access Toolbar 클릭 →ᴵ 명령어 제거

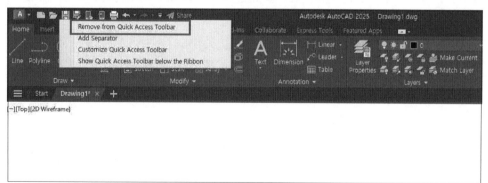

⑥ 컴맨드 영역(Command Prompt Area)

명령어를 입력하거나 실행과정 메시지가 나오는 영역이다. 이 영역의 대화 상자는 통상적으로 화면 하단에 위치하나 필요에 따라 편리한 곳으로 이동하여 사용할 수 있다. 이동 시에는 Allow Docking을 클릭하여 놓으면 화면 어디에서든 대화상자를 고정시킬 수 있으나 설정하지 않으면 대화 상자가 독립적으로 움직여 불편할 수 있다.

⑦ 좌표(Coodinates)

마우스 커서의 X, Y, Z 좌표 값을 나타내며 화면의 하단에 표시되어 마우스를 클릭하여 ON/OFF할 수 있고 USC 명령으로 사용자 임의로 변환 할 수 도 있다.

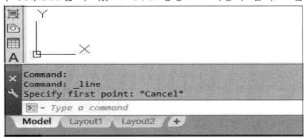

⑧ 상태선 / 상태막대(Status Line/Bar)

현재의 작업상태를 표시(Snap, Grid, Ortho, Osnap 등의 ON/OFF, 한글과 영문 전환 상태)하고 좌표위치등표시하고 있어서 아이콘을 클릭하거나 F1 ~ F12(기능키)를 이용하여 실행할 수 있다.

[환경설정 명령어: 기능키]

F1	도움말	F7	그리드 사용 유무
F2	컴맨드 창 띄우기	F8	직교모드 사용 유무
F3	OSNAP 활용	F9	도면 스냅 사용 유무
F4	TABLE 그립판 도구함	F10	폴리 드래깅 사용 유무
F5	등각평면	F11	객체스냅트레킹 사용 유무
F6	자동 UCS 변경 사용 유무	F12	다이나믹 입력 사용 유무

3.3 응용프로그램 메뉴

- 화면 상단 좌측에 위치
- New, Open, Save, Save as, Print 등의 명령어를 실행하는 곳
- 사용법 : 활성화 상태 또는 비활성화 상태에서 ![A] 를 클릭하면 다음의 메뉴가 로드 됨
- 주요기능 : 새로 만들기, 열기, 저장, 다른 이름으로 저장, 내보내기, 인쇄, 게시, 전송, 닫기 등

· 비활성 상태

· 활성 상태

① New(새로 만들기)

새로운 도면을 작성 시 사용, 저장 시에는 새 도면명을 입력한다.

② Open(열기)

이미 저장되어 있는 파일을 로드하는 기능이다.

③ DWG Convert(DWG변환)

버전이 다른 DWG 파일 현재 버전으로 변환

④ DWG Compare(DWG비교)

도면 또는 외부참조의 두가지 버전간에 변경사항 및 색상의 부조화를 빠르게 확인하여 그래픽 차이점을 쉽게 식별, 시공성 검토를 가능케함

⑤ Recover(복구)

손상된 파일복구 또는 '도면 복구관리자'를 열어 비정상적으로 중단되거나 저장되지 않은 파일 복구

⑥ Import(가져오기)

pdf, dgn, 기타 다른 형식의 파일을 객체로 가져온다.

⑦ Export(내보내기)

AutoCAD에서 작업한 파일 형식을 *.DWG이자만 다른 형식 즉, *.DWFx, *.DWF, *.PDF, *.DGN등으로 저장하는 기능을 말한다.

⑧ Publish(게시)

클라우드, 메일등에 작업한 도면을 공유하는 기능이다.

⑨ Print(인쇄)

도면을 플로터나 프린터로 출력하는 기능이다.

⑩ Drawing Utilities(도면 유틸리티)

도면특성, 단위, 감사, 상태, 소거, 복구 등 도면을 유지관리한다.

⑪ Close(닫기)

현재 작업 도면이나 이외의 모든 도면을 닫는 기능이다.

4. AutoCAD 작업환경의 설정

4.1 Units (단위)

1) Units (단위) 메뉴 (단축명령어 : UN)

Units명령어는 객체를 그리기 전 객체의 길이, 단위, 정밀도 등을 설정하여 객체에 적용하기 위해 사용한다.

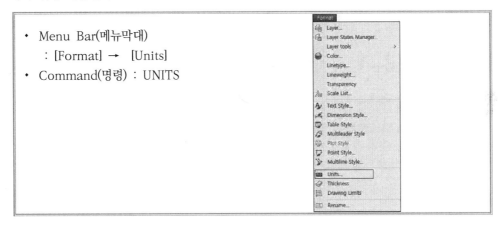

2) Units 실행

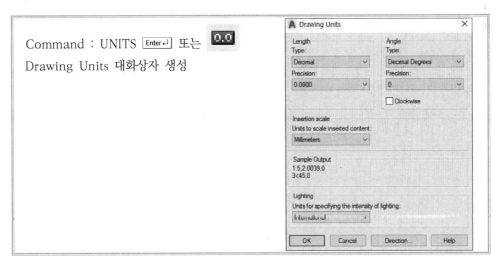

UNITS 모드 Option

① **Length** : 길이를 나타내는 단위와 정밀도 선택 명령어
   - Type : Architectural, Decimal, Engineering, Fractional, Scientific
   - Precision : 소수 8번째 자리까지 선택 가능

② **Angle** : 각도 표기법을 선택하는 명령어
   - Type : Decimal Degree, Deg/Min/Sec, Grads, Radians, Surveyor units
   - Precision : 소수 8번째 자리까지 선택 가능

③ **Clockwise**
   - 각도 측정 방향이 시계방향(+방향)과 시계반대 방향(-방향)을 ∨표시로 설정

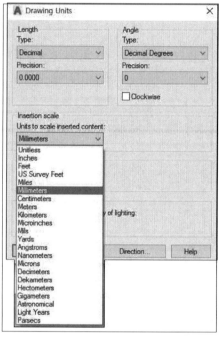

④ **Insertion scale** : 삽입할 컨텐츠의 축척단위
   - 현재 그리고 있는 단위와 같게 인치, 마일, 밀리미터, 센티미터, 미터 등 여러 단위로 사용된다. 특정의 경우를 제외하고 밀리미터를 통칭하기 때문에 밀리미터를 선택

⑤ **Direction**
   하단의 Direction... 을 클릭하여 각도의 기준 방향과 측정방향을 지정

⑥ **Lighting**
   조명의 조도를 설정하는 명령어로서 국제 기준으로 한다.

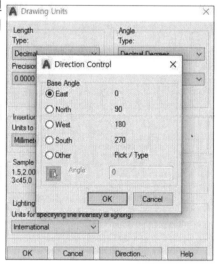

4.2 Snap(s) 모드

마우스 커서를 스냅 지정 위치에서만 움직이도록 한다.(ON/OFF 변환 기능 키 : F9 또
는 상태표시 줄의 스냅 표시 클릭)

- Ribbon Menu : ▦
- 상태 표시 줄 : 상태막대 → 스냅
- Command(명령) : SNAP

1) SNAP 설정하기

화면아래 상태표시 줄의 스냅모드에서 마우스 우클릭하면 다음과 같이 나오면 Snap
Settings 클릭하면 대화 상자가 나타난다.

스냅 기능을 사용하려면 Sanp On(F9)(스냅 켜기)를 V하며, 왼쪽 항목이 Snap 설정 항목이다.

① Snap spacing(스냅 간격두기)
스냅의 간격을 설정하는 기능 (X축방향, Y축방향 간격설정)
- Snap X spacing : 스냅의 X축 간격입력
- Snap Y spacing : 스냅의 Y축 간격입력

- Equal X and Y spacing : X, Y 방향 등간격을 작업(∨ 표시)

② Polar spacing(극좌표 간격두기)

- Polar distance : 극좌표 추적에 설정된 만큼 마우스가 움직임(Polar tracking 과 함께 사용)

③ Snap Type

- Grid snap : 스냅의 형태를 Grid로 지정 한다.
  - Rectangular snap : 직사각형 스냅모드로 설정
  - Isometric snap : 등각투영 스냅모드로 설정
- Polar snap : 스냅의 형태를 Polar로 지정한다.

SNAP 모드 Option

[Command : SNAP]을 입력하면 다음과 같이 나타나는 OPTION

Command : SNAP
Specify snap spacing or [ON/OFF/Aspect/Legacy/Style/Type] ⟨10.0000⟩ :

① ON : 스냅기능 사용
② OFF : 스냅기능 사용 해제
③ Aspect : 수평/수직 스냅 간격을 서로 다르게 설정
④ Legacy : Grid에서 설정한 값과 동일하게 적용
⑤ Style : 스냅의 유형을지정(표준(S)와 등각(I) 중에서 지정)
⑥ Type : 스냅의 형태지정(극(P)와 그리드(G) 중에서 지정)

4.3 Grid 모드

화면에 그리드(격자)표시를 하여 도면을 그리는 효율을 높이고자 하는 기능이다. (ON/OFF
변환 기능 키 : F7 또는 상태표시 줄의 그리드 표시 클릭)

- Ribbon Menu : ▦
- 상태 표시 줄 : 상태막대 → 그리드 표시
- Command(명령) : GRID

1) GRID 설정하기

화면아래 상태표시 줄의 GRID모드에서 마우스 우클릭하여 다음과 같이 나오면 Grid Settings를 클릭하면 대화 상자(Drafting Settings)가 나타난다. (Snap and Grid)

그리드 기능을 사용하려면 Grid On(F7)(그리드 켜기)를 V하며, 오른쪽 항목이 Grid설정 항목이다.

① **Grid style(그리드 스타일)** : 2D 컨텍스트에서 그리드 스타일을 설정합니다.
  · 2D 모형 공간 : 2D 모형 공간에 대해 그리드 스타일을 점 그리드로 설정
  · 블록 편집기 ; 블록 편집기에 대해 그리드 스타일을 점 그리드로 설정
  · 시트 / 배치 : 시트 및 배치에 대해 그리드 스타일을 점 그리드로 설정

② **Snap Spacing(그리드 간격두기)** : 그리드 간격을 설정하는 기능 (X, Y축방향 간격설정)
  · Grid X Spacing(그리드 X 간격두기) : X 방향의 그리드 간격을 지정
  · Grid Y Spacing(그리드 Y 간격두기) : Y 방향의 그리드 간격을 지정
  · Major Line Every (주요 선 사이의 거리) : 보조 그리드 선 대비 주 그리드 선의 빈도를 지정

③ **그리드 동작** : 그리드 선의 모양을 조정합니한다.
　다음과 같은 상황에서는 그리드가 점이 아닌 선으로 표시된다.
　　- AutoCAD : GRIDSTYLE이 0으로 설정된 경우.
　　- AutoCAD LT : SHADEMODE가 숨김으로 설정된 경우.
　・ **Adaptive Grid(가변 그리드)** : 줌이 축소되면 그리드의 밀도를 제한
　　- Allow Subdivision Below Grid Spacing(그리드 간격 아래에 재분할 허용)
　　　: 줌을 확대할 때, 추가적으로 보다 간격이 조밀한 그리드선을 생성한다.　이러한 그리드선
　　　의 빈도는 주요 그리드선의 빈도에 따라 결정된다.
　・ **Display Grid Bcyond Limits(한계를 초과하여 그리드 표시)** : LIMITS　　명령이 지정한
　　영역을 초과하여 그리드를 표시
　・ **Follow Dynamic UCS(동적 UCS 따름)** : 동적 UCS의 XY 평면　을 따르도록 그
　　리드 평면을 변경.

GRID 모드 Option

[Command : GRID]을 입력하면 다음과 같이 나타나는 OPTION

Command: GRID
Specify grid spacing(X) or [ON/OFF/Snap/Major/aDaptive/Limits/Follow/Aspect] ⟨10.0000⟩ :

① Grid spacing : 격자의 수직/수평 간격을 동일하게 설정
② ON : 도면 영역에 격자 표시
③ OFF : 도면 영역에 격자 표시 해제
④ Snap : 설정한 격자 간격을 무시하고 Snap명령으로 설정한 간격으로 설정
⑤ Major : 주요 그리드 선당 그리드 분할의 수를 입력 ⟨5⟩ :
⑥ aDaptive : 가변동작 켜기
⑦ Limits : 한계를 초과하여 그리드 표시(Y/N)
⑧ Follow : 동적 UCS 따름
⑨ Aspect : 격자의　수평/수직 간격을 서로 다르게 설정

4.4 Ortho(직교) 모드

1) ORTHO MENU

마우스 커서로 선을 입력할 때 수직과 수평 방향으로 만 그려지는 기능이다.

- Ribbon Menu : ![icon]
- 상태 표시 줄 : 상태막대 → 직교 표시
- Command(명령) : OTHO

---

2) ORTHO 설정하기

화면아래 상태표시 줄의 ORTHO 모드(![icon])에서 마우스 클릭 또는 F8을 누를 때마다 ORTHO 모드가 ON/OFF가 반복하여 변환

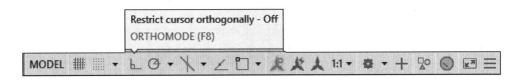

ORTHO 모드 Option

[Command : ORTHO]를 입력하면 다음과 같이 나타나는 OPTION

<pre>
Command: ORTHO
Enter mode [ON/OFF] 〈OFF〉 :
</pre>

① ON : 컴퓨터 화면의 크로스 커서 움직임을 수직과 수평 방향으로만 제한
② OFF : 직교모드 기능해제(자유로운 각도로 선을 그릴 수 있다)

4.5 Polar Tracking(극좌표 추적) 모드

1) Polar Tracking MENU
그리고자하는 객체의 각도와 거리를 자동으로 표시하는 명령어이다.

---

* Ribbon Menu :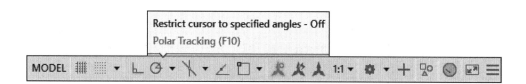
* 상태 표시 줄 : 상태막대 → 극좌표 추적

---

2) Polar Tracking 설정하기

화면아래 상태표시 줄의 Polar Tracking 모드(⟳)에서 마우스 클릭 또는 F10을 누를 때
마다 Polar Tracking 모드가 ON/OFF로 반복하여 변환

화면아래 상태표시 줄의 Polar Tracking 모드(⟳) 우측에 있는▼을 클릭하여 다음과 같
이 나오면 Tracking Settings를 클릭하여 대화 상자(Drafting Settings)를 생성한다.

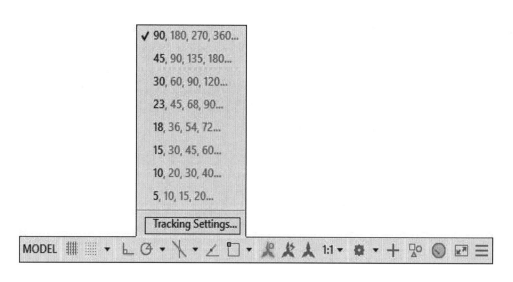

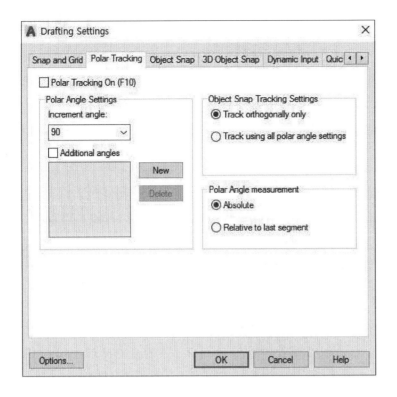

① **Polar Tracking On (F10) :** 켜기를 할 경우 ∨

- Polar Angle Settings(극좌표 각도 설정)

  - Increment angle(각도증분) : 증분하는 원하는 각도를 설정할 수 있다. 원하는

    임의의 각을 입력하거나 리스트(90 ∨)에서 90, 45, 30, 22.5,

    18, 15, 10 또는 5도와 같이 설정된 일반 각을 선택할 수 있다.

② **Object Snap Tracking Settings(객체스냅추적 설정)**

- Track othogonally only(직교로만 추적) : 수평/수직) 객체 스냅 추적경로만을 표시
- Track using all polar angle settings : 전체 극좌표 각도 설정을 사용하여 추적

③ **Additional Angle(추가 각도) :** 극좌표 추적에 사용할 수 있는 각도를 리스트에 추가

- New(새로 만들기) : 추가 극좌표 추적 정렬 각도를 최대 10개까지 추가 가능
- Delete(삭제) : 선택된 각도 삭제

④ **Polar Angle measurement(극좌표 각도 측정)** : 극좌표 추적 정렬 각도가 측정되는 기준 설정

 - Absolute(절대) : 현재 사용자 좌표계(UCS)가 극좌표 추적 각도의 기반
 - Relative to last segment(마지막 세그먼트를 기준) : 마지막으로 그린 세그먼트가 극좌표 추적 각도의 기반

4.6 Object Snap(객체스냅) 모드

1) Object Snap(객체스냅)모드 메뉴

> - Ribbon Menu :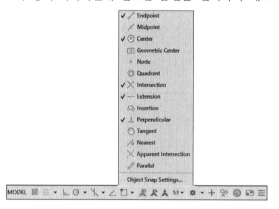
> - 상태 표시 줄 : 상태막대 → 객체스냅
> - Command(명령) : OSNAP

화면아래 상태표시 줄의 Object Snap 모드(   )에서 마우스 클릭 또는 F3를 누를 때마다 Object Snap모드가 ON/OFF로 반복하여 변환한다.

2) Object Snap(객체스냅)모드 실행

화면아래 상태표시 줄의 Object Snap 모드(   ) 우측 ▼을 클릭하면 다음 그림과 같 이 창이 나타나는데 필요한 옵션을 선택하여 체크하면 활성화 된다.

또한 화면아래 상태표시 줄의 Object Snap 모드(   ) 우측 ▼을 클릭하여 위와 같은 화면이 나타나면 Object Snap Settings를 클릭하거나, [Command : OSNAP]을 입력하면 다음과 같은

대화 상자(Drafting Settings)가 나타난다. 필요한 항목에 ∨하고 [OK] 버튼을 클릭하면
활성화 된다.

4.7 Object Snap Tracking(객체스냅 추적) 모드

객체의 한 점을 이용하여 가상의 연장선 위의 다른 점을 찾아 주는 명령어이다. Object
Snap Tracking On 기능은 Object Snap기능과 함께 사용할 수 있다.

1) Object Snap Tracking (객체스냅 추적)모드 메뉴

- Ribbon Menu :
- 상태 표시 줄 : 상태막대 → 객체스냅 추적

화면아래 상태표시 줄의 Object Snap Tracking모드( )를 마우스 클릭 또는 F11을
누를 때마다 Object Snap모드가 ON/OFF로 반복하여 변환한다.

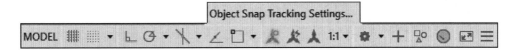

객체 위에 마우스 커서를 위치시키면 객체 스냅이 표시된다. 이 때 클릭하지 않고 커서를
움직이면 가상의 연장선이 나타나며(점선으로) 연장선의 한 선을 클릭하면 좌표로 입력된다.

4.8 Dynamic Input(동적 입력) 모드

Command(명령행)에 명령어를 직접 입력하지 않고 명령을 실행할 수 있는 모드이다.

1) Dynamic Input(동적 입력)모드 메뉴 및 실행

* Ribbon Menu :
* 상태 표시 줄 : 상태막대 → 동적입력

화면아래 상태표시 줄의 Dynamic Input모드(   )를 마우스 클릭 또는 F12를 누를 때마다 Dynamic Input 모드가 ON/OFF로 반복하여 변환한다.

2) Dynamic Input(동적 입력)모드 설정

화면아래 상태표시 줄의 Dynamic Input 모드(   )에서 마우스 좌측 버튼을 클릭하면 활성화 된다.

화면아래 상태표시 줄의 Dynamic Input 모드(   )에서 마우스 우측 버튼을 클릭하면 Dynamic Input Settings가 나타난다. 이를 클릭하면 대화 상자(Drafting Settings)가 나타난다.

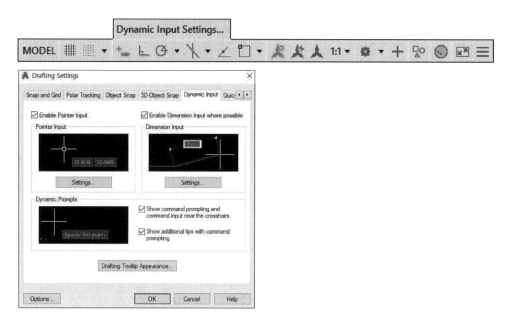

① Point Input Settings(포인터 입력 설정)

Settings(포인터 입력 설정)버튼을 클릭하면 다음과 같은 대화상자가 나타난다.

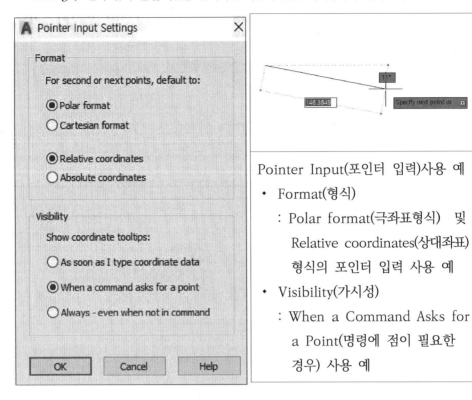

Pointer Input(포인터 입력)사용 예
- Format(형식)
  : Polar format(극좌표형식) 및 Relative coordinates(상대좌표) 형식의 포인터 입력 사용 예
- Visibility(가시성)
  : When a Command Asks for a Point(명령에 점이 필요한 경우) 사용 예

- **Format(형식)**
  - ▶ Polar format(극좌표형식)
    : 극좌표형식에서 두 번째(다음 점)에 대한 툴팁 표시
    직교형식으로 변경하려면 기호(,)를 입력
  - ▶ Cartesian format(직교형식)
    : 직교 극좌표 형식에서 두 번째(다음 점)에 대한 툴팁 표시
    극좌표 형식으로 변경하려면 각도 기호(〈) 입력
  - ▶ Relative coordinates(상대좌표)
    : 상대 좌표 형식에서 두 번째(다음 점)에 대한 툴팁 표시
    절대 형식으로 변경하려면 파운드 기호(#) 입력
  - ▶ Absolute coordinates(절대 좌표)
    : 절대 좌표 형식에서 두 번째(다음 점)에 대한 툴팁 표시
    상대 좌표 형식으로 변경하려면 "at" 기호(@) 입력

- **Visibility(가시성)** : 포인터 입력이 표시되는 시거를 설정
  ▸ As Soon As I Type Coordinate Data(좌표 데이터를 입력하는 즉시) :   좌표 데이터 입력을 시작할 때만 툴팁을 표시
  ▸ When a Command Asks for a Point(명령에 점이 필요한 경우)
  : 점을 입력하라는 명령 프롬프트가 나타날 때마다 툴팁을 표시
  ▸ Always—Even When Not in a Command(명령에 없는 경우에도 항상)
  : 포인터 입력이 설정되어 있을 경우 항상 툴팁을 표시

② Dimension Input Settings(치수 입력 설정)

Settings(치수입력 설정)버튼을 클릭하면 다음과 같은 대화상사가 나타난다.

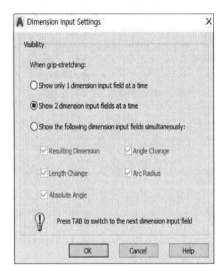

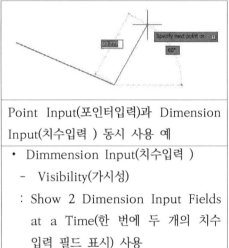

Point Input(포인터입력)과 Dimension Input(치수입력) 동시 사용 예
  • Dimmension Input(치수입력)
  - Visibility(가시성)
  : Show 2 Dimension Input Fields at a Time(한 번에 두 개의 치수 입력 필드 표시) 사용

- **Visibility(가시성)** : Grip 신축을 표시할 툴팁을 설정
  ▸ Show Only 1 Dimension Input Field at a Time(한 번에 하나의 치수 입력 필드만 표시)
  : Grip 편집을 사용하여 객체를 신축하는 경우 길이 변경 치수 입력 툴팁만 표시
  ▸ Show 2 Dimension Input Fields at a Time(한 번에 두 개의 치수 입력 필드 표시)
  : Grip 편집을 사용하여 객체를 신축하는 경우 길이 변경 및 결과 치수 입력 툴팁 표시
  ▸ Show the Following Dimension Input Fields Simultaneously(다음 치수 입력 필드를 동시에 표시) : Grip 편집을 사용하여 객체를 신축할 경우, 아래에 선택된 치수입력 툴팁을 표시
    a) Resulting Dimension(결과 치수) : Grip 이동시 업데이트되는 길이 치수 툴팁 표시
    b) Length Change(길이 변경) : Grip 이동시 변경되는 길이를 표시
    c) Absolute Angle(절대 각도) : Grip 이동시 업데이트되는 각도 치수 툴팁 표시
    d) Angle Change(각도 변경) : Grip 이동시 변경되는 각도를 표시

e) Arc Radius(호 반지름) : Grip 이동시 업데이트되는 호 반지름 표시

② **Dynamic Prompts(동적 프롬프트)** : 명령을 완료하기 위해 필요한 경우 커서 근처에 프롬프트를 표시합니다. 명령행 대신 툴팁에 값을 입력할 수 있다

▸ Show Command Prompting and Command Input near the Crosshairs(십자선) 근처에 명령 프롬프트 및 명령 입력 표시) : 동적 입력 툴팁에 프롬프트를 표시

▸ Show Additional Tips with Command Prompting(명령 프롬프트와 함께 추가 팁 표시)
: Shift 및 Ctrl을 사용하여 Grip을 처리하는 팁을 표시할지 여부를 설정

- **Drafting Tooltip Apearance(제도 툴팁 모양)** : 툴팁 모양 대화상자를 표시

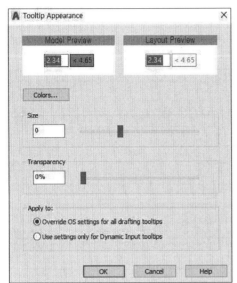

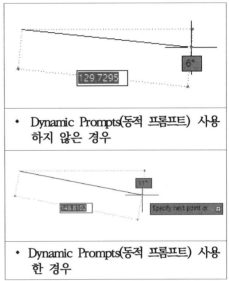

◆ **Dynamic Prompts(동적 프롬프트) 사용 하지 않은 경우**

◆ **Dynamic Prompts(동적 프롬프트) 사용 한 경우**

▸ 툴팁의 색상, 크기, 투명도 등을 설정할 수 있으며 변경된 설정 값은 적용 위치에서 선택할 수 있다.

4.9 Dynamic USC(동적 USC) 모드

아이콘( )을 클릭하여 USC의 ON / OFF를 할 수 있다.

- Ribbon Menu :
- 상태 표시 줄 : 상태막대 → 동적 USC

화면아래 상태표시 줄의 Dynamic USC모드( )를 마우스 클릭 또는 F6를 누를 때마다 Dynamic US 모드가 ON/OFF를 반복하여 변환한다.

4.10 Lineweight(선의 가중치) 표시/숨기기 모드

아이콘(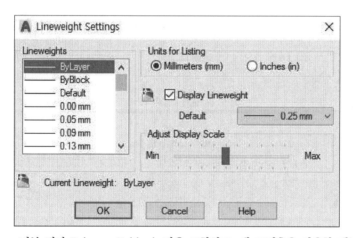)을 클릭하여 선의 가중치(두께)를 숨기거나 표시한다.

- Ribbon Menu :
- 상태 표시 줄 : 상태막대 → 선가중치
- Command : Lineweight [Lw]

Lineweight모드(　　　)를 한번 클릭하면 ON(아이콘이 파랑색), 다시 클릭하면 OFF(아이콘이 회색)가 된다.

MODEL ▦ ▦ ▾ ⌐ ⌐ ⊙ ▾ ⟍ ▾ ∠ ⬚ ▾ ☰ ⟆ ⩕ ⩔ ⩓ 1:1 ▾ ⚙ ▾ ✛ ⬚° ◉ ⬚ ☰

화면아래 상태표시 줄의 Lineweight모드(　　　)를 마우스 오른쪽 버튼을 클릭하면 Lineweight Settings가 나온다. Lineweight Settings를 클릭하면 선가중치 설정 대화 상자가 나온다.

┌─────────────────┐
│ Lineweight Settings... │
└─────────────────┘
MODEL ▦ ▦ ▾ ⌐ ⌐ ⊙ ▾ ⟍ ▾ ∠ ⬚ ▾ ☰ ⟆ ⩕ ⩔ ⩓ 1:1 ▾ ⚙ ▾ ✛ ⬚° ◉ ⬚ ☰

- 기본 값과 Bylayer, Byblock 값을 포함하고, 새 도면층을 사용할 때는 항상 기본 설정을 사용
- Lineweight를 선택(∨)하고 확인을 누르면 기능이 활성화 된다.
- 단위(units)는 Millimeters(mm) 또는 Inches(in) 중 하나를 선택하여 클릭한다.

4.11 Quick Properties(빠른 특성) 모드 (단축 : QP)

아이콘(🔲)을 클릭하여 선의 가중치(두께)를 숨기거나 표시한다.

1) Quick Properties MENU

> - Ribbon Menu : 🔲
> - 상태 표시 줄 : 상태막대 → 빠른 특성
> - Command : Quick Properties 또는 QP
> - 기능기 : Ctrl + Shift + P

화면아래 상태표시 줄의 Quick Properties모드(🔲)를 마우스 왼쪽 버튼을 클릭하면
ON/OFF가 반복 된다. (ON : 파랑색 아이콘, OFF : 회색 아이콘)

2) Quick Properties 실행 및 설정

화면 아래 상태표시 줄의 Quick Properties모드(🔲)를 마우스 오른쪽 버튼을 클릭
하면 Quick Properties Settings가 나타나고, Quick Properties Settings를 클릭하면
대화상자(Drafting Settings)가 나타난다.

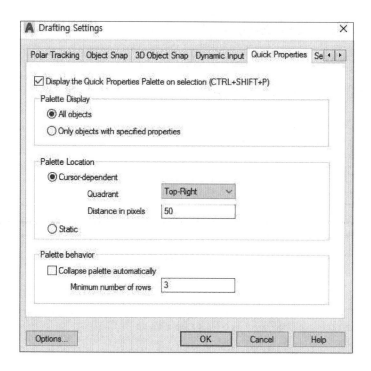

- **Quick Properties Palette 표시(CTRL+SHIFT+P)**
  : 모든 객체를 선택하거나, 지정된 객체 유형만 표시하도록 빠른 특성 팔레트를 설정

- **Palette Location(팔레트 위치)** : 팔레트 위치를 커서종속, 또는 정적 모드 설정
  - ▶ Cursor-dependent(커서 종속) : 빠른 특성 팔레트가 커서를 기준으로 한 위치에 표시됨
  - a) Quadrant(사분점) : 커서를 기준으로 네 사분점 중 하나를 지정(기본 위치는 커서의 오른쪽)
  - b) Distance in pixels(픽셀 단위 거리) : 커서로부터의 거리를 픽셀 단위로 지정(0에 서 400 사이의 정수 값)
  - ▶ Static(정적) : 빠른 특성 팔레트를 고정된 위치에 표시

- **Palette Behavior(팔레트 동작)**
  - ▶ Collapse Palette Automatically(팔레트 자동 축소) : 빠른 특성 팔레트가 지정된 수의 특성만 표시하도록 설정
  - a) 최소 행 수 : 축소되었을 때 표시하는 특성 수를 설정(1에서 30 사이의 정수 값)

CHAPTER

03

화면제어기능

1. LIMITS(도면한계)설정

2. ZOOM(화면제어)

3. GRID(모눈)설정

4. SNAP 지정하기

5. 객체스냅 설정 및 이용하기

1. LIMITS(도면한계)설정 : (단축명령어 : LIM)

• 도면을 그리기 위한 한계영역을 정해주는 명령어로서 제도 용지 크기의 화면을 만든다.

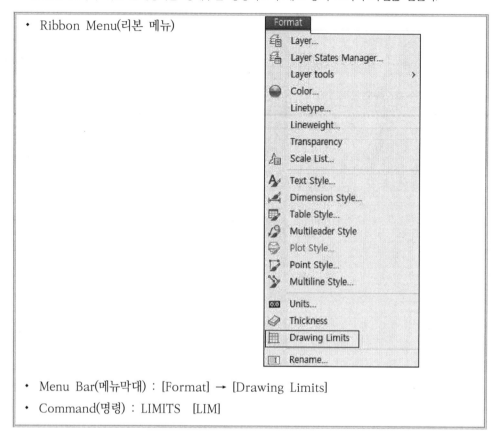

• Ribbon Menu(리본 메뉴)

• Menu Bar(메뉴막대) : [Format] → [Drawing Limits]
• Command(명령) : LIMITS [LIM]

• 메뉴 실행하기(A3화면 지정)

Command : LIMITS Enter⏎ 또는 메뉴 막대 클릭(⊞)

Reset Model space limits :

Specify lower left corner or [ON/OFF] ⟨0.0000,0.0000⟩: 0,0 Enter⏎ (좌측하단좌표)

Specify upper right corner ⟨420.0000,297.0000⟩: 420,297 Enter⏎ (우측상단좌표)

• 메뉴 막대를 마우스로 클릭하면 "Command : '_limits "이 실제는 나타남
• 이후 모든 예시는 키보드 입력을 예시로 한다.

• 도면치수 설정 값 (제도용지의 크기)

A0 841X1189			
	A1 594X841		
		A2 420X594	
			A3 297X420

			B0 1030X1456
		B1 728 X1030	
	B2 515 X 728		
B3 368X515			

LIMITS 모드 Option

① ON : 설정한 도면 크기 밖의 영역에서 도면을 그릴 수 없게 제한한다.

② OFF : 제한을 해제한다.

③ Lower left corner : 설정한 도면의 왼쪽 하단 좌표 값을 지정한다. (일반적으로 0,0으로 설정한다.)

④ Upper right corner : 설정한 도면의 오른쪽 상단 좌표 값을 지정한다. (그리려는 도면 크기보다 2~3배 큰 값을 주되 가로와 세로의 비가 4:3이 되도록 설정한다.)

TIP	• LIMITS 명령어는 도면을 그리기 시작할 때 맨 처음 설정하는 것이 좋다. • 도면 축척을 미리정하거나 도면크기가 정한 작업 일 경우는 "MVSETUP" 명령어를 사용하여 실제 크기의 도면 양식과 축척을 지정하여 시작 한다.

 참 고   도면한계를 지정하는 이유

▶ 도면한계를 지정하는 이유

도면한계를 지정했어도 영역의 밖에 객체를 그릴 수 있다. 그렇다면 영역을 지정할 필요가 없을 것이라고 생각할 수 있지만 영역지정 후 작업해야 훨씬 안정적이고 빠르게 진행할 수 있다. 도면한계의 밖에 객체가 있어도 'PLOT(플롯)'명령에서 '영역'을 지정하면 도면한계의 안에 있는 객체만 플롯할 수 있다.

2. ZOOM(화면제어) (단축명령어 : Z)

* 물체를 변화시키거나 도면 자체의 크기를 확대 또는 축소하는 것이 아니라 카메라의 줌 렌즈처럼 확대 또는 축소하여 물체를 도면을 자세히 보거나 전체를 보기 위한 명령어이다.

* Ribbon Menu(리본 메뉴)

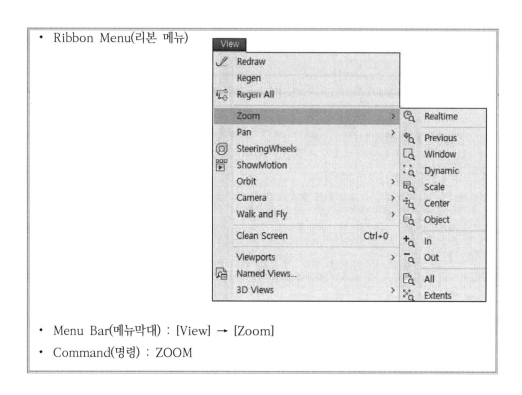

* Menu Bar(메뉴막대) : [View] → [Zoom]
* Command(명령) : ZOOM

2.1 ZOOM-A(ALL) (전체) -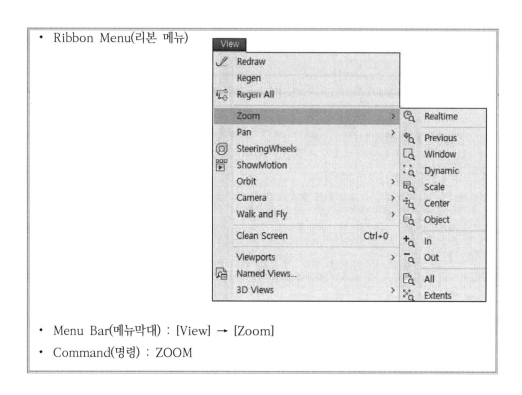

* 화면에 객체의 전체가 표시되는 명령어로서 Limits에 맞게 보여주고 화면에 물체가 있을 때는 물체를 포함한 화면을 보여 준다.

Command : ZOOM [Enter↵] (Z [Enter↵])
Specify corner of window, enter a scale factor (nX or nXP), or Zoom [All /Center /Dynamic/Extents/Previous/Scale/Window/Object] ⟨real time⟩: A [Enter↵]

♦ 실행 전

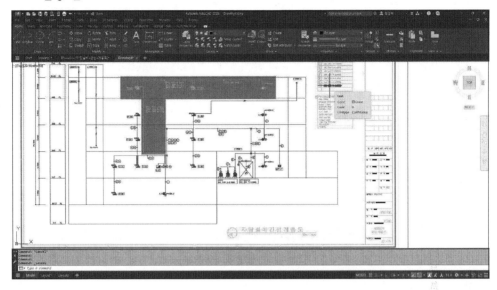

♦ 실행 후

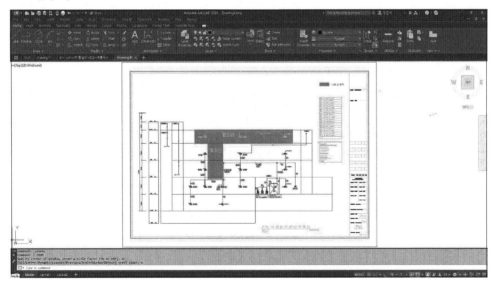

▸ [Command :]에서 Z Enter↵ A Enter↵를 KEY 보드를 클릭하여 쉽고 빠르게 작업할
  수도 있다.

2.2 ZOOM-W (WINDOW) (윈도우) - 🔍

* 마우스를 이용하여 대각선으로 확대해서 보고자 하는 두 점을 입력하면 사각형이 그려
  지고, 그 사각형 부분을 확대하여 보여준다.

Command : ZOOM [Enter↵] (Z [Enter↵])

Specify corner of window, enter a scale factor (nX or nXP), or Zoom
[All/Center/ Dynamic /Extents/Previous/Scale/Window/Object] ⟨real time⟩ : W [Enter↵]

Specify first corner : P1클릭

Specify opposite corner: P2 클릭

● 실행 전

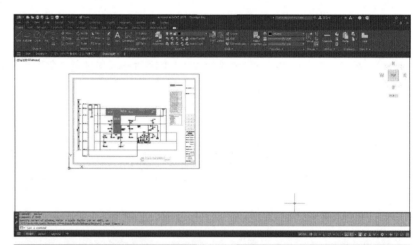

● 실행 후

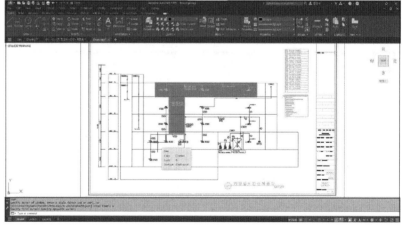

▸ [Command :]에서 Z [Enter↵] , W [Enter↵]를 클릭하여 작업할 수도 있다.

2.3 ZOOM-C (CENTER) (중심) -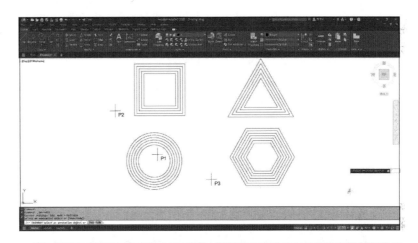

- 객체의 일부분을 화면의 중심에 위치시키고자 할 때 중심점과 높이를 지정하여 설정

Command : ZOOM [Enter↵] (Z [Enter↵])

Specify corner of window, enter a scale factor (nX or nXP), or Zoom [All/ Center/
Dynamic /Extents/Previous/Scale/Window/Object] ⟨real time⟩ : C [Enter↵]

Specify center point: : P1클릭

Enter magnification or height ⟨45296.17⟩: P2 클릭

Specify second point : P3 클릭

- 실행 전

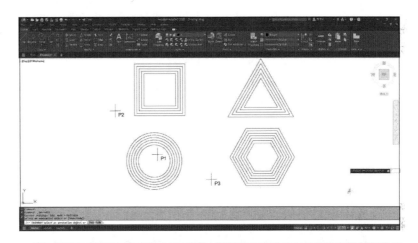

- 실행 후

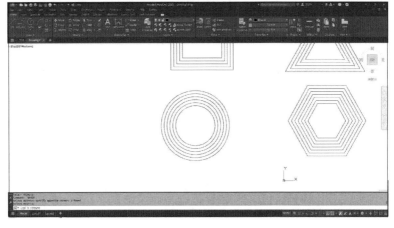

2.4 ZOOM-D (DYNAMIC) (동적) :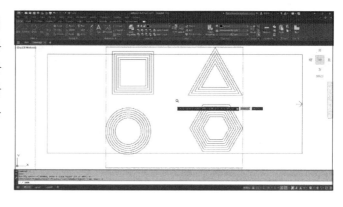

- 도면의 특정 부분만을 확대하거나 축소하는 명령어로써, 사용자 의도에 따라 도면의 크기를 결정할 수 있는 기능이다.

Command : ZOOM [Enter↵] (Z [Enter↵])

Specify corner of window, enter a scale factor (nX or nXP), or Zoom

[All/Center/Dynamic /Extents/Previous/Scale/Window/Object] ⟨real time⟩: D [Enter↵]

- 3개의 사각형(① : 초록색 점선, ② :검정색 실선 ③ :파랑색 점선)과 중앙에 X가 나타난다.

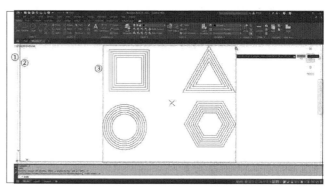

⇩

- 마우스 왼쪽 버튼을 클릭하면 검정색 사각형 오른쪽에 화살표가 나타난다. 화살표 방향으로 움직이면 사각형이 커지고 반대방향은 작아지게 조절한다.

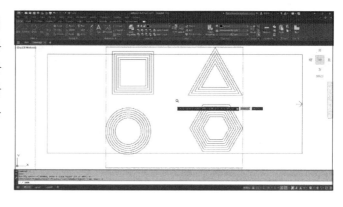

- 마우스 왼쪽 버튼을 클릭하여 사각형 안에 X가 생기면 마우스를 움직여서 박스의 위치를 적당한 곳으로 움직인다.

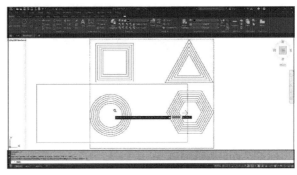

⬇

- [Enter↵]를 치면 오른쪽과 같은 화면으로 바뀐다.

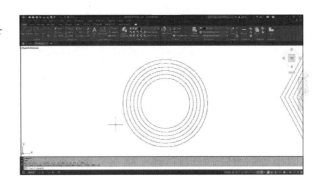

2.5 ZOOM-E(EXTENTS) (범위) :

- 화면 범위(Limits)와 관계없이 모든 개체를 화면에 꽉 차게 보이도록 조절하는 명령어이다.

Command : ZOOM [Enter↵] (Z [Enter↵])
Specify corner of window, enter a scale factor (nX or nXP), or Zoom [All/Center/Dynamic/Extents/Previous/Scale/Window/Object] ⟨real time⟩: E [Enter↵]

📇 **참   고** ZOOM-ALL과 ZOOM-EXTENTS의 차이

▶ ZOOM-ALL과 ZOOM-EXTENTS의 차이
객체의 원본이 원래 작으면 ALL에서는 작게 보이지만 EXTENTS에서는 원본과 관계없이 화면에 꽉 차게 나타난다.

● 실행 전

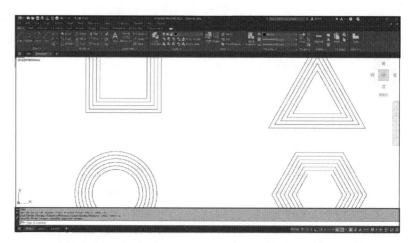

● 실행 후

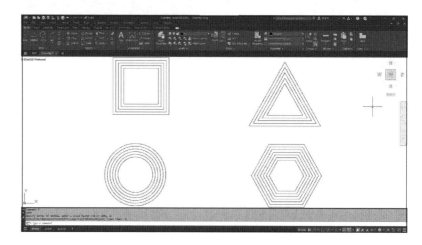

2.6 ZOOM-P(PREVIOUS) (이전) :

• 화면상의 도면의 크기를 바로 이전의 크기로 돌리는 명령어이다. 이 명령어는 전체 화면상에서는 너무 작게 보여 작업하고자 하는 부분을 확대하여 작업하다가 전 단계로 되돌릴 때 사용한다.

Command : ZOOM [Enter↵] (Z [Enter↵])

Specify corner of window, enter a scale factor (nX or nXP), or Zoom [All/Center /Dynamic/Extents/Previous/Scale/Window/Object] ⟨real time⟩: E [Enter↵]

2.7 ZOOM-S(SCALE) (스케일) :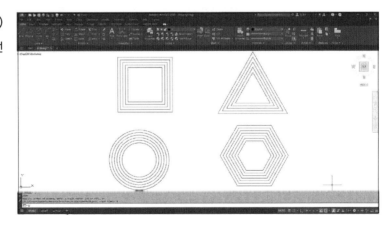

* 현재 화면에 대한 상대적 비율을 나타내는 명령어로서 0.5X는 화면을 0.5배 축소하는 것을 의미한다. 1이하의 숫자는 화면을 축소하며 1이상의 숫자는 화면을 확대하여 보여준다.

Command : ZOOM [Enter↵] (Z [Enter↵])
Specify corner of window, enter a scale factor (nX or nXP), or Zoom [All/Center /Dynamic /Extents/Previous/Scale/Window/Object] ⟨real time⟩: 0.5x [Enter↵]

Command : ZOOM [Enter↵] (Z [Enter↵])
Specify corner of window, enter a scale factor (nX or nXP), or Zoom [All/Center/Dynamic /Extents/Previous/Scale/Window/Object] ⟨real time⟩: S [Enter↵]
Enter a scale factor (nX or nXP) : 0.5x [Enter↵]

ZOOM 모드 Option
① Scale Factor : 입력한 숫자만큼 절대적 비율(Zoom [Enter↵] A[Enter↵]에 대한 비율)
② nX : 입력한 숫자만큼의 상대적 비율(현재 화면에 대한 비율)
③ nXP : 입력한 숫자만큼의 종이 영역 스케일 조정

> **TIP** • scale factor를 0.5를 입력하면 2배큰 화면이 나타나고, 0.5x를 입력하면 2배 작은 화면이 나타난다.

* ZOOM - S(0.5X)
  실행 전 실행 전

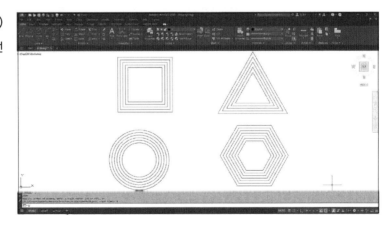

- ZOOM – S(0.5X)
  실행 전 실행 후

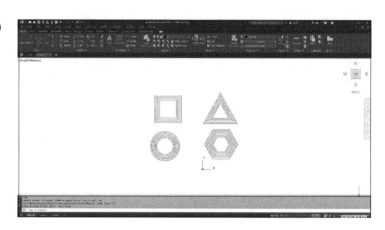

2.8 ZOOM-O(OBJECT)(객체) : 🔍

- 이 명령어는 선택된 객체를 화면 전체에 꽉 차도록 확대하는 명령어이다.

> Command : ZOOM [Enter↵] (Z [Enter↵])
> Specify corner of window, enter a scale factor (nX or nXP), or Zoom
> [All/Center/Dynamic /Extents/Previous/Scale/Window/Object] ⟨real time⟩ : O [Enter↵]
> Select objects : P1 클릭
> Specify opposite corner : P2 클릭 [Enter↵]

- ZOOM-O
  실행 전

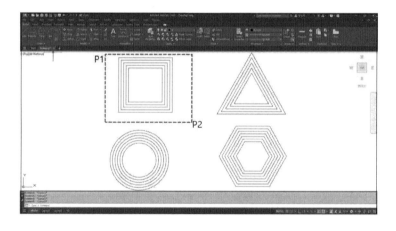

- ZOOM-O
  실행 후

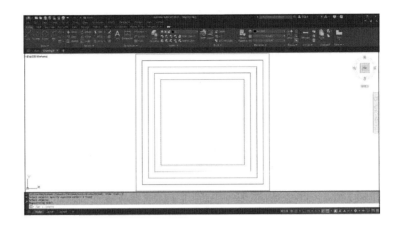

2.9 PAN (화면이동) (단축명령어 : P)

- PAN은 실시간 화면 이동 기능이다. Pand은 객체의 데이터 변화없이 화면을 이동하는 것으로 손으로 종이를 움직이는 것과 같은 원리로서 화면을 자유자재로 움직일 수 있다. 마지막에 [Enter↵] 대신 마우스 오른쪽 버튼을 클릭하면 다른 옵션 사용 할 수 있다.

- Ribbon Menu(리본 메뉴)

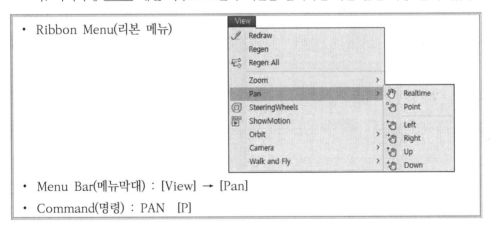

- Menu Bar(메뉴막대) : [View] → [Pan]
- Command(명령) : PAN   [P]

Command : PAN [Enter↵] (P [Enter↵])

Press ESC or ENTER to exit, or right-click to display shortcut menu.

Pan 명령을 실행하면 손 모양의 아이콘이 생긴다. 임의의 점을 클릭 후 드래그하면 화면이 원하는 화면을 설정한 후 마우스를 떼고 [Enter↵] 한다.

- Pan을 실행하는 또 하나의 방법은 마우스 휠 버튼을 누르고 있는 상태에서는 Pan 기능을 수행할 수 있다.

2.10 REDRAW/REGEN (화면정리)

1) Redraw(단축명령어 : R)

· Redraw는 도면 작성 시 불필요한 잔상 또는 Erase할 때 Blip(십자모양 표시)등으로
지저분해진 도면을 깨끗이 정리 해주면 편집 등으로 인해 화면상에 일시적으로 보이
지 않는 도면요소를 다시 보여준다.

· Ribbon Menu(리본 메뉴)

> View
>
> ✐ Redraw
>   Regen
> 🖅 Regen All

· Menu Bar(메뉴막대) : [View] → [Redraw]
· Command(명령) : REDRAW [R]

---

2) REGEN(단축명령어 : RE)

● Regen은 Redraw와 같은 기능이나 Redraw와 다르게 모든 객체의 화면 좌표와 뷰
(View)해상도를 다시 계산하고 도면의 데이터베이스를 다시 색인하기 때문에 속도가
떨어진다.

· Menu Bar(메뉴막대) : [View] → [Regen]
· Command(명령) : REGEN [Enter↵] [RE]

---

3) Blipmode

● 화면에 + 모양의 Blip을 표시 또는 해지하는 명령어로 ON/OFF 옵션을 변환함으로
써 제어할 수 있다.

Command : BLIPMODE [Enter↵]
Enter mode [ON/OFF]〈OFF〉: ON

---

4) PURGE(도면정보 정리) (단축명령어 : PU)

사용하지 않은 도면의 정보를 지워 도면의 데이터를 줄이는 명령어이다.

Command : PURGE [Enter↵]

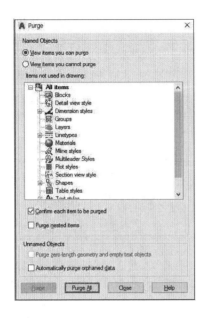

PURGE 모드 Option

① View items you can purge
: Purge가 가능한 아이템을 보여준다.

② View items you cannot purge
: Purge가 불가능한 아이템을 보여준다.

③ Confirm each item to be purged
: 각 항목별 소거를 확인한다.

④ Purge nested items
: 내장된 항목도 소거한다.

3. GRID(모눈)설정 : (단축명령어 : F7)

* 도면을 그리기 위한 GRID는 모눈종이 위에서 도면을 그리듯이 도면작업에 매우 유용한 설정이다.

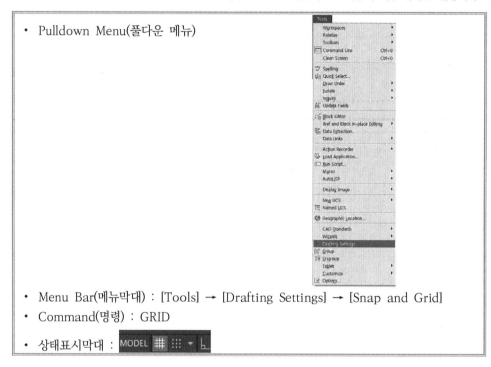

* Pulldown Menu(풀다운 메뉴)

* Menu Bar(메뉴막대) : [Tools] → [Drafting Settings] → [Snap and Grid]
* Command(명령) : GRID
* 상태표시막대 :

▶ 명령옵션

① Grid On(모눈켜기) : F7 ✔표시하면 그리드가 표시됨
② 2D에서 그리드 스타일을 설정(모형공간, 블록편진기, 시트 및 배치)
③ X, Y그리드 간격 조정
④ 보조 그리드 선 대비 주 그리드 선의 빈도를 지정
⑤ 줌이 축소되면 그리드의 밀도를 제한
⑥ LIMITS 명령이 지정한 영역을 초과하여 그리드를 표시
⑦ 동적 UCS의 XY 평면을 따르도록 그리드 평면을 변경

4. SNAP 지정하기 : (단축명령어 : F3)

• 도면을 그리기 위한 GRID는 모눈종이 위에서 도면을 그리듯이 도면작업에 매우 유용한 설정이다.

• Pulldown Menu(풀다운 메뉴)

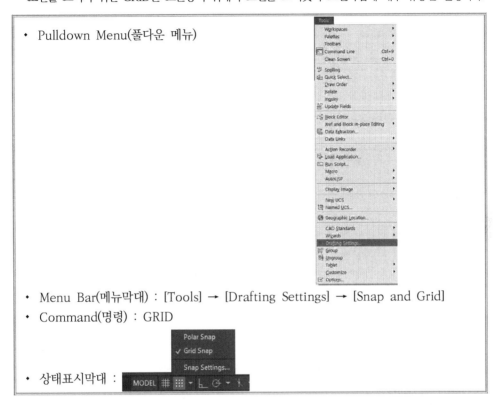

• Menu Bar(메뉴막대) : [Tools] → [Drafting Settings] → [Snap and Grid]
• Command(명령) : GRID

• 상태표시막대 :

▶ 명령옵션

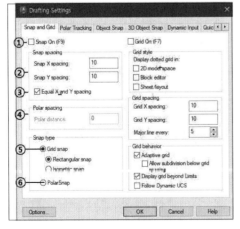

① Snap On : F9 ✔표시하면 그리드가 표시됨
② 커서 움직임을 지정된 X 및 Y 간격으로 제한하는 보이지 않는 직사각형 스냅 위치의 그리드를 조정
③ X 및 Y 간격을 강제로 동일한 간격
④ PolarSnap 증분 거리를 조정
⑤ 그리드 그냅
　- 직사각형 스냅 : 스냅 스타일을 표준 직사각형 스냅 모드로 설정
　- 스냅 스타일을 등각투영 스냅 모드로 설정
⑥ 극좌표스냅 : 스냅유형을 극좌표로 시성한나. 스냅 모드상태에서 극좌표 추적기능을 켜고 점을 지정하면 극좌표 정렬 각도에 따라 커서가 스냅한다.

5. 객체스냅 설정 및 이용하기 : (단축명령어 : OS)

· 객체스냅은 객체의 정확한 지점을 찾아주는 중요한 기능이다. '그리기'나 '수정' 명령을
  실행하는 중에 정확한 도면을 작성하기위해서는 객체스냅을 반드시 사용하여야 한다.

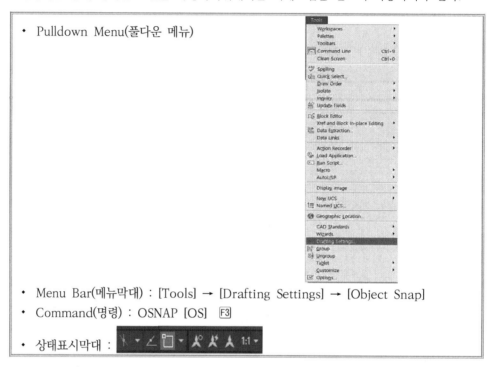

· Pulldown Menu(풀다운 메뉴)

· Menu Bar(메뉴막대) : [Tools] → [Drafting Settings] → [Object Snap]
· Command(명령) : OSNAP [OS]   F3
· 상태표시막대 :

▸ 상태표시막대에서 객체스냅 실행

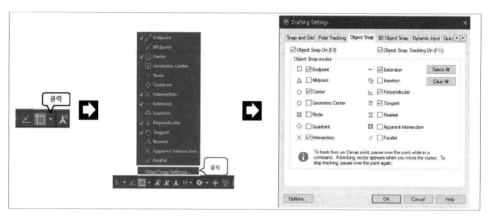

▸ '제도설정' 대화상자에서 'Object Snap(객체스냅)' 탭을 ✔(체크)하면 F3를 사용하여 조
  정할 수 있다.

▸ 도면작업 도중 Osnap 명령 실행 : [Shift] + 마우스 우측 버튼 클릭

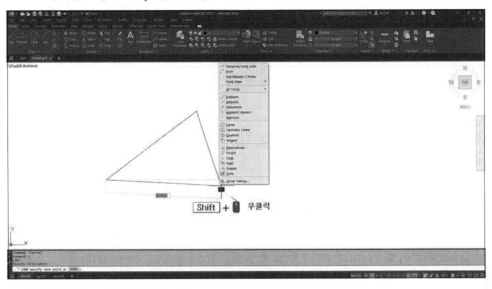

▸ 객체스냅(Osnap)의 종류와 기능

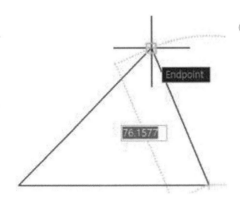

① Endpoint(끝점) : 객체의 끝점을 찾아줌
끝점은 객체의 양쪽에 있기 때문에 커서에서 가까운 쪽의 끝점을 찾아준다.

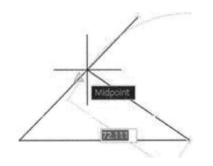

② Middoint(중간점) : 객체의 중간 점을 찾아줌
선, 폴리선, 호 등의 길이의 중간점 근처에 커서가 위치하면 그 중간점을 표시한다.

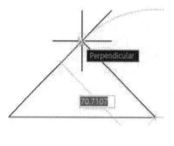

③ Perpendicilar(수직점) : 객체와 직각으로 만나는 점을 찾아줌

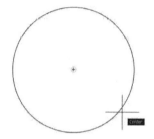

④ Center(중심점) : 원이나 호의 중심점을 찾아준다. 원이나 호 위에 커서를 올려놓거나 중심점 근처에 커서가 가면 중심점에 +가 표시된다.

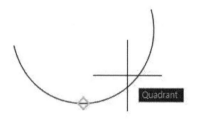

⑤ Quadrant(4분점) : 원, 원호, 타원등의 0°, 90°, 180°, 270° 지점을 찾아줌. 원은 모두 4분점이 있으나 호는 없는 경우도 있다.

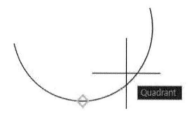

⑥ Intersection(교차점) : 객체와 객체의 교차점을 찾아줌. 어떤 객체이든 서로 교차하는 지점을 찾아주기 때문에 도면 그릴 때 매우 자주 사용한다.

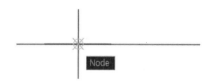

⑦ Node : 점 객체를 찾아줌
점은 위치 정보만 있고 크기는 없다. 또한 도면내에서 찾기 힘들기 때문에 점을 찾기 위해서는 반드시 필요하다.

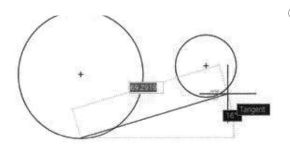

⑧ Tangent(접점) : 원, 호, 타원 등에서 접점을 찾아주어 접선을 그리도록 한다.

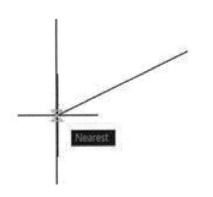

⑨ Nearest(근처점) : 객체에서 커서를 가져가면 커서와 가장 가깝게 만나는 지점을 찾아준다. 즉, 근처점은 객체의 특정점이 아니라 해당 객체와 닿는 임의의 지점을 찾는다.

CHAPTER
04

객체그리기

1. 좌표의 이해
2. Line(선) 그리기
3. POLYLINE(폴리선) 그리기
4. SPLINE(스플라인) 그리기
5. Construction Line(구성선) 또는 Xline(무한선) 그리기
6. Ray(반무한선) 그리기
7. MLINE(Mutiline : 다중선) 그리기
8. 곡선 그리기
9. 다각형 그리기
10. Point
11. Divide(등분할)
12. Measure(길이분할)
13. Hatch
14. Block
15. Table 그리기

1. 좌표의 이해

1.1 좌표의 종류

좌표의 종류	입력형태	설 명
절대좌표	X,Y	원점(0,0)을 기준으로 정확한 좌표지정 (현재 좌표계를 기준으로 한 절대적인 점)
절대극좌표	거리〈각도	원점(0,0)을 기준으로 거리와 각도 지정
상대좌표	@ X,Y	최종점에서 상대적인 최표
상대극좌표	@ 거리 〈 각도	최종점으로부터의 거리와 각도 지정
거리좌표	거리, 방향	키보드로 거리를 입력하고 마우스로 방향을 지정

① @ : 상대적인 점. Shift + @ 2

② 〈 : 각도 표시. Shift + 〈 ,

③ 상대극좌표 : 시작점을 기준하여 길이와 가도를 입력한다. 즉 시작점에서 길이 100만 큼 135°각도(서쪽) 방향으로 떨어진 점을 그리려면 @100〈135을 입력하면 된다.

1) 절대좌표(X좌표값,Y좌표값)

절대좌표는 0,0좌표를 기준으로 (X좌표 값, Y좌표값)의 순서로 입력한다. 즉 X축, Y축으로 부터의 거리를 입력하는 것이다. (실제 사용되는 분야는 많지 않지만 토목이나 측량분야에서는 많이 사용하고 있다)

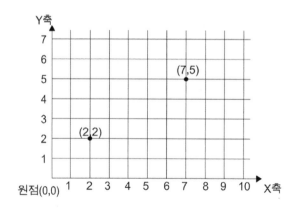

2) 상대좌표(@X거리,Y거리)

상대좌표는 현재 점을 기준으로 변화한 거리 값을 사용하여 도면을 그리는 것이다. @표시와 함께 X,Y로 변화하는 거리값을 입력하면 상대좌표가 된다. 즉 마지막 입력된 점을 기준으로 상대적으로 이동한다.

캐드에서 상대좌표 이용해서 도면을 그리기는 방법은 2가지가 있다.
  1. 동적 입력이 켜져 있는 경우 : X 값, 쉼표, Y 값을 차례로 입력한다. (예: 4,6)
  2. 동적 입력이 꺼져 있는 경우 : @, X 값, 쉼표, Y 값을 차례로 입력한다. (예: @4,6)

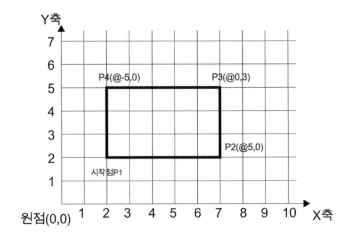

3) 상대극좌표(@거리〈각도)

상대극좌표는 현재 점에서 다음 점까지의 거리와 각도를 사용해 도면을 그리는 것이다. 좌표에서 각도는 원칙적으로 반시계방향으로 표시하도록 제도 통칙에서 정하고 있다. 따라서 반시계방향 각도 값은 +, 기계방향 각도 값은 -로 입력하여 도면을 그린다.

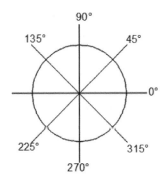

한변이 5인 정삼각형 그리기 예를 들면, P1시작점에서 0도 방향으로 5만큼 그리기 위해 '@5〈0'을 입력하여 P2를 그리고, P2에서 '@5〈120'을 입력하여 P3를 그리고, P3에서 '@5〈240'를 입력하여 P1까지 점을 입력하여 한변이 5인 삼각형을 완성한다.

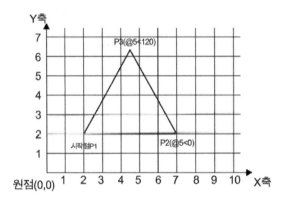

1.2 AutoCAD에서 각도설정

AutoCAD에서는 기본적으로 각도에 대해 동쪽(오른 쪽)을 0°로 하고, 시계 반대 방향으로 증가하도록 정의 하고 있다. 이러한 단위계, 각도 기준점, 증가방향, 소수점 자릿수 기준은 "UNITS(DDUNITS)" 명령 또는 Pull Down menu : [Fomat]→[Units]에서 조절할 수 있다.

2. Line(선) 그리기 (단축명령어 : L)

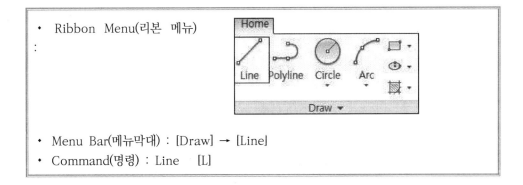

- Ribbon Menu(리본 메뉴)
:

- Menu Bar(메뉴막대) : [Draw] → [Line]
- Command(명령) : Line   [L]

2.1 절대좌표를 이용한 선 그리기

Command : Line Enter↵
Specify first point : 100,100 Enter↵
Specify next point or [undo] : 250,100 Enter↵
Specify next point or [undo] : 250,200 Enter↵
Specify next point or [undo] : 100,200 Enter↵
Specify next point or [undo] : 100,100 Enter↵ (또는 C)

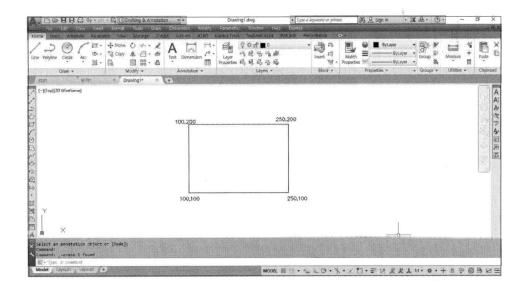

2.2 상대좌표를 이용한 선 그리기

Command : Line `Enter↵`
Specify first point : 100,100 `Enter↵`
Specify next point or [undo] : @ 150,0 `Enter↵`
Specify next point or [undo] : @ 0,100 `Enter↵`
Specify next point or [undo] : @-150,0 `Enter↵`
Specify next point or [undo] : @0,-100 `Enter↵` (또는 C)

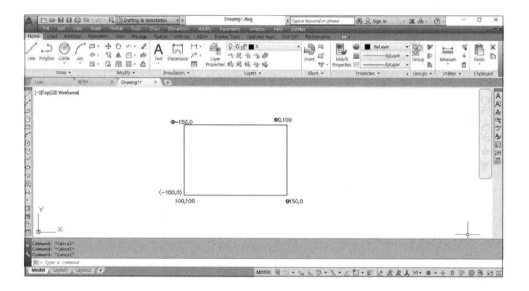

2.3 상대 극좌표를 이용한 선 그리기

Command : Line `Enter↵`

Specify first point : 100,100 `Enter↵`

Specify next point or [undo] : @150⟨0 `Enter↵`

Specify next point or [undo] : @100⟨90 `Enter↵`

Specify next point or [undo] : @150⟨180 `Enter↵`

Specify next point or [undo] : @100⟨270 `Enter↵`(또는 C)

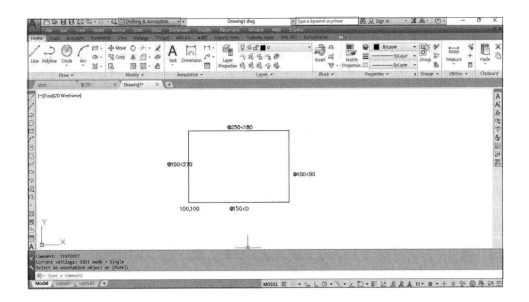

3. POLYLINE(폴리선) 그리기 (단축명령어 : PL)

여러 개의 정점들로 연결된 직선이나 호를 그릴 때 사용하는 명령어로써 선의 두께를 임의로 설정하거나 두께가 다른 직선이나 호를 그 릴 수 있다.

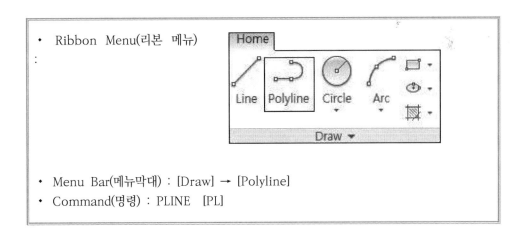

- Menu Bar(메뉴막대) : [Draw] → [Polyline]
- Command(명령) : PLINE [PL]

3.1 폴리선으로 선 그리기

```
Command : PLINE [Enter↵] ( 또는 PL [Enter↵] )
Specify first point : 100,100 [Enter↵] ( 또는 임의의 시작점 P₁ 클릭)
Specify next point or [Arc/Halfwith/Length/Undo/Width] : W [Enter↵]
Specify starting width⟨0.0000⟩ : 3 [Enter↵]
Specify ending width⟨3.0000⟩ : 3 [Enter↵]
Specify next point or [Arc/Close/Halfwidth/Length/Undo/Width] : P₂
Specify next point or [Arc/Close/Halfwidth/Length/Undo/Width] : P₃
Specify next point or [Arc/Close/Halfwidth/Length/Undo/Width] : P₄
Specify next point or [Arc/Close/Halfwidth/Length/Undo/Width] : C
```

※ 초기에는 선의 너비는 0.0000이고, 한번 입력된 선의 너비는 변경하지 않으면 계속 유지됨

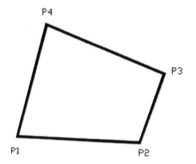

LINE 모드 Option
① Arc : 호를 작성
② Close : 닫혀진 도형 작성(시작점과 끝점을 연결)
③ Halfwidth : 선 폭의 반 지정(Width 값의 1/2값으로 동일한 두께 작성)
④ Length : 끝점 길이 값을 주어 선의 길이 지정
⑤ Undo : 직전에 작성한 선을 취소
⑥ Width : 너비 값 입력

 참 고 | PLINE 닫힌 도형그리기

- P4에서 P1 클릭하여 폐곡선을 그리기   - P4에서 Close 명령으로 폐곡선 그리기

3.2 폴리선으로 호 그리기(선 폭 : 시작4, 끝 1)

Command : PLINE [Enter↵](또는 PL [Enter↵])
Specify first point : 100,100[Enter↵](또는 임의의 시작점 P₁ 클릭)
Specify next point or [Arc/Halfwidth/Length/Undo/**Width**] : A [Enter↵]
Specify endpoint of arc (hold Ctrl to switch direction) or [Angle/CEnter/
Delection/Halfwidth/Line/Radius/Second pt/Undo/Width] : W
Specify starting width⟨0.0000⟩ : 4 [Enter↵]
Specify ending width⟨3.0000⟩ : 1 [Enter↵]
Specify endpoint of arc (hold Ctrl to switch direction) or [Angle/CEnter/
Delection/Halfwidth/Line/Radius/Second pt/Undo/Width] : P₂ [Enter↵]

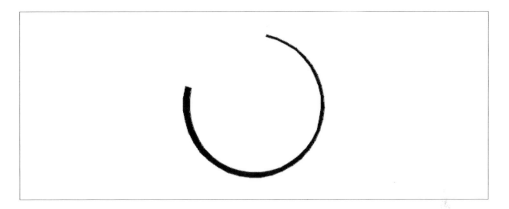

PLINE 모드 Option
① Angle : 호의 각도 (내접각 : 양 끝점에서 중심점까지의 각도) 입력
② CEnter : 호의 중심점 지정
③ Delection : 호의 방향(시작점과 끝점이 이루는 각) 지정
④ Halfwidth : 선 폭의 반 지정(Width 값의 1/2값으로 동일한 두께 작성)
⑤ Line : 라인 모드로 변환하여 그리기
⑥ Radius : 호의 반지름 입력
⑦ Second pt : 3점을 지나는 호의 두 번째 점 입력
⑧ Undo : 직전 작성한 호의 취소
⑨ Width : 선의 폭 입력

• Pline은 하나로 연결되어 있어 편집이 편리하고 Pedit 명령을 사용하여 다양한 편집 기능을 제공하고 있다.

3.3 PEDIT(Pline 편집) (단축명령어 : PE)

Pedit 명령은 2차원과 3차원의 폴리라인과 3차원 메쉬들을 편집하는 명령어이다.

* Ribbon Menu(리본 메뉴) :

Modify	
Properties	
Match Properties	
Change to ByLayer	
Object	▶
Clip	▶
Annotative Object Scale	▶

External Reference	▶
Image	▶
Hatch...	
Polyline	
Spline	
Array	
Multileader	▶
Multiline...	
Attribute	▶
Block Description	
Text	▶

* Menu Bar(메뉴막대) : [Modify] → [Object] → [Polyline]
* Command(명령) : PEDIT [PE]

Command : PEDIT [Enter↵](또는 PE [Enter↵])
Select polyline or [Multiple] : 편집할 폴리라인 선택
Enter an option [Close/Join/Width/Edit vertex/Fit/Spline/Decurve/Ltype gen/Reverse /Undo]
: S [Enter↵]
Enter an option [Close/Join/Width/Edit vertex/Fit/Spline/Decurve/Ltype gen/Reverse /Undo]
: [Enter↵]

Pedit 모드 Option

① Close : 폴리라인의 시작점과 끝점을 열거나 닫음
② Join : 여러 개의 폴리라인이나 라인을 하나의 폴리라인으로 연결
③ Width : 폴리라인의 두께 재설정
④ Edit vertex : 폴리라인의 정점 수정
⑤ Fit : 정점을 지나는 굴곡이 큰 곡선 작성
⑥ Spline : 정점을 지나지 않고 정점의 내부를 지나는 부드러운 곡선 작성
⑦ Decurve : 곡선을 직선으로 변환
⑧ Ltype gen : 폴리라인의 정점 둘레에서의 선 종류를 변경
⑨ Undo : 바로 전 작업 취소

PEDIT옵션 중 Edit vertex Option

① Next : 정점 위치 이동('X' 표시를 다음 정점으로 이동)
② Previous : 이전의 정점위치로 이동
③ Break : 두 점 사이의 객체를 절단
④ Insert : 폴리라인에 새로운 정점 삽입
⑤ Move : 정점의 위치를 다른 위치로 이동
⑥ Regen : 폴리라인을 재생성
⑦ Straighten : 두 정점 사이를 직선으로 변환
⑧ Tangent : 정점에 접선 방향 부가(곡률을 변화)c
⑨ Width : 두 정점간의 폭을 편집(시작점과 끝점의 폭을 각각 지정)

> **TIP**
>
> • 만약 편집하려는 대상이 Pline이 아닌 Line으로 작업한 선일 경우에는 아래와 같은
> 메시지가 나타난다. [Enter↵] 키를 치면 Pline으로 선을 변환시켜 작업을 수행한다.
> Do you want to turn it into one ? 〈Y〉 : [Enter↵]

4. SPLINE(스플라인) 그리기 (단축명령어 : SPL)

주어진 점(조정점)들의 집합을 통과하는 부드러운 곡선으로 불규칙한 모양의 곡선을 그
리고자 할 때 사용하는 명령어이다.

• Ribbon Menu(리본 메뉴) : (Spline Fit) , (Spline CV)
• Menu Bar(메뉴막대) : [Draw] → [Spline]
• Command(명령) : SPLINE [SPL]

4.1 SPLINE 곡선 그리기 ((Spline Fit)로 기본 값이 설정되어 있음)

Command : SPLINE [Enter↵] (또는 SPL [Enter↵])
Current settings: Method=Fit   Knots=Chord
Specify first point or [Method/Knots/Object] : P1 클릭
Enter next point or [start Tangency/toLerance] : P2 클릭
Enter next point or [end Tangency/toLerance/Undo] : P3 클릭
Enter next point or [end Tangency/toLerance/Undo] :
P4 클릭 [Enter↵]

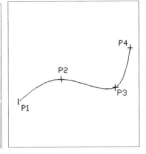

4.2) SPLINE CV로 SPLINE 곡선 그리기

Ribbon menu : 🔀 클릭
Enter spline creation method [Fit/CV] 〈Fit〉: _CV
Current settings: Method=CV   Degree=3
Specify first point or [Method/Degree/Object] : P1 클릭
Enter next point : : P2 클릭
Enter next point or [Close/Undo] : P3 클릭
Enter next point or [Close/Undo] : P4 클릭 [Enter↵]

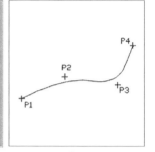

Spline 모드 Option
① Method(방법) : 스플라인을 맞춤점 또는 조정 정점으로 작성할지 조정
  a) Fit(맞춤점) : 통과하는 맞춤점을 지정하여 스플라인을 작성
  b) CV(조정 정점) : 조정 정점을 지정하여 스플라인을 작성
② Knots(매듭) : 스플라인 내의 연속하는 맞춤점 간에 구성요소 곡선을 혼합하는 방법을 결정하는 여러 계산 방법 중 하나인 매듭 매개변수화를 지정
  - Chord(현) : (현 길이 방법) 각 구성요소 곡선을 연결하는 매듭이 연관된 각 맞춤점 상호 간의 거리에 비례하도록 간격이 지정
  - Square root(제곱근) : (구심 방법) 각 구성요소 곡선을 연결하는 매듭이 연관된 각 맞춤점 양쪽 거리 제곱근에 비례하도록 간격이 지정(보다 부드러운 곡선 생성)
  - Uniform(균일) : 맞춤점의 간격에 관계없이 각 구성요소 곡선의 매듭이 같도록 간격이 지정(맞춤점을 초과하는 곡선을 생성하는 경우가 많음)
③ Objects(객체) : 2D 또는 3D(2차원 또는 3차원) 스플라인 맞춤 폴리선을 해당하는 스플라인으로 변환한다.

4.3 Tolerance(공차)를 조정하여 SPLINE 곡선 그리기

Command : SPLINE [Enter↵] (또는 SPL [Enter↵])
Current settings: Method=Fit   Knots=Chord
Specify first point or [Method/Knots/Object] : P1 클릭
Enter next point or [start Tangency/toLerance] : L [Enter↵]
Specify fit tolerance 〈0.0000〉 : [Enter↵]
Enter next point or [end Tangency/toLerance/Undo] : P2 클릭
Enter next point or [end Tangency/toLerance/Undo /Close] : P3클릭
Enter next point or [end Tangency/toLerance/Undo /Close] : P4 클릭
Enter next point or [end Tangency/toLerance/Undo /Close] : P5 클릭
Enter next point or [end Tangency/toLerance/Undo /Close] : P6 클릭 [Enter↵]

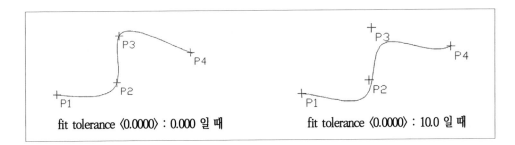

fit tolerance 〈0.0000〉 : 0.000 일 때   fit tolerance 〈0.0000〉 : 10.0 일 때

 참 고 | 공차 값에 따른 SPLINE 곡선

공차(tolerance)값이 0에 가까울수록 점에 가까운 SPLINE 곡선을 그리고, 클수록 곡선이 길이는 한정되어짐

3) Splinedit(스플라인 편집)하기 (단축명령어 : SPE)

- Ribbon Menu(리본 메뉴) : 🖉
- Menu Bar(메뉴막대) : [Modify] → [Object] → [Spline]
- Command(명령) : SPLINEDIT [SPE]

Command : SPLINEDIT [Enter↵] (또는 SPE [Enter↵])
Select spline : 편집할 Spline 선택
Enter an option [Close/Join/Fit data/Edit vertex/convert to Polyline/Reverse
/Undo/eXit] 〈eXit〉 : P
Specify a precision 〈10〉 : [Enter↵]

Splinedit 모드 Option

① **Close(닫기)** : 시작점과 끝점을 연결하여 닫힌 스플라인을 만든다.

② **Join(결합)** : 선택한 스플라인 끝점에서 다른 스플라인, 선, 폴리선 및 호와 결합하여 더 큰 스플라인을 만든다.

③ **Fit data(맞춤 데이터)** : 다음과 같은 옵션을 사용하여 맞춤점 데이터를 편집합니다.

  - Add(추가) : 스플라인에 새로운 맞춤점을 추가한다.
  - Close(닫기) : 시작점과 끝짐을 a연결히여 닫힌 스플라인을 만든다.
  - Delete(삭제) : 스플라인의 조정점을 삭제한다.
  - Kink(꼬임) : 스플라인의 지정된 위치에서 매듭 및 맞춤점을 추가한다.

- Move(이동) : 맞춤점을 새 위치로 이동한다.
- Purge(소거) : 맞춤 데이터에서 설정한 조정점을 일반 스플라인 조정점으로 변경한다..
- Tangents(접선) : 스플라인의 시작 및 끝 접선을 변경한다.
- toLerance(공차) : 맞춤점과 스플라인이 일치하도록 조정한다.
- eXit(종료) : 이전 옵션으로 이동한다.
④ **Edit vertex(**정점 편집) : 다음과 같은 옵션을 사용하여 제어 프레임 데이터를 편집한다.
- Add(추가) : 두 기준 조정 정점 간에 있는 지정한 점에 새 조정 정점을 추가한다.
- Delete(삭제) : 선택한 조정 정점을 제거합니다.
- Elevate order (순서 올리기) : 스플라인의 다항식 순서를 높입니다(차수+1).
  스플라인 전체에서 조정 정점의 수가 늘어난다.(최대값 26)
- Move(이동) : 선택한 조정 정점을 재배치합니다.
⑤ **convert to Polyline**(폴리선으로 변환) : 스플라인을 폴리선으로 변환합니다.
⑥ Reverse(반전) : 스플라인의 방향을 반전합니다.

5. Construction Line(구성선) 또는 Xline(무한선) 그리기
(단축명령어 : XL)

길이가 무한한 구성선(Construction line)을 작성합니다. 도면 작업 시 보조선으로 많이
사용한다.

- Ribbon Menu(리본 메뉴) :

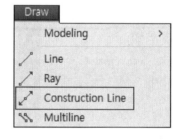

- Menu Bar(메뉴막대) : [Draw] → [Construction Line]
- Command(명령) : XLINE [XL]

```
Command : XLINE [Enter↵] ( 또는 XL [Enter↵] )
Specify a point or [Hor/Ver/Ang/Bisect/Offset] : 임의의 점 클릭
Specify through point : 두 번째 점 클릭
Specify through point : [Enter↵]
```

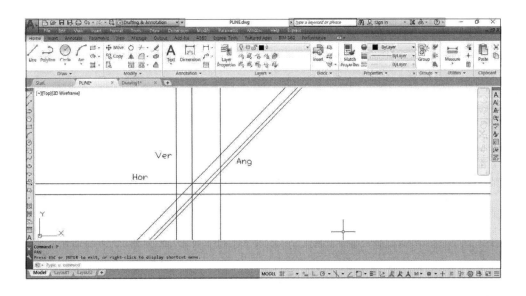

Construction Line 모드 Option

① Point(점) : 지정한 점을 통과하는 X선 작성

② Hor(수평) : 지정한 점을 통과하는 수평(X축에 평행한) X선을 작성

③ Ver(수직) : 지정한 점을 통과하는 수직(Y축에 평행한) X선을 작성.

④ Ang(각도) : 선을 배치할 각도를 지정하여 X선을 작성한다. 각도는 참조선에서
　　부터의 각도를 지정하며, 참조선으로부터 시계 반대 방향으로 측정

⑤ Bisect(이등분) : 선택한 각도 정점을 통과하면서 첫 번째 선과 두 번째 선 사이
　　를 이등분하는 X선을 작성(세 점으로 결정된 평면에 X선이 놓임)

⑥ Offset(간격띄우기) : 지정한 거리만큼 띄어서 객체에 평행하게 X선을 작성

　- Through(통과점) : 지정한 거리만큼 띄우고, 지정한 점을 통과하는 X선을 작성

6. Ray(반무한선) 그리기

XLine과 다른 점은 Ray는 한 방향의 무한 XLine을 그릴 때 사용하며, 선의 시작점과 통과점을 입력하여 반무한 선을 그린다.

* Ribbon Menu(리본 메뉴) :

Draw	
Modeling	>
Line	
Ray	
Construction Line	
Multiline	

* Menu Bar(메뉴막대) : [Draw] → [Ray]
* Command(명령) : RAY

7. MLINE(Mutiline : 다중선) 그리기 (단축명령어 : ML)

벽선을 그릴 때처럼 일정한 간격으로 2개 이상의 수평선을 그릴 때 Multiline을 사용하면 시간을 단축할 수 있다. 특히 Multiline은 그 형태의 저장이 가능해서 한번 만들어 놓으면 언제든지 필요에 따라 불러서 사용할 수 있다.
* Multiline의 사용 순서 : [Multiline Style] 지정 → [Multiline]그리기→ [Mledit]로 편집
* 벽선 그리기 사용 예 (0.5B = 몰탈마감 20mm +벽돌 100mm + 몰탈마감 20mm그리기)

7.1 MLSTYLE(다중선 스타일)

Multiline 스타일의 이름을 지정하거나 이미 만들어진 Multiline을 불러 올 수 있다.

1) Multiline 설정

* Ribbon Menu(리본 메뉴) :

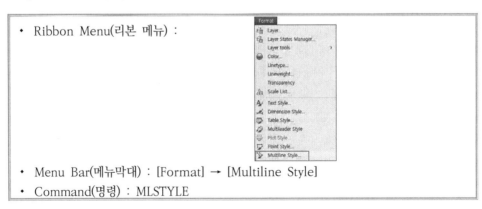

* Menu Bar(메뉴막대) : [Format] → [Multiline Style]
* Command(명령) : MLSTYLE

Multiline Style 모드 Option

① Style : Multiline의 스타일을 도시
② Desciption : Multiline에 대한 설명문 기입

③ | Set Current | : 현재 지정된 Multiline 스타일

④ | New... | : 새로운 Multiline 생성하기

⑤ | Modify... | : 기존의 Multiline 변경하기

⑥ | Rename | : Multiline 스타일 이름 바꾸기

⑦ | Delete | : Multiline 스타일 지우기

⑧ | Load... | : 저장된 Multiline 스타일 불러오기

⑨ | Save... | : Multiline 스타일 저장하기

2) Multiline의 선 정의

- 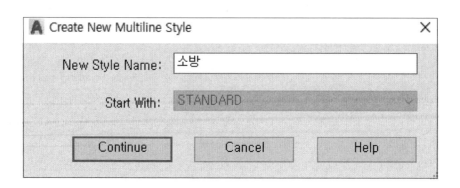 버튼을 클릭하면 Create New Multiline Style 대화상자가 생성된다.

- Create New Multiline Style 대화상자에서 새 스타일명을 입력하고 Continue 버튼을 클릭하면 선 모양을 지정할 수 있는 대화상자가 또 나타난다. 이 대화상자에서 선의 색상, Offset 간격, 선의 종류 등을 지정한다.

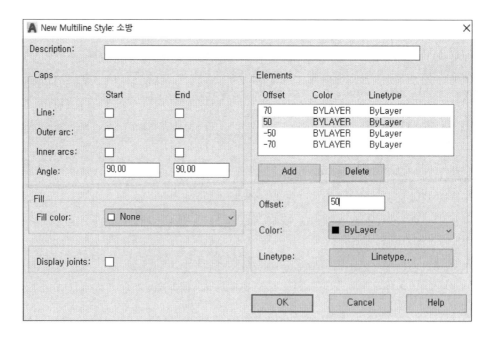

Multiline Style 모드 Option

① Caps : Multiline의 시작 부분과 끝 부분의 모양을 지정한다.

  - Line : 시작과 끝 부분을 선으로 막음

  - Outer arc : 시작 부분과 끝 부분을 볼록한 호로 막음

  - Inner arc : 시작과 끝 부분을 오목한 호로 막음

  - Angle : 시작 부분과 끝 각도가 있는 선으로 막음

② Fill : Multiline의 속을 채울 것이지를 제어한다.

③ Display joints : 각 다중선 세그먼트 정점에서의 접합부의 화면표시를 조정한다. 접합부를 연귀라고도 한다.

④ Elements : Multiline의 간격 및 특성을 지정한다.

  - Add : 새로운 Multiline 선을 추가

  - Delete : Multiline 삭제

  - Offset : Multiline의 간격 수치 입력

  - Color : Multiline의 색상 지정

  - Linetype : Multiline의 선 모양 지정

예) Offset : -70 입력 → [Add] 버튼 클릭

  Offset : -50 입력 → [Add] 버튼 클릭

  Offset : 50 입력 → [Add] 버튼 클릭

  Offset : 70 입력 → 버튼 클릭

[Delete] 버튼을 이용해 불필요한 데이터를 지우고 70과 -70을 마감선 Layer 색상으로 지정한 후 [OK] 버튼 클릭

Preview 화면에서 지정된 Multiline 모양을 확인한 후

Preview of: 소방

→ [OK] 버튼 클릭

7.2 MLINE(다중선) 실행 (단축명령어 : ML)

- Ribbon Menu(리본 메뉴) :

  Draw
  Modeling   >
  Line
  Ray
  Construction Line
  Multiline

- Menu Bar(메뉴막대) : [Draw] → [Mline]
- Command(명령) : MLINE [ML]

Command : MLINE [Enter↵] 또는 [⧹⧹]
Current settings : Justification = Top, Scale = 20.00, Style = 소방
Specify start point or [Justification/Scale/STyle]: J
Enter justification type [Top/Zero/Bottom] 〈top〉: Z
Specify start point or [Justification/Scale/STyle]: S
Enter mline scale 〈20.00〉: 1 [Enter↵]
Current settings: Justification = Zero, Scale = 1.00, Style = 소방
Specify start point or [Justification/Scale/STyle] : P1 점 클릭
Specify next point : P2 점 클릭
Specify next point or [Undo] : P3 점 클릭
Specify next point or [Close/Undo] : P4 점 클릭

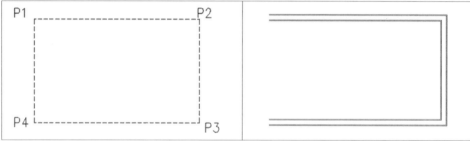

Multiline 모드 Option

① Justification ; Multiline의 정렬 방법을 지정한다.
  - Top : 기준선의 위쪽으로 정렬
  - Zero : 기준선을 중앙으로 정렬
  - Bottom : 기준선의 아래쪽으로 정렬
② Scale : Multiline의 축척을 지정한다.
③ STyleCaps : Multiline의 스타일을 지정한다.

7.3 MLEDIT(다중선 편집)

Multiline으로 그린 다중선들의 서로 겹치는 부위나 끝부분을 MLEDIT 명령을 이용하여 간단하게 편집할 수 있다. MLEDIT 명령으로 수정이 어려운 부분은 EXPLODE한 후 TRIM이나 FILLET 등으로 수정한다.

> · Ribbon Menu(리본 메뉴) :
> · Menu Bar(메뉴막대) : [Modify] → [Object] → [Multiline...]
> · Command(명령) : MLEDIT

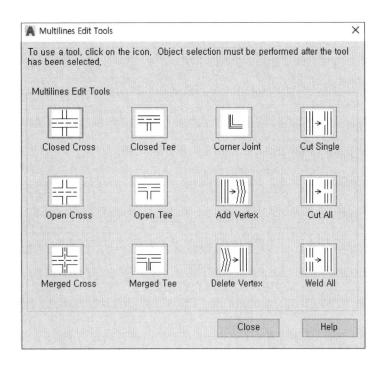

TIP	• Multiline Edit Tools에서 원하는 모양을 선택한 후 도면에서 해당 다중선들을 클릭한다. • 선을 선택하는 순서에 따라 편집되어지는 모양이 달라지므로 유의해서 선택하도록 한다.

8. 곡선 그리기

8.1 원 그리기 (단축명령어 : C, CI)

원 그리기는 6가지 방법으로 구성되어 있어서 그 중 1가지 방법을 선택하여 그린다.

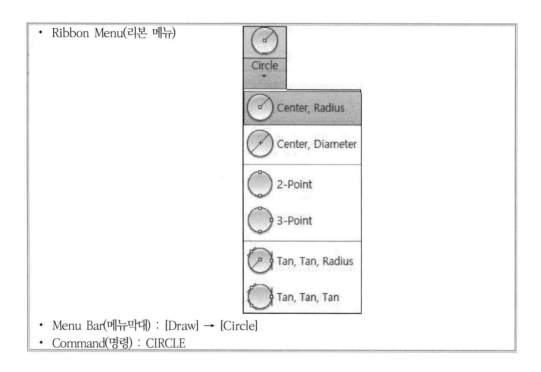

* Menu Bar(메뉴막대) : [Draw] → [Circle]
* Command(명령) : CIRCLE

1) 중심점과 반지름으로 원 그리기

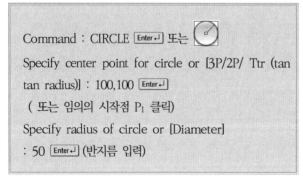

Command : CIRCLE [Enter↵] 또는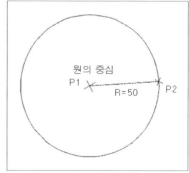

Specify center point for circle or [3P/2P/ Ttr (tan tan radius)] : 100,100 [Enter↵]
 (또는 임의의 시작점 P₁ 클릭)
Specify radius of circle or [Diameter]
: 50 [Enter↵] (반지름 입력)

2) 중심점과 지름으로 원 그리기

Command : CIRCLE [Enter↵] 또는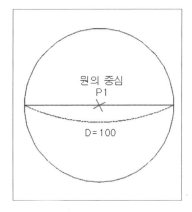

Specify center point for circle or [3P/2P/Ttr (tan tan radius)]: 100,100 [Enter↵]

(또는 임의의 시작점 P1 클릭)

Specify radius of circle or [Diameter]: D [Enter↵]

Specify diameter of circle : 100 [Enter↵]

(지름이 100인 원, 즉 반지름은 50인 원)

원의 중심
P1

D=100

3) 2점을 이용한 원 그리기

Command : CIRCLE [Enter↵] 또는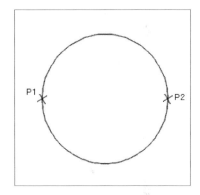

Specify center point for circle or [3P/2P/Ttr(tan tan radius)] : 2P

Specify first end point of circle's diameter : P1 [Enter↵]

Specify second end point of circle's diameter : P2 [Enter↵]

P1   P2

4) 3점을 이용한 원 그리기

Command : CIRCLE [Enter↵] 또는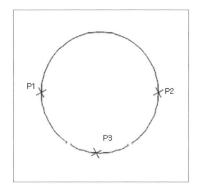

Specify center point for circle or [3P/2P/Ttr (tan tan radius)] : 3P [Enter↵]

Specify first point on circle : 100,100 [Enter↵]

(또는 임의의 시작점 P1 클릭)

Specify second point on circle : P2 [Enter↵]

Specify third point on circle : P3 [Enter↵]

P1   P2

P3

5) 2개의 객체에 접하고 반지름 R이 주어진 원 그리기

Command : CIRCLE [Enter↵] 또는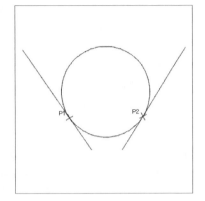

Specify center point for circle or [3P/2P/Ttr (tan tan radius)]: T [Enter↵]

Specify point on object for first tangent of circle : P1 [Enter↵]

Specify point on object for second tangent of circle: P2 [Enter↵]

Specify radius of circle ⟨32.5790⟩: 50 [Enter↵]

6) 3개의 객체에 접하는 원 그리기

Command : [아이콘] 클릭

Specify center point for circle or [3P/2P/Ttr (tan tan radius)] : _3p Specify first point on circle : _tan to : P1 [Enter↵]

Specify second point on circle: _tan to : P2 [Enter↵]

Specify third point on circle: _tan to : P3 [Enter↵]

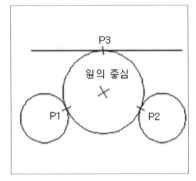

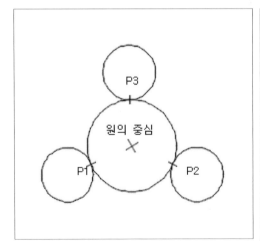

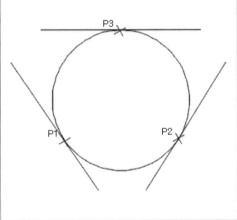

8.2 ARC(호)그리기 (단축명령어 : A)

호는 직선, 원과 함께 가장 많이 사용되는 명령어이며 시작점, 중간점, 끝점 등을 이용하여 그리는
방법 등 11가지의 호를 그리는 방법이 있다. 호를 그릴 때는 그려지는 방향이 시계반대 방향으로 그려
진다.

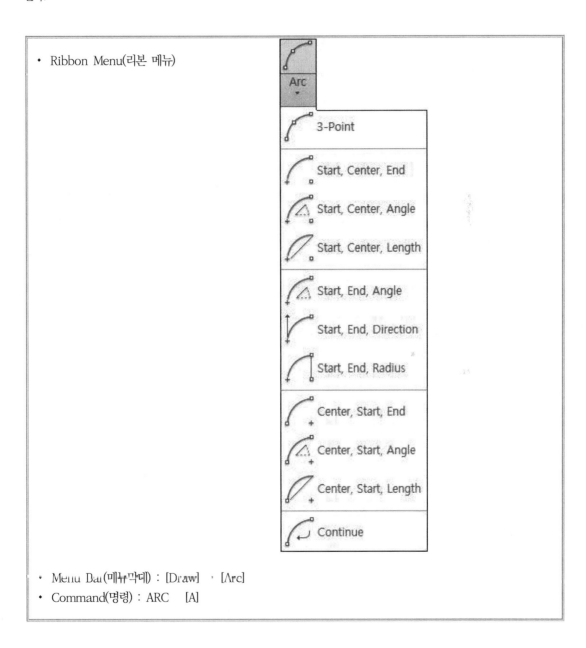

- Ribbon Menu(리본 메뉴)

  Arc

  3-Point

  Start, Center, End

  Start, Center, Angle

  Start, Center, Length

  Start, End, Angle

  Start, End, Direction

  Start, End, Radius

  Center, Start, End

  Center, Start, Angle

  Center, Start, Length

  Continue

- Menu Bar(메뉴막대) : [Draw] · [Arc]
- Command(명령) : ARC   [A]

1) 3점을 지나는 호 그리기

Command : ARC Enter↵ 또는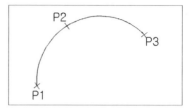
Specify start point of arc or [Center] : P1 클릭
Specify second point of arc or [Center/End] : P2 클릭
Specify end point of arc : P3 클릭

- 좌표가 주어진 경우에는 P1, P2, P3에 각각의 좌표를 넣고 Enter↵ 하면 된다.
- 호를 그리는데 3P가 가장 많이 사용 된다.

2) 시작점, 중심점, 끝점을 이용한 호 그리기

Command : ARC Enter↵ 또는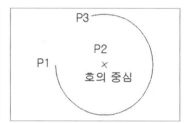
Specify start point of arc or [Center] : P1 클릭
Specify center point of arc : P2 클릭
Specify end point of arc (hold Ctrl to switch direction) or [Angle/chord Length] : P3 클릭

3) 시작점, 중심점, 각도를 이용한 호 그리기

Command : ARC Enter↵ 또는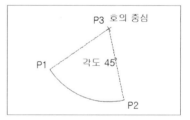
Specify start point of arc or [Center] : P1 클릭
Specify center point of arc : P2 클릭
Specify included angle (hold Ctrl to switch direction) : P3 클릭(또는 각도 입력)

- 호는 기본적으로 반시계방향으로 그려지게 되어 있다. 시계 방향으로 바꾸려면 Ctrl key를 누르고 각도를 조절하면 된다.

4) 시작점, 중심점, 현의 길이를 이용한 호 그리기

Command : ARC Enter↵ 또는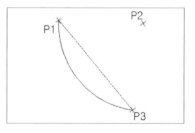
Specify start point of arc or [Center] : P1 클릭
Specify center point of arc : P2 클릭
Specify length of chord (hold Ctrl to switch direction) : P3 클릭(또는 현의 길이)

5) 시작점, 끝점, 각도를 이용한 호 그리기

Command : ARC [Enter↵] 또는 [아이콘]

Specify start point of arc or [Center] : P1 클릭

Specify end point of arc : P2 클릭

Specify included angle (hold Ctrl to switch direction) : P3 클릭(또는 호의 각도)

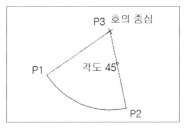

6) 시작점, 끝점, 방향을 이용한 호 그리기

Command : ARC [Enter↵] 또는 [아이콘]

Specify start point of arc or [Center] : P1 클릭

Specify end point of arc : P2 클릭

Specify tangent direction for the start point of arc (hold Ctrl to switch direction) : P3 클릭

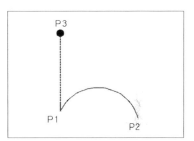

• 방향점 P3는 시작점(P1)과 접선 방향이다.

7) 시작점, 끝점, 반지름을 이용한 호 그리기

Command : ARC [Enter↵] 또는 [아이콘]

Specify start point of arc or [Center] : P1 클릭

Specify end point of arc : P2 클릭

Specify radius of arc (hold Ctrl to switch direction) : P3 클릭(또는 호의 반지름)

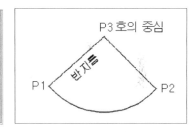

• (중심점, 시작점, 끝점), (중심점, 시작점, 각도), (중심점, 시작점, 현의 길이) 등은 위의 방법에서 P1점과 P2점의 바꾸어 입력하면 된다.

8) 연속하여 호 그리기

Command : ARC [Enter↵] 또는 [아이콘]

Specify start point of arc or [Center] : P1 클릭

Specify end point of arc (hold Ctrl to switch direction) : P2 클릭

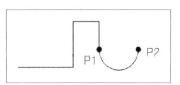

• 마지막으로 작업한 끝점에서부터 이어서 연속하여 호를 그린다.

9) 중심점, 시작점, 끝점을 이용한 호 그리기

Command : ARC [Enter↵] 또는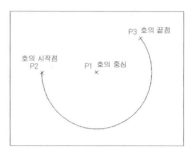
Specify start point of arc or [Center] : _c
Specify center point of arc : P1 클릭
Specify start point of arc : P2 클릭
Specify end point of arc (hold Ctrl to switch direction) or [Angle/chord Length] : P3 클릭

10) 중심점, 시작점, 각도를 이용한 호 그리기

Command : ARC [Enter↵] 또는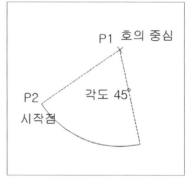
Specify start point of arc or [Center] : _c
Specify center point of arc : P1 클릭 (중심점)
Specify start point of arc : P2 클릭 (시작점)
Specify end point of arc (hold Ctrl to switch direction) or [Angle/chord Length] : _a
Specify included angle (hold Ctrl to switch direction) : 45 (각도 입력)

11) 중심점, 시작점, 현의 길이를 이용한 호 그리기

Command : ARC [Enter↵] 또는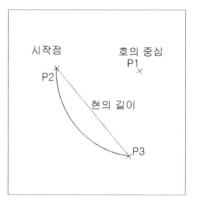
Specify start point of arc or [Center] : _c
Specify center point of arc : P1 클릭 (중심점)
Specify start point of arc : P2 클릭 (시작점)
Specify end point of arc (hold Ctrl to switch direction) or [Angle/chord Length] : _l
Specify length of chord (hold Ctrl to switch direction) : P3 (현의 길이 입력)

8.3 타원 그리기 (단축명령어 : EL)

- Ribbon Menu(리본 메뉴)

  - Center
  - Axis, End
  - Elliptical Arc

- Menu Bar(메뉴막대) : [Draw] → [Ellipse]
- Command(명령) : ELLIPSE

1) 중심을 이용한 타원 그리기

Command : ELLIPSE [Enter↵] 또는

Specify center of ellipse : P1 클릭
Specify endpoint of axis : P2 클릭
Specify distance to other axis or [Rotation] : P3 클릭

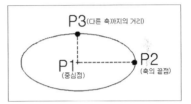

2) 축, 끝점을 이용한 타원 그리기

Command : ELLIPSE [Enter↵] 또는

Specify axis endpoint of ellipse or [Arc/Center] : P1 클릭
Specify other endpoint of axis : P2 클릭
Specify distance to other axis or [Rotation] : P3 클릭

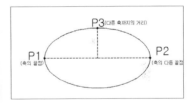

3) 타원형 호 그리기

Command : ELLIPSE [Enter↵] 또는

Specify axis endpoint of ellipse or [Arc/Center] : P1 클릭
Specify other endpoint of axis : P2 클릭
Specify distance to other axis or [Rotation] : P3 클릭
Specify start angle or [Parameter] : P4 클릭
Specify end angle or [Parameter/Included angle] : P5 클릭

- 실질적으로는 P4가 호의 시작점이며 P5가 호의 끝점이다. 그래서 P4에서 시작하여 반시계방향으로 P5까지 그려진다.

8.4 도넛 그리기 (단축명령어 : DO)

* Ribbon Menu(리본 메뉴) :

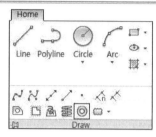

* Menu Bar(메뉴막대) : [Draw] → [Donut]
* Command(명령) : DONUT

* 도넛은 속이 비어 있는 원을 그리는 명령어이다.
* 원의 내경과 외경의 지름을 입력하여 그린다.
* 내경의 지름이 0인 도넛은 속이 찬 원으로 그려지고, 내경을 0보다 크게 하면 내경의 반지름과 외경의 반지름의 차만큼의 두께를 가진 도넛이 그려진다.

Command : DONUT [Enter↵] 또는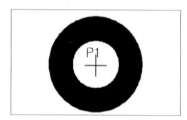
Specify inside diameter of donut 〈10.0000〉 : 5 [Enter↵]
Specify outside diameter of donut 〈20.0000〉: 10 [Enter↵]
Specify center of donut or 〈exit〉 : P1클릭

* 도넛의 중심 P1을 기준으로 내부 지름과 외부지름을 차례로 입력해야 한다.
* 도넛을 실행하면 ESC로 실행을 중단하기 전에는 연속하여 그릴 수 있다.

▶ 속이 빈 도넛 그리기

Command : FILL [Enter↵]
Enter mode [ON/OFF] 〈ON〉 : OFF [Enter↵]

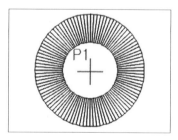

* 채우기 모드(FILL)에서 ON하면 채워진 도넛을 그리고, OFF하면 속이 채워지지 않는 도넛을 그린다.
* 채우기 모드를 한번 OFF하면 계속 OFF 상태가 유지된다. 채워진 도넛을 하기 위해서는 채우기 모드에서 ON 상태로 바꾸어 주어야 한다.

9. 다각형 그리기

9.1 RECTANGLE(사각형) 그리기 (단축명령어 : REC)

- Ribbon Menu(리본 메뉴)

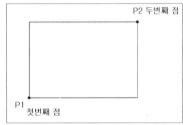

- Menu Bar(메뉴막대) : [Draw] → [Rectangle]
- Command(명령) : RECTANGLE [REC]

1) 두 지점을 지정하여 사각형 그리기

Command : RECTANGLE [Enter↵] 또는 [□ ▼]
Specify first corner point or [Chamfer
/Elevation/Fillet/Thickness/Width] : P1 클릭
Specify other corner point or [Area/
Dimensions/Rotation] : P2 클릭

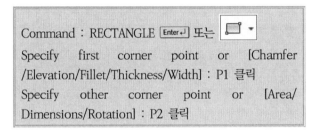

① 절대좌표를 사용하여 사각형 그리기 : P1, P2에 각각의 좌표를 입력

Command : RECTANGLE [Enter↵]
Specify first corner point or [Chamfer /Elevation/Fillet/Thickness/Width] : 100,100 클릭
Specify other corner point or [Area/ Dimensions/Rotation] : 200,250 클릭

② 상대좌표를 사용하여 사각형 그리기 : P1은 임의의 점을 클릭 , P2에 가로, 세로의 크기를 입력

Command : RECTANGLE [Enter↵]
Specify first corner point or [Chamfer /Elevation/Fillet/Thickness/Width] ; 임의의 점 클릭
Specify other corner point or [Area/ Dimensions/Rotation] : @100,150 클릭

2) 면적과 가로 길이를 이용하여 사각형 그리기(예, 면적이 100, 가로길이 50인 사각형)

Command : RECTANGLE [Enter↵] 또는 [⬚ ▾]

Specify first corner point or [Chamfer /Elevation /Fillet/Thickness/Width] : P1 클릭(임의의 점)

Specify other corner point or [Area/ Dimensions /Rotation] : A [Enter↵]

Enter area of rectangle in current units ⟨100.0000⟩ : 100 [Enter↵]

Calculate rectangle dimensions based on [Length /Width] ⟨Length⟩ : L [Enter↵]

Enter rectangle length ⟨10.0000⟩ : 20

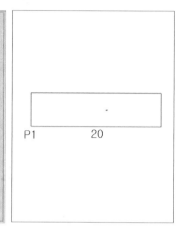

P1   20

3) 차수를 이용하여 사각형 그리기(예, 가로 150, 세로100인 사각형)

Command : RECTANGLE [Enter↵] 또는 [⬚ ▾]

Specify first corner point or [Chamfer /Elevation/Fillet/Thickness/Width] : P1 클릭

Specify other corner point or [Area/Dimensions /Rotation] : D [Enter↵]

Specify length for rectangles ⟨50.0000⟩ : 150 [Enter↵]

Specify width for rectangles ⟨20.0000⟩: 100 [Enter↵]

Specify other corner point or [Area/Dimensions /Rotation] : P2 클릭

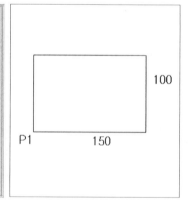

100

P1   150

4) 회전각을 이용하여 사각형 그리기(예, 경사각30°인 사각형)

Command : RECTANGLE [Enter↵]

Specify first corner point or [Chamfer/ Elevation/ Fillet/Thickness/Width] : P1 클릭

Specify other corner point or [Area/ Dimensions /Rotation] : R [Enter↵]

Specify rotation angle or [Pick points] ⟨0⟩ : 30 [Enter↵]

Specify other corner point or [Area/Dimensions /Rotation]: P2 클릭

P2 두번째 구석점

30°

P1
첫번째 구석 점

RECTANGLE 모드 Option

① Chamfer : 사각형의 모서리를 직선으로 모따기한다.

② Elevation : 3차원 그리기에서 사각형을 Z축 방향으로 주어진 값만큼 높여서 그린다.

③ Fillet : 사각형 모서리를 부드럽게 라운딩한다.

④ Thickness : 3차원 그리기에서 사각형 선의 높이 값을 설정한다.

⑤ Width : 사각형 선의 두께 값을 설정한다.

◉ OPTION 실행하기 ◉

① Chamfer(모따기)(예 : 20, 30으로 모깎기한 사각형 그리기)

Command : RECTANGLE [Enter↵]
Specify first corner point or [Chamfer/ Elevation /Fillet/Thickness/Width] : C [Enter↵]
Specify first chamfer distance for rectangles ⟨0.0000⟩: 20 [Enter↵]
Specify second chamfer distance for rectangles ⟨20.0000⟩: 30 [Enter↵]
Specify first corner point or [Chamfer /Elevation/Fillet /Thickness/Width] : P1 클릭
Specify other corner point or [Area/Dimensions /Rotation] : P2 클릭

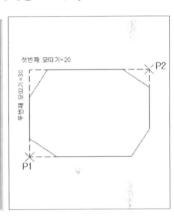

② Fillet(모깎기) (예 : 반지름 5인 호로 모깎기한 사각형 그리기)

Command : RECTANGLE [Enter↵]
Specify first corner point or [Chamfer/ Elevation /Fillet/Thickness/Width] : F [Enter↵]
Specify fillet radius for rectangles ⟨0.0000⟩: 5 [Enter↵]
Specify first corner point or [Chamfer /Elevation /Fillet/Thickness/Width] : P1클릭
Specify other corner point or [Area/Dimensions /Rotation]: P2 클릭

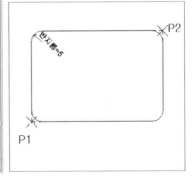

③ Width(두께) (예 : 두께 10인 사각형 그리기)

Command : RECTANGLE [Enter↵]
Specify first corner point or [Chamfer/Elevation/Fillet
/Thickness/Width] : W [Enter↵]
Specify line width for rectangles ⟨2.0000⟩ : 10 [Enter↵]
Specify first corner point or [Chamfer/Elevation/Fillet
/Thickness/Width] : P1클릭
Specify other corner point or [Area/Dimensions /Rotation] : P2 클릭

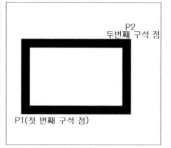

P2
두번째 구석 점

P1(첫 번째 구석 점)

9.2 다각형 그리기 (단축명령어 : POL)

- Ribbon Menu(리본 메뉴) :

- Menu Bar(메뉴막대) : [Draw] → [Polygon]
- Command(명령) : POLYGON [POL]

- 3각형 이상의 정다각형을 그리는 명령어이다
- 원에 내접하거나 외접하도록 그리며, 크기는 원의 반지름으로 결정한다.

1) 원에 내접하는 다각형 (예: 6각형 그리기)

Command : POLYGON [Enter↵] 또는 ⬠
Enter number of sides ⟨4⟩: 6 [Enter↵]
Specify center of polygon or [Edge] : P1클릭
Enter an option [Inscribed in circle /Circumscribed about
circle] ⟨I⟩ : [Enter↵]
Specify radius of circle: 100 [Enter↵]

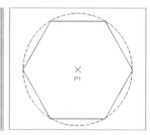

×
P1

2) 원에 외접하는 다각형(예: 6각형 그리기)

Command : POLYGON[Enter↵] 또는 ⬡
Enter number of sides ⟨4⟩: 6 [Enter↵]
Specify center of polygon or [Edge] : P1클릭
Enter an option [Inscribed in circle /Circumscribed about circle] ⟨I⟩ : C [Enter↵]
Specify radius of circle : 100 [Enter↵]

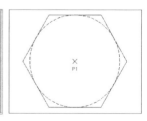

×
P1

③ Edge(모서리)를 이용한 다각형 그리기 (예: 6각형 그리기)

Command : POLYGON [Enter↵]
Enter number of sides ⟨4⟩: 6 [Enter↵]
Specify center of polygon or [Edge] : E
Specify first endpoint of edge : P1클릭
Specify second endpoint of edge : P2클릭

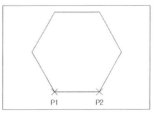

• 정확한 길이를 입력하려면 키보드를 이용하여 입력한다.

10. Point

10.1 점찍기(단축명령어 : PO)

화면에 점을 찍는 명령어로서 Point 명령어를 이용하여 화면상의 점 모양을 보기 쉽게 사용하기 위한 명령어이며 객체 수정에 많이 사용한다.

• Pulldown Menu :

• Menu Bar(메뉴막대) : [Draw] → [Point] → Single Point(또는 Multiple Point
• Command(명령) : POINT [PO]

10.2 Point Style(점 스타일) (단축명령어 : Ptype)

화면에 나타나는 점의 스타일을 지정한다.

• Ribbon Menu(리본 메뉴) : [아이콘]
• Menu Bar(메뉴막대) : [Format] → [Point Style]C
• Command(명령) : Ddptype [PTYPE]

▸ Point Style 명령어를 입력하면 다음과 같은 Point Style 대화상자가 나타난다.

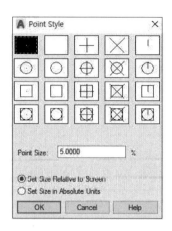

· **Point Size(점 크기)** : 점의 크기 입력 설정
· **Set Size Relative Screen(화면에 상대적인 크기 설정)**
  : 화면에 상대적인 크기로 설정(크기를 설정하여도 화면에 영향이 없다)
· **Set Size in Absolute Units(절대단위 크기로 설정)**
  : 절대단위 크기로 설정
· 화면이 확대(축소)되면 점도 확대(축소)된다.

Command : Ddptype [Enter↵]

Command: '_ptype Regenerating model.

Regenerating model. 대화상자에서 point 스타일 지정

Command : POINT [Enter↵]

Current point modes: PDMODE=32 PDSIZE=0.0000

Specify a point : 임의점 클릭

11. Divide(등분할) (단축명령어 : DIV)

Line, Arc, Circle 등의 명령어로 완성된 객체를 원하는 개수만큼 같은 간격으로 표시해주는 명령어이다.

- Ribbon Menu(리본 메뉴) :
- Menu Bar(메뉴막대) : [Draw] → [Point] → [Divide]
- Command(명령) : DIVUDE [DIV]

Command : DIVIDE[Enter↵] 또는

Select object to divide : 선을 선택

Enter the number of segments or [Block] : 4 [Enter↵] (분할할 개수를 입력/블록)

12. Measure(길이분할) (단축명령어 : ME)

객체를 일정한 값으로 등분하여 그 위치를 점으로 나타내주는 명령어이다.

- Ribbon Menu(리본 메뉴) : ⬚
- Menu Bar(메뉴막대) : [Draw] → [Point] → [Measure]
- Command(명령) : MEASURE [ME]

Command : MEASURE [Enter↵] 또는 ⬚

Select object to measure : 선을 선택

Specify length of segment or [Block]: 500 [Enter↵] (선의 단위길이 입력/블록)

TIP	Divide와 Measure 명령어 구분

- Divide : 객체를 입력한 개수로 분할
- Measure : 객체를 입력한 길이로 분할
- Divide나 Measure 명령을 실행한 후 화면에 변화가 없을 경우에는 [Format - Point Style]에서 포인트의 모양을 [·]이 아닌 다른 모양 예를 들면 X모양으로 바꾸면 상기 그림처럼 표현된다.
- Divide나 Measure 명령을 실행한 후 분할점은 node OSNAP으로 잡는다.

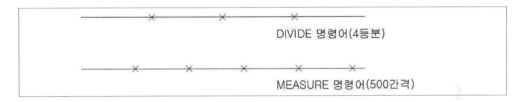

DIVIDE 명령어(4등분)

MEASURE 명령어(500간격)

- Divide나 Measure 명령 실행 후 작업(예, 선 그리기)

Command : LINE [Enter↵]

Specify first point : NODE [Enter↵] P1클릭

Specify next point or [Undo] : P1클릭

Specify next point or [Undo] : [Enter↵]

13. HATCH (단축명령어 : H)

13.1 HATCH

도면에서 특정 영역의 재료표시나 구성요소를 구분하기 위하여 지정한 영역을 원하는 모양의 해치 패턴으로 채우는 명령어이다.

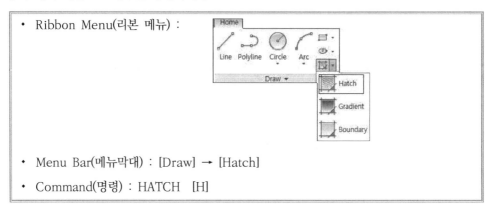

- Ribbon Menu(리본 메뉴) :
- Menu Bar(메뉴막대) : [Draw] → [Hatch]
- Command(명령) : HATCH [H]

Command : HATCH [Enter↵] 또는

Pick internal point or [Select objects/Undo/seTtings] : 도형내부 클릭

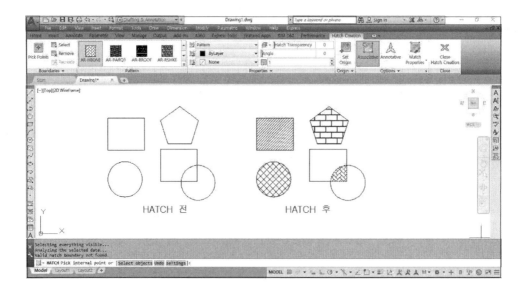

HATCH 모드 Option

① **Internal Point(내부 점)** : 지정된 점을 기준으로 닫힌 영역의 경계를 결정.
  - Pick Internal Point(내부 점 선택) : 내부 점을 지정

② **Select Objects(객체 선택)** : 선택된 객체에서 닫힌 영역의 경계를 결정.
  - Select Objects(객체 선택) : 내부 객체가 자동으로 탐지되지 않는다.

③ **Undo** : 현재 활성화된 HATCH 명령으로 마지막에 삽입한 해치 패턴을 제거.

④ **Settings(설정)** : 설정을 변경할 수 있는 해치 및 그라데이션 대화상자를 엽니다.

▶ "Pick internal point or [Select objects/Undo/seTtings] : " 명령행에 'seTtings'의 'T'를 입력한 후 Enter를 치면 아래와 같은 대화 상자가 나타난다.

또한 AutoCAD 2025에서는 HATCH(또는 H)을 실행하면 리본 메뉴에 Hatch Creation 탭이 생성되고 그 아래 대화 상자가 아래 모양과 같이 생성되도록 편리성을 도모하고 있다. ①~③까지 순서에 따라 설정하고 닫힌 객체 내부를 선택하면 쉽게 해치를 넣을 수 있다.

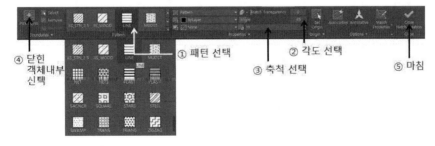

▸ 설정 대화상자에 옵션과 거의 유사함으로 Hatch and Gradient 대화상자를 설명한다.

① Type and pattern(유형 및 패턴)

(a) Type : 패턴 타입을 지정한다.

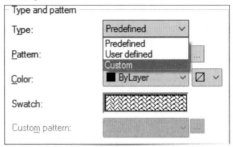

• Predefined(미리정의)

  : AutoCAD에서 미리 저장되어 있는 acad.pat, acadiso.pat 파일을 사용하며 패턴의 각도와 축척조절을 하여 사용

• User - defined (사용자정의)

  : 축척으로 해치간격을 정하기 어렵거나 정확한 해치 패턴을 설정하고자 할 때 사용, 현재 사용하는 선을 기준으로 신속히 선의 형태 패턴을 작성할 때 사용

• 사용자화 (Custom) : 사용자가 Custom Pattern이 있는 경우에 지정하여 해칭

(b) **Pattern** : Type 대화상자의 Predefined를 선택했을 경우, 선택한 Pattern의 이름을 나타낸다. SOLID 을 클릭하면 미리 저장된 패턴의 이름이 나타나고, 바로 옆 ···을 클릭하면 'Hatch Pattern Palette'에 해당 해치 견본을 보여준다.

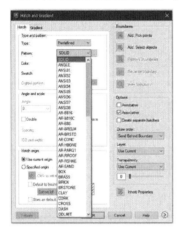 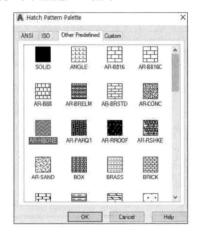

(c) **Color(색상)** : 원하는 색상 선택

(d) **Swatch(견본)** : 선택한 패턴형태를 그림으로 보여줌(Hatch Pattern Palette가 나타남)

(e) **Custom pattern** : 사용자가 만든 패턴 이름을 보여 준다.

② Angle and scale (각도와 축척)

(a) **Angle(각도)** : pattern의 각도 입력

(b) **Scale(축척)** : pattern의 간격(크기)을 지정

(c) **Double** : User-defined가 선택된 경우에만

90°각도로 또 다른 해치를 이중으로 그리도록 하는 기능

(d) **Relative to paper space**(도면 공간에 상대적) : 도면 공간 단위를 기준으로 해치 스케일 조정하며 , 배치에서만 사용할 수 있다.

(e) **ISO pen width** : 선택된 펜의 폭을 기본으로 하여 ISO 관련 패턴의 스케일을 조정

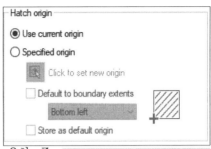

③ Hatch origin(해치 원점)

(a) **Use current origin** : 현재의 기준점을 이용

(b) **Specified origin** : 새로운 기준점 지정

- **Click to set new origin** : 마우스 클릭으로 새 기준점 지정

- **Default to boundary extend** : 좌상, 좌하, 우상, 우하, 중앙의 기준점을 선택,

- **Store as default origin** : 기본 기준점으로 저장

④ Boundaries(경계)

(a) **Add**

- Pick points : 가장 많이 쓰는 경계영역 설정 방법으로 해치할 객체의 영역 안의 점을 선택하는 방법이다.

- Select objects : 해치할 객체를 선택

(b) **Remove boundaries** : 지정된 해치 경계선 제거

(c) **Recreate boundaries** : 경계 재작성

(d) **View Selections** : 지정되어 있는 경계선을 보여줌

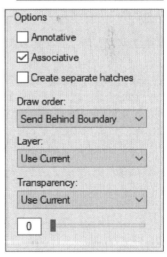

⑤ Options

(a) **Annotative(주석)** : 해치주석 객체설정

(b) **Associative(연관)** : 연관해치 설정

(c) **Create separate hatches(개별해치작성)** : 해치 작성에 있어서 한 개로 할 것인지, 여러 개로 할 것인지를 설정

(d) **Draw order(그리기 순서)** : 해치 또는 채우기에 순서 결정

(e) **Layer** : 지정한 레이어에 새 해치 객체를 지정하여 현재 레이어 재지정

(f) **Transparency(투명도)** : 새 해치 또는 채우기에 대해 투명도 레벨 설정하여 현재 객체 투명도 재지정

⑥ Inherit Properties(특성 상속)

이미 작성된 패턴을 똑같이 다른 곳에 작성할 때 사용

기능은 패턴의 이름, 축척, 각도 등 복사 특성 상속을 자정하고 이미 작성된 패턴을

선택하면 패턴의 이름, 축척, 각도가 복사되어 해
치대화상자에 입력되며, 경계선만 설정하고 [확인]
을 클릭하면 똑같은 패턴 작성

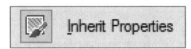

⑦ Islands(고립)

(a) **Normal** : 객체 바깥부분 해치하고 한 영역을 건너뛰고
다시 해치

(b) **Outer** : 가장 밖에 있는 부분만 해치

(c) **Ignore** : 지정된 객체들에 대하여 모두 해치

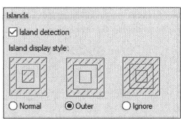

⑧ Boundary retention(경계유지)

해치할 때 일시적으로 만들어지는 경계이며, 패턴
이 채워지면 경계선은 없어진다. 경계를 설정할 때
객체의 종류는 Polyline, Region이 있음

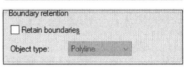

⑨ Boundary set(경계 세트)

경계세트를 설정하면 경계를 계산하는 시간을 단축
할 수 있는 기능

⑩ Gap tolerance (차이공차)

해치를 수행할 때 경계는 폐구간만 인식하지만 차이 공차를 설정하면 어느 정도의 개구
간에서도 해치를 할 수 있다. 이 때 0은 완전히 닫
혀야 해치가 되며, 0~5000까지 사이에서 개구간을
무시할 수 있는 간격의 최대 크기를 말한다.

⑪ Inherit options(상속 옵션)

Inherit Properties(특성 상속)옵션을 사용하여 해치
를 할 때 현재 해치 원점을 사용할 것인지, 원래 원점
을 사용할 것인지를 결정하는 기능

13.2 GRADIENT

Gradient 명령은 선택영역에 그라데이션 효과를 주는 명령어이다.

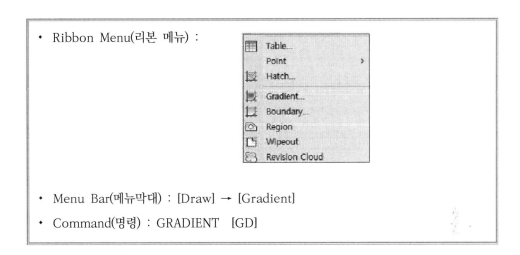

* Menu Bar(메뉴막대) : [Draw] → [Gradient]
* Command(명령) : GRADIENT [GD]

Command : GRADIENT [Enter↵] 또는 ⊡

Pick internal point or [Select objects/Undo/seTtings] : 도형내부 클릭 또는 T
(설정)를 입력 후 Enter를 치면 대화상자가 나타나면 해당 사항을 입력 후 [확인] 클릭
후 도형 내부 클릭

Gradient 실행 전   ⇨   대화상자 입력   ⇨   Gradient 실행 후

또한 AutoCAD 2025에서는 GRADIENT(또는 GD)]를 실행하면 리본 메뉴에 Hatch Creation
탭이 생성되고 그 아래 대화 상자가 아래 모양과 같이 생성되도록 편리성을 도모하고 있다.

GRADIENT는 앞의 HATCH 방법에서 설명한 기능이 거의 일치하므로 일치하지 않은 색상과 방향에 대한 옵션만을 설명한다. 기타 다른 부분은 해치 옵션과 같다.

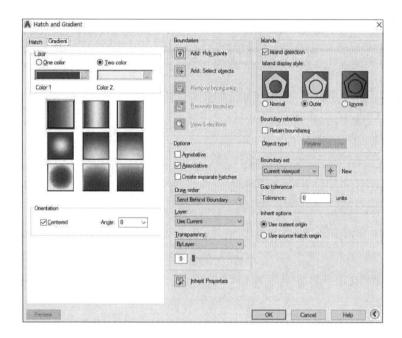

GRADIENT 모드 Option

1. Color

   ① One color : 한 가지 색으로 그라디언트 효과를 넣는다.

   ② Two color : 두 가지 색으로 그라디언트 효과를 넣는다.

2. Orientation

   ① Centered : 설정한 그라디언트 효과를 선택영역의 중앙을 중심으로 넣는다.

   ② Angle : 설정한 그라디언트 효과를 주어진 각도만큼 회전시킨다.

14. BLOCK

여러 요소를 조합하여 그린 객체를 하나의 객체로 통합하는 기능으로서 블록화된 객체를
저장하였다가 다시 꺼내어 사용하기에 편리하다.

14.1 BLOCK (단축명령어 : B)

1) BLOCK 메뉴

* Ribbon Menu(리본 메뉴) :

* Menu Bar(메뉴막대) : [Draw] → [Block] → [Make]
* Command(명령) : BLOCK [B]

2) Block 실행

Command : BLOCK [Enter↵] 또는
Block Definition 대화상자 생성
대화상자에서 블록이름 지정 → 삽입점 지정 → 블록객
체 선택 → 기타 옵션 선택 → [OK]
* 기준점 설정
" Command : " 에 base point 입력 →
Enter base point 〈0.0000, 0.0000, 0.0000〉 :
→ 좌표입력

BLOCK 모드 Option
1. **Name** : 블록의 이름을 지정
2. **Base Point** : 블록의 삽입 기준점을 지정(기본값 : 0,0,0)
   ① Specify On-Screen(화면상에 지정) : 대화상자가 닫히면 마우스로 기준점을 지정

② Pick point(삽입 기준점 선택) : 삽입 기준점을 현재 도면에 지정할 수 있도록 대화상자를 임시로 닫힘

③ X, Y, Z : 기준점을 지정할 때 기준점의 위치 좌표를 키보드로 직접입력

3. **Objects(객체)** : 블록으로 지정하려는 객체 선택

① Specify On-Screen(화면상에 지정) : 대화상자가 닫히면 마우스로 기준점을 지정

② Select objects(객체 선택) : 마우스로 객체를 선택

③ Retain(유지) : 블록을 작성한 후 원본 객체를 현 상태로 유지

④ Convert to block(블록으로 변환) : 블록을 작성한 후 원본 객체를 블록 변환

⑤ Delete(삭제) : 블록을 작성한 후 원본 객체 삭제

4. **Behavior(동작)** : 블록의 동작을 지정

① Annotative(주석) : 블록이 주석임을 지정

② Match block orientation to layout(배치에 맞게 블록 방향 지정) : 도면 공간 뷰포트의 블록 참조 방향이 배치의 방향과 일치하도록 지정

③ Scale Uniformly(균일하게 축척) : 같은 축척 비율로 블록을 작업공간에 불러오는 기능

④ Allow Exploding(분해 허용) : 블록을 불러올 때 분해하여 가져올 수 있는 기능

5. **Settings(설정)** : 객체에 대한 값을 결정

① Block Unit(블록 단위) : 블록 참조에 대한 삽입 단위 지정

② Hyperlink(하이퍼링크) : 도면에 링크할 문서 지정

6. **Description(설명)** : 블록에 필요한 설명 입력

7. **Open in Block Editor(블록 편집기에서 열기)** : 블록 편집기에서 현재 블록 정의가 열림

3) Block 작업 예

```
Command : BLOCK [Enter↵] 또는 [🔲]
Block Definition 대화상자 생성
Name(블록이름) 기입
Pick point 클릭 (대화상자 사라짐)  또는 좌표입력
Specify insertion base point : 삽입 기준점을 마우스로 선택(대화상자로 자동복귀)
Select objects 클릭(대화상자 사라짐)
Select objects : 객체선택 첫 번째 점 클릭
Specify opposite corner : 객체선택 대각선 두 번째 점 클릭 [Enter↵]
 기타 옵션 선택 (원본 블록화 여부 등) → [OK]
```

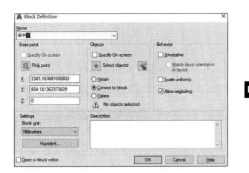

- 대화상자 : 블록이름 입력

- 삽입 기준점 입력

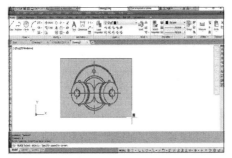

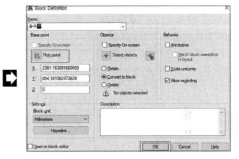

- 블록지정 객체 선택

- 대화상자 옵션 완료 후 [OK] 클릭

14.2 WBLOCK (단축명령어 : W)

Wblock(Write Block)은 그려진 객체를 *.DWG 같은 외부의 도면 파일로 만드는 기능이다.

1) WBLOCK 실행

Command : WBLOCK [Enter↵]

대화상자 생성(Write Block)

WBLOCK(대화상자) 모드 Option

1. **Source** : Wblock으로 저장할 객체의 선택방법을 결정한다.

① Block : 현재 블록으로 등록되어 있는 블록을 선택하여 외부 파일로 등록

② Entire drawing : 도면 전체 선택

③ Objects : 특정 객체 선택

2. **Base Point** : Wblock을 삽입할 기준점을 지정한다.

① Pick point(삽입 기준점 선택) : 마우스를 이용해 객체 선택

② X, Y, Z : 기준점을 지정할 때 기준점의 위치 좌표를 키보드로 직접입력

3. **Objects(객체)** : Wblock으로 만들 객체 선택

① Select objects(객체 선택) : 마우스로 객체를 선택

② Retain(유지) : 블록을 작성한 후 원본 객체를 현 상태로 유지

③ Convert to block(블록으로 변환) : 블록을 작성한 후 원본 객체를 블록 변환

④ Delete from drawing (삭제) : 모두 삭제

4. **Destination** : Wblock의 이름과 저장 위치, 단위 등을 결정한다.

① File name and path : 파일 이름과 파일 위치 지정

② Insert units(삽입 블록의 단위) : 삽입시 적용될 단위 지정

 참 고 Block과 Wblock 차이

Wblock : *.DWG로 저장되어 다른 파일 작업에서도 로드 가능하고, 작업 중에 여러 곳에
서 로드할 수 있는 객체를 만들 때 사용
Block : 현재 작업하는 파일 내에서 저장되어 그 파일 내에서만 불러오기가 가능함

14.3 INSERT (단축명령어 : I)

block이나 wblock으로 저장된 파일을 현재 작업도면에 로드하여 삽입하는 기능

1) BLOCK 삽입 메뉴

* Ribbon Menu(리본 메뉴) :

* Menu Bar(메뉴막대) : [Insert] → [Block]
* Command(명령) : INSERT [I]

Command : INSERT [Enter↵] 또는

Insert를 위한 홈탭에 블록 패널 또는 블록 팔레트 생성

블록 팔레트를 열지 않고, 홈 탭, 블록 패널에서 삽입을 클릭하여 현재 도면에 블록 갤러리를
표시한다. 다른 두 옵션인 최근 블록 및 라이브러리의 블록은 블록 팔레트를 해당 탭에 연다.

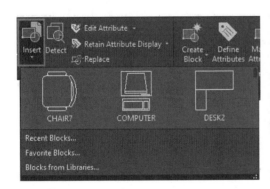

• 홈탭에서 현재의 블록 선택   • 블록 팔레트에서 블록 선택

▶ **Recent Blocks(최근 블록)** : 갤러리에 표시된 블록 정의에서 아이콘이나 블록 이름 선택 ⇨ 블록 참조 위치 클릭 ⇨ 최근 블록 옵션 클릭 ⇨ 블록 팔레트의 최근 탭에서 블록 참조 클릭

▶ **Favorite Blocks(즐겨찾기 블록)** : 즐겨찾기 블록 옵션 클릭 ⇨ 블록 팔레트의 즐겨찾기 탭에서 클릭

▶ **Libraries(라이브러리)** : 라이브러리의 블록 옵션 클릭 ⇨ 블록 팔레트의 라이브러리 탭에서 클릭하여 배치

(빠른 작업을 위해 끌어 놓기 방법을 사용할 수도 있지만 이 방법은 옵션 아래에 지정된 축척 및 회전 값만 사용한다.)

INSERT(대화상자) 모드 Option

1. **Name** : 삽입할 block의 이름을 지정
   - block은 현재 도면 작업에서 찾을 수 있음
   - wblock : 찾아보기를 클릭하면 파일 경로가 나타나는데 이 파일 경로에서 찾음
2. **Path** : 선택한 블록 이 있는 위치를 나타냄
3. **Insertion poin**t : 선택한 블록이 삽입되는 위치를 나타냄
   ① Specify On-screen : ✔를 하면 마우스로 입력 가능하고 ✔하지 않으면 키보드로 직접 좌표 입력.
   ② X, Y, Z : 삽입점을 지정할 때 삽입점 위치의 좌표를 키보드로 직접 입력
4. **Scale(축척)** : 블록의 크기를 나타낼 수 있는 배율을 정함
   ① Specify On-screen (화면상에서 지정) : 축척을 직접 입력할 것인지 대화상자에서 입력할 것인지를 결정. ✔를 하면 한 지점의 입력이 끝나고 대화상자를 닫은 후 한 점을 기준을 객체 선택
   ② X, Y, Z : 삽입점을 지정할 때 삽입점 위치의 좌표를 키보드로 직접 입력
   ③ Uniform Scale : X, Y, Z값 스케일이 동일하게 지정
5. **Rotation** : 삽입할 블록의 회전각을 지정
   ① Specify On-screen (화면상에서 지정) : V하면 마우스로 블록의 회전각을 입력
   ② Angle : 키보드로 회전각 입력
6. **Explode** : 삽입할 블록의 결합여부를 지정한다. 수정을 원할 경우에는 선택하는 것이 편리하다.

14.4 BEDIT(블록편집) (단축명령어 : BE)

block으로 저장된 파일을 현재 작업도면에 로드하여 편집하는 기능이다.

1) BEDIT 메뉴

* Ribbon Menu(리본 메뉴) :

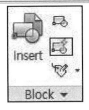

* Menu Bar(메뉴막대) : [Tool] → [Block Editor]
* Command(명령) : BEDIT [BE]

2) BEDIT 실행

Command : BEDIT Enter↵ 또는

Edit Block Definition 대화상자 생성되고 편집할 block 이름 입력하면 아래 그림과 같이 대화상자가 변한다.

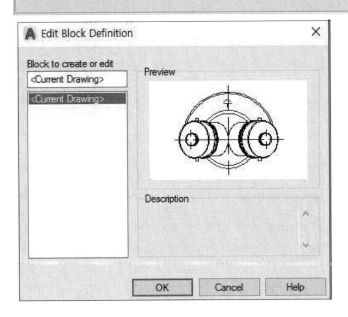

미리보기가 나타나면 [OK]버튼을 클릭하면 다음과 같이 편집하고자하는 Block이 나타나고 블록 편집 팔레트가 실행된다.

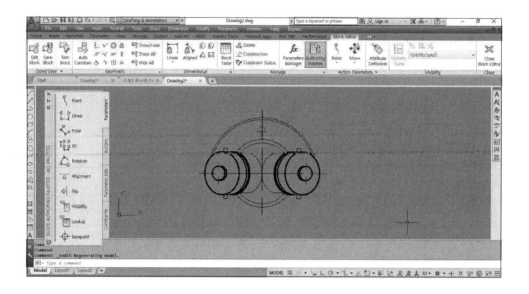

블록 편집 팔레트는 4가지 기능 즉 매개변수, 구속조건, 매개변수 세트, 동작의 기능을 이용하여 편집을 할 수 있다.

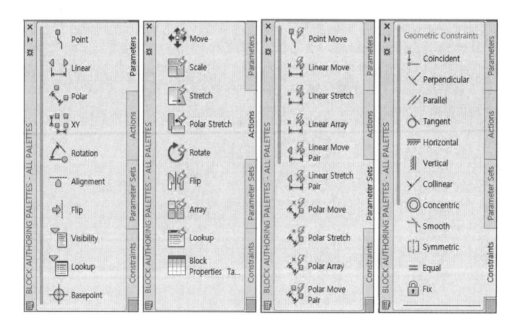

Block Editor(블록편집) 모드 Option

1. Parameters(매개변수)

① Point(점) : 도면에서 X, Y의 위치 설정

② Linear(선형) : 두 앵커점 사이의 거리를 설정

③ Polar(원형) : 두 앵커점 사이의 거리와 각도를 설정

④ XY : 기준점으로부터 XY사이의 거리를 나타내는 기능

⑤ Rotation(회전) : 각도를 지정하는데 블록편집기에서는 원으로 나타내는 기능

⑥ Alignment(정렬) : X, Y의 위치와 각도를 정의 한다.

⑦ Flip(반전) : 객체를 반전(대칭)시킨다.

⑧ Visibility(가시성) : 블록에 사용한 가시성 상태 리스트가 표시된다.

⑨ Lookup(찾기) : 리스트나 테이블 값을 나타낸다.

⑩ Base point(기준점) : 동적 블록의 기준점을 정의한다.

2. Action(동작)

① Move(이동) : 점, 선형, 원형 등의 매개변수와 연관하여 지정된 각도와 거리로 이동

② Scale(축척) : 선형, 원형 등의 매개변수와 연관하여 동적 블록 전체의 배율 조절

③ Stretch(신축) : 기준점에서 지정한 거리 만큼 객체를 이동하거나 신축시키는 기능

④ Polar Stretch(원형신축) : 객체를 지정한 거리와 각도만큼 이동, 회전, 신축하는 기능

⑤ Rotation(회전) : 객체를 기준점을 중심으로 회전

⑥ Flip(반전) : 객체를 대칭축을 기준으로 반사시킨다.

⑦ Array(배열) : 객체를 복사하고 배열 시키는 기능

⑧ Lookup(찾기) : 블록 정의에서 찾기 동작을 추가

⑨ Block Properties Tables(블록특성 테이블) : 블록정의용 특성 세트를 정의하는 테이블을 표시

3. Parameter Sets(매개변수세트)

① Point Move(점이동) : 좌표 그립 한 개를 이동 동작과 연관하여 점 매개변수를 작성

② Linear Move(선형이동) : 선형 그립 1개를 이동 동작과 연관하여 선형매개변수 작성

③ Linear Stretch(선형신축) : 선형 그립 1개를 신축 동작과 연관하여 선형매개변수 작성

④ Linear Array(선형배열) : 선형 그립 1개를 배열 동작과 연관하여 선형매개변수 작성

⑤ Linear Move Pair(선형 쌍이동) : 선형 그립 2개를 이동 동작과 연관하여 선형매개변수 작성

⑥ Linear Stretch Pair(선형 쌍신축) : 선형 그립 2개를 신축 동작과 연관하여 선형매개변수 작성

⑦ Polar Move(원형이동) : 좌표 그립1개가 이동 동작과 연관하여 원형매개 변수를 작성

⑧ Polar Stretch(원형신축) : 극좌표 그립1개가 신축동작과 연관하여 원형매개 변수를 작성

4. Constraints(구속조건)

① Coincident(일치) : 두 점이 객체 또는 객체 연장선 위에 놓이도록 구속

② Perpendicular(직교) : 두 직선 또는 폴리라인의 세그먼트가 직교하도록 하는 기능

③ Parallel(평행) : 두 선이 평행하도록 하는 기능

④ Tangent(접선) : 두 곡선 또는 곡선의 연장선이 동일한 접점을 유지하도록 하는 기능

⑤ Horizontal(수평) : 선 하나 또는 점 쌍이 현재의 좌표계 X축에 대해 평행이 되도록 하는 기능

⑥ Vertical(수직) : 여러 선 또는 점 쌍이 현재의 좌표계 Y축에 대해 평행이 되도록 하는 기능

⑦ Collinear(동일선상) : 두 선이 동일한 무한 선에 놓이도록 하는 기능

⑧ Concentric(동심) : 선택한 원, 호 또는 타원이 동일한 중심점을 갖도록 하는 기능

⑨ Smooth(부드럽) : 스플라인이 다른 스플라인 선 호, 폴리라인과 연속성을 유지하면서 연속되도록 하는 기능

⑩ Symmetric(대칭) : 객체의 점 또는 두 곡선이 선택한 선을 기준으로 대칭하도록 하는 기능

⑪ Equal(동일) : 두 선 또는 폴리라인 세그먼트가 같은 길이 유지 또는 호 및 원이 같은 반지름을 유지

⑫ Fix(고정) : 점 또는 곡선을 표준 좌표계를 기준으로 하여 고정된 위치 및 방향으로 고정하는 기능

---

15. TABLE 그리기

15.1 Table Style

Table Style 명령을 통해서 셀 특성, 경계특성, 문자에 대한 사항을 스타일로 다양하게 구성할 수도 있고, 문자스타일처럼 원하는 것을 선택하여 사용할 수 있다.

• Ribbon Menu(리본 메뉴) :

• Menu Bar(메뉴막대) : [Fomat] → [Table Style] 또는
• Command(명령) : Tablestyle [BE]

---

1) Command(명령) 옵션

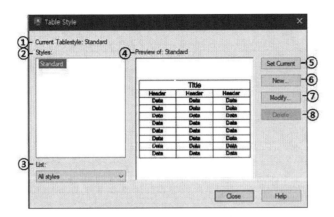

① **Current Tablestyle Standard(현재 테이블 스타일)** : 현재 사용할 스타일 표시. 스타일 목록에서 사용할 스타일을 선택하고 '현재ㄹ'로 설정

② **Style(스타일)** : 작성되어 있는 스타일 목록

③ **List(리스트)** : 'All style(모든 스타일)'을 선택하면 스타일 목록이 모두 표시되고, 'Styles in use(사용 중인 스타일)'을 선택하면 현재 사용 중인 스타일만 목록에 나타남

④ **Preview(미리보기)** : 스타일 리스트에서 선택된 스타일의 미리보기 이미지를 표시.

⑤ **Set Current(현재로 설정)** : 스타일 리스트에서 선택된 테이블 스타일을 현재 스타일로 설정한다. 모든 새 테이블은 이 테이블 스타일을 사용하여 작성.

⑥ **New(새로 만들기)** : 새 테이블 스타일을 정의할 수 있는 새 테이블 스타일 작성 대화상자를 표시

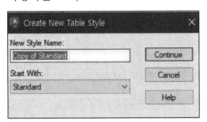

⑦ **Modify(수정)** : 테이블 스타일을 수정할 수 있는 테이블 스타일 수정 대화상자eet 표시.

⑧ **Delete(삭제)** : 스타일 리스트에서 선택된 테이블 스타일을 삭제.(사용 중인 스타일 삭제 불가)

2) 테이블 스타일 세부옵션

테이블 스타일 대화상자에서 'New(새로 만들기)' 또는 'Modify(수정)'를 클릭하면 세부
옵션 대화상자가 나타난다.

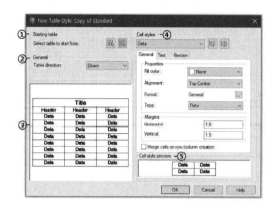

① **Starting table(시작테이블)** : 테이블 스타일의 형식을 지정하는 예제로 사용할 테이
블을 도면에서 지정. 테이블을 선택하고 나면 해당 테이블에서 테이블 스타일로 복
사하고 싶은 구조와 컨텐츠를 지정 – 테이블 제거 아이콘으로 현재 지정된 테이블
스타일로부터 테이블 제거.

② **General(일반)** : ;Table direction(테이블 방향)'을 'Down(아래로)'하면 위에서 아
래로 읽는 테이블을 작성하고, 'Up(위로)'는 아래에서 위로 읽는 테이블을 작성.

  - **Down(아래로)** : 제목 행 및 열 헤더 행이 테이블의 맨 위에 있습니다. 행 삽입을
  클릭하고 아래를 클릭하면 현재 행 아래에 새 행이 삽입됩니다.

  - **Up(위로)** : 제목 행 및 열 헤더 행이 테이블의 맨 아래에 있습니다. 행 삽입을 클
  릭하고 아래를 클릭하면 현재 행 아래에 새 행이 삽입됩니다.

Title		
Header	Header	Header
Data	Data	Data
Data	Data	Data
Data	Data	Data
Data	Data	Data
Data	Data	Data
Data	Data	Data
Data	Data	Data
Data	Data	Data

Data	Data	Data
Data	Data	Data
Data	Data	Data
Data	Data	Data
Data	Data	Data
Data	Data	Data
Data	Data	Data
Data	Data	Data
Header	Header	Header
Title		

▶ 테이블 방향 Down(아래로) 지정　　　　▶ 테이블 방향 Up(위로) 지정

③ **미리보기** : 현재테이블 스타일 설정값을 미리보기

④ **Cell style(셀 스타일)** : '데이터', '머리글', '제목' 등새 셀 스타일을 정의하거나 기
존 셀 스타일을 수정하고, 각 셀에 맞는 '일반', '문자', '경계'를 세부적으로 지정.

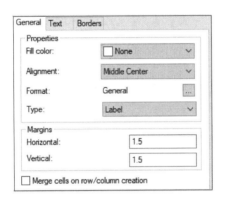

Parts List				
Item	Qty	Part Number	Description	Comments
1	1	VW02-210	Spl. Gear	See Drg#VW202-210
3	1	Helix_Helical gear	Helical Gear	See DrgHelix_Helical_Gear
9	2	VW252-02-1101	Upper Plate	See Drg#VW252-02-1100_U
10	2	VW252-02-1102	Upper Bush	See Drg#VW252-02-1100_U
12	1	VW252-02-0201-N	M.S. Pipe	See Drg#VW252-02-0203-2
13	1	VW252-02-0202	Upper End SS Shaft	See Drg#VW252-02-0203-2
14	1	VW252-02-0203N	Rubber Coating	See Drg#VW252-02-0203-2
15	1	VW252-02-0204	Lower End SS Shaft	See Drg#VW252-02-0203-2
22	2	KG-LM30-Outer	Self Align Igus Brg	KG-LM-30 STD
23	2	KG-LM30-Inner	Self Align Igus Brg	KG-LM-30 STD
24	1	VW252-02-0208-4	Spacer	See Drg#VW252-02-0208-4
25	1	VW252-02-0208-5	Spacer	See Drg#VW252-0200208-4

- 제목
- 머리글
- 데이터

- General(일반)탭

- **Fill color(채우기 색상)** : 셀의 배경색을 지정(기본값 없음)
- **Alignment(정렬)** : 테이블 셀의 문자에 대한 자리맞추기 및 정렬을 설정.
  - 문자는 셀의 맨 위 및 맨 아래 경계를 기준으로 중간 정렬, 맨 위 정렬 또는 맨 아래 정렬
  - 문자는 셀의 왼쪽과 오른쪽 경계를 기준으로 중간 자리맞추기, 왼쪽(또는 오른쪽) 자리맞추기로 정렬

- **Format(형식)** : ⬚을 클릭하여 셀 형식을 지정 (데이터, 열 헤더 또는 제목 행의 형식을 지정)
- **Type(유형)** : 셀 스타일을 레이블 또는 데이터로 지정.
- **Margins(여백)** : 셀의 경계와 셀 내용 사이의 간격 조정하고 셀 여백 설정은 테이블의 모든 셀에 적용(기본 설정 : 0.06(영국식) 및 1.5(미터법))

- Horizantal(수평) : 셀의 문자 또는 블록과 왼쪽 및 오른쪽 셀 경계 사이의 거리 설정.
- Vertical(수직) : 셀의 문자 또는 블록과 위 및 아래 셀 경계 사이의 거리를 설정.
- Margin cells on row/column creation(행/열 작성 시 셀 병합) : ✔체크하여 셀을 하나로 병합

제목	제목	제목
머리글	머리글	머리글
데이터	데이터	데이터
데이터	데이터	데이터

제목		
머리글	머리글	머리글
데이터	데이터	데이터
데이터	데이터	데이터

▸ '행/열작성시 셀병합'에 ✔표시   ▸ '행/열작성시 셀병합'에 ✔표시한 경우
  해제한 경우

- Text(문자) 탭

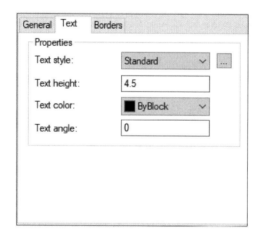

- Text style(문자 스타일) : 사용 가능한 문자 스타일을 나열되고, [...] 을 클릭하면 문자스타일 대화상자가 나타나 문자 스타일을 작성하거나 수정
- Text height(문자 높이) : 문자 높이 지정
  (데이터 및 열 헤더 셀의 기본 문자 높이: 0.1800, 테이블 제목의 기본 문자 높이 : 0.25)
- Text color(문자 색상) : ■ ByBlock ∨ 을 클릭하여 문자의 색상 선택 대화
  상자를 통하여 문자의 색상을 지정

● Text angle(문자 각도) : 문자 각도를 설정
(기본 문자 각도: 0도, -359도에서 +359도 사이의 각도를 입력)

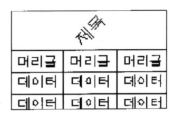

▸ 문자각도 = 0   ▸ 문자각도 = 45

- Border(경계) 탭

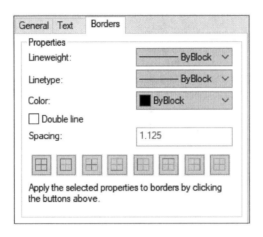

● **Lineweight(선가중치)** : 경계 버튼을 클릭하여 지정한 경계에 적용될 선가중치를 설정.
● **Linetype(선종류)** : 사용자가 지정하는 경계에 적용할 선종류 설정.
● **Color(색상)** : 경계 버튼을 클릭하여 지정한 경계에 적용될 색상 설정.
● **Double line(이중선)** : 테이블 경계를 이중선으로 표시.
● **Spacing(간격두기)** : 이중선 경계의 간격 설정(기본 간격 : 0.1800)
● **경계 버튼** : 셀 경계의 모양을 조정하고 경계 특성은 그리드선의 선가중치 및 색상이다.

⑤ **Cell style preview(셀 스타일 미리보기)** : 현재 테이블 스타일 설정의 효과를 미
리보기.

15.2 Table 작성하기

Table은 표를 그리는 명령이다. 도면에서 일람표 등의 작성 뿐만 아니라 문자, 블록을 추가
할 수 도 있다.

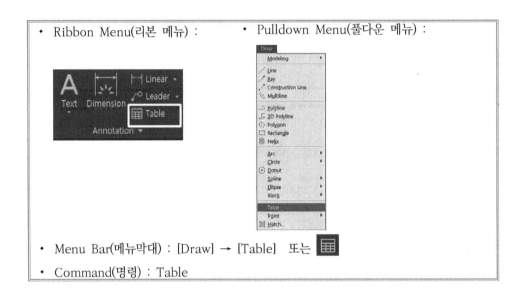

- Ribbon Menu(리본 메뉴) :
- Pulldown Menu(풀다운 메뉴) :
- Menu Bar(메뉴막대) : [Draw] → [Table] 또는
- Command(명령) : Table

1) Command(명령) 옵션

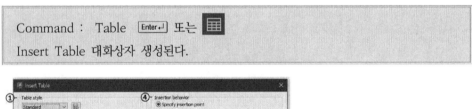

Command : Table Enter↵ 또는
Insert Table 대화상자 생성된다.

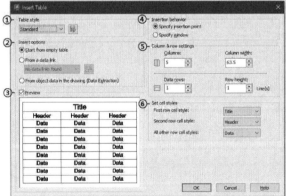

① Table style(테이블 스타일) : 현재 도면에서 테이블 스타일을 선택한다. 우측 'Table style(테이블 스타일)' 버튼(▥)을 클릭하여 새 테이블 스타일을 만들 수 있다.

② Insert option(삽입 옵션) : 테이블 삽입 방법을 지정.

- Start from empty table(빈테이블에서 시작) : ✔체크하면 빈 테이블에 테이블을 작성한 후 문자나 블록 등 내용 입력.
- from a data link(데이터 링크부터 시작) : 외부 스프레드시트의 데이터를 사용하여 테이블 작성. ▤을 클릭하면 'Select a data link' 대화상자를 실행하여 데이터를 링크한다.
- from object data in the drawing(도면의 객체 데이터에서 데이터 추출) : 도면의 객체데이터를 추출하여 테이블 작성(AutoCAD LT에서는 사용할 수 없음)

③ Preview(미리보기) : 현재 테이블 스타일 미리보기

④ Insertion behavior(삽입동작) : 테이블의 위치 지정.

- Specify insertion point(삽입점 지정) : 테이블의 왼쪽 상단 구석 위치를 지정한다. 상향식(아래에서 위) 테이블 스타일로 설정할 경우 삽입점은 테이블의 하단 왼쪽 구석이다.
- Specify window(윈도우 지정) : 테이블의 크기와 위치를 지정한다. 열과 행 수 및 열 폭과 행 높이는 윈도우의 크기와 열 및 행 설정에 따라 달라진다.

⑤ Column & row settings(열 및 행 설정) : 열 및 행의 수와 크기 설정.

- Column(▥ 열 아이콘) : 열 수 지정. 윈도우 지정 옵션을 선택하고 열 폭을 지정한 경우, 자동 옵션이 선택되고 열 수가 테이블의 폭에 따라 자동 조정된다. 시작 테이블을 포함하는 테이블 스타일이 지정되었으면 해당 시작 테이블에 추가할 추가 열 수를 선택할 수 있다.
- Column width(열 폭) : 열 폭을 지정. 윈도우 지정 옵션을 선택하고 열 수를 지정한 경우, 자동 옵션이 선택되고 열 폭은 테이블의 폭에 따라 조정된다. 최소 열 폭은 하나의 문자다.
- Data row(데이터 행) : 행 수를 지정. 윈도우 지정 옵션을 선택하고 행 높이를 지정한 경우, 자동 옵션이 선택되고 행 수는 테이블의 폭에 따라 자동 조정된다. 제목과 헤더 행이 있는 테이블 스타일은 최소 세 개 행을 갖는다. 최소 행 높이는 한 줄이다. 시작 테이블을 포함하는 테이블 스타일이 지정되었으면 해당 시작 테이블에 추가할 추가 데이터 행 수를 선택할 수 있다.
- Row height(행 높이) : 행 높이를 줄 수로 지정하며, 행 높이는 테이블 스타일에서 설정되는 문자 높이 및 셀 여백을 기반으로 한다. 윈도우 지정 옵션을 선택하고 행 수를 지정한 경우, 자동 옵션이 선택되고 행 높이는 테이블의 높이에 따라 자동 조정된다.

⑥ Set cell styles(셀 스타일 설정) : 시작 테이블을 포함하지 않는 테이블 스타일의 경우 새 테이블의 행에 대한 셀 스타일을 지정합니다.

- First row cell style(첫 번째 행의 셀 스타일) : 테이블의 첫 번째 행에 대한 셀 스타일 설정 지정한다. (기본 : 제목 셀 스타일 적용)
- Second row cell style(두 번째 행의 셀 스타일) : 테이블의 두 번째 행에 대한 셀 스타일을 지정한다. (기본 : 헤더 셀 스타일 적용)
- All other row cell styles(기타 모든 행의 셀 스타일) : 테이블의 다른 모든 행에 대한 셀 스타일을 지정한다. (기본 : 데이터 셀 스타일 적용)

2) 셀형식을 복사하고 일련번호 입력하기

엑셀에서처럼 테이블을 선택하여 드래그하는 것만으로 셀의 형식 복사와 일련번호를 자동으로 입력할 수 있다.

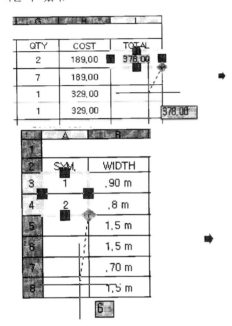

▶ 일련번호 자동입력하기

3) 파일형식으로 테이블 저장

작성한 테이블을 엑셀 프로그램에서 사용 가능하도록 파일로 저장한다. 테이블 데이터는 CSV(Comma Separated Values)파일 형식으로 저장되고, 모든 테이블과 문자형식은 유지 된다. 전체 테이블을 선택하고 마우스 오른쪽 버튼을 클릭 후 바로가기 메뉴에서 내보내기를 선택하거나 'TABLEEXPORT'명령을 실행한다.

15.3 Excel data 삽입하기

▶ Step 1

엑셀파일에서 원하는 부분을 드래그하여 선택하고 복사한다.

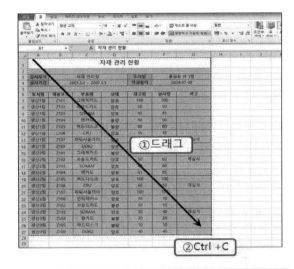

▶ Step 2

AutoCAD에서 ①Edit(편집) → ② Paste special(선택하여 붙여 넣기 → ③ AutoCAD Entities (AutoCAD 도면요소) 선택 → ④ 확인 클릭 (리본메뉴에서 선택)

▶ Step 3

원하는 위치를 지정하면 엑셀 표를 Table로 삽입되어 엑셀 표의 수식을 그대로 가져올 수 있다.

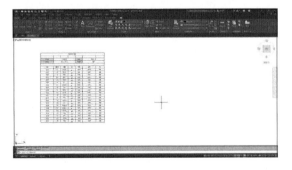

TIP	엑셀에서 표를 선택하여 복사 → 캐드에서 삽입점 클릭 → 엑셀에 붙여넣기 (Ctrl+V) → OLE 문자크기 창(글꼴, 글꼴크기와 문자 높이를 설정) → 확인 클릭 ⇨ 이 방법으로 복사한 테이블은 캐드에서는 수정이 불가능하다

15.4 Table 편집하기

1) 맞물림을 이용해 편집

테이블을 작성한 후 테이블 행과 열의 크기를 수정하고, 모양을 변경하고, 셀을 병합/병합 해제하거나, 테이블 절단을 작성할 수 있다. 테이블의 그리드 선을 클릭하여 선택한 다음 특성 팔레트나 그립을 사용하여 수정할 수 있다.

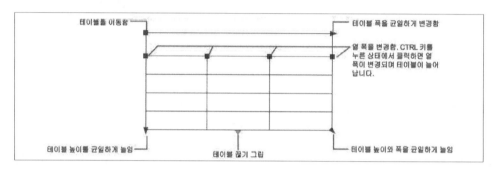

▶ 맞물림을 움직일 때 Ctrl키를 누른 상태에서 드래그하면 움직이는 셀이외의 셀의 크기는 변하지 않고 유지된다.

2) Properties(특성)을 이용해 편집하기

테이블을 마우스 오른쪽 버튼 클릭 후 바로가기 메뉴에서 특성을 선택하거나 메뉴검색기에서 [Tools] → [Palletes] → [Properties]메뉴를 선택하여 테이블을 수정한다. 또는 테이블의 테두리를 더블 클릭해도 'Properties(특성)'이 실행된다.(Properties(특성) 단축 키 → Ctrl+1)

수정구십자수대리점			
색상코드	판매량	단가	금액
Y001	1,000	120	120,000
Y002	1,500	100	150,000
B001	1,366	120	163,920
C001	1,548	130	201,240
C002	1,236	100	123,600

▶ 테이블 폭, 너비 수정

3) 바로가기 메뉴를 이용해 편집하기

테이블 전체 또는 셀 선택 → 마우스 우클릭 →바로가기 메뉴 생성. 테이블 전체를 선택하면 테이블 스타일 변경이나, 열크기와 행크기를 균일하게 변경할 수 있다.

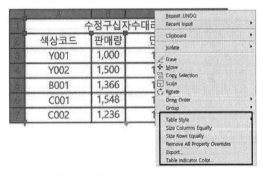

▸ 전체 테이블을 선택했을 때 바로가기 메뉴

셀 내부 클릭 후 특정 셀만 선택한 경우 해당 셀이 포함된 열과 행을 수정한다. 셀 중간을 드래그하거나 하나의 셀을 선택하고 Ctrl키를 누르고 다른 셀을 선택하면 여러 개의 셀을 선택할 수 있다.

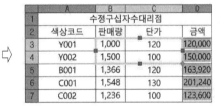

▸ 드래그하여 여러 개 셀들 선택하기

셀 선택 후 Ctrl + 1 클릭하면 특성창 생성

① Cell style : 셀 스타일 지정

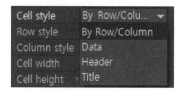

② 행/열 스타일, 너비, 높이 : 스타일 지정 및 행/열 크기 조정
③ Alignment(정렬) : 셀 내용의 정렬 방법 설정

④ Border(경계) : 선택한 셀의 경계 지정

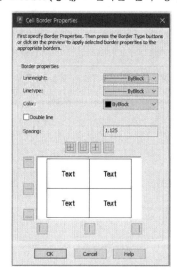

⑤ Cell locking(잠김) : 셀의 내용이나 형식을 잠그거나 잠금해제

⑥ Cell type(셀 유형) : 문자 또는 블록을 지정
⑦ Text(문자) : 문자의 스타일 및 크기, 회전, 색깔을 지정
⑧ Data type(데이터 형식) : 데이터 형식을 지정

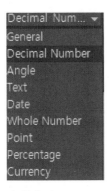

▶ Data type

⑨ Format(형식) : 단위 설정

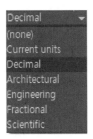

▶ Format

CHAPTER
05

수정 및 편집하기

1. MOVE (이동)하기
2. COPY(복사)하기
3. MIRROR(대칭 복사)하기
4. ARRAY(배열)하기
5. ROTATE(회전)하기
6. EXPLODE(객체분해)하기
7. STRETCH(객체신축)하기
8. MIRROR(대칭 복사)하기
9. OFFSET(수평간격복사)하기
10. SCALE(크기변형)하기
11. TRIM(자르기)하기
12. EXTEND(연장)하기
13. FILLET(모깍기)하기
14. CHAMFER(모따기)하기
15. BREAK(끊기)하기
16. CHANGE(속성변경)하기
17. Properties(속성변경 대화상자)
18. MATCHPROP(특성일치)하기
19. GRIP 명령어의 활용

1. MOVE (이동)하기 (단축명령어 : M)

선택한 객체를 현재 위치에서 다른 위치로 옮기고자 할 때 사용하는 명령어이다.

- Ribbon Menu(리본 메뉴) :

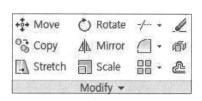

- Menu Bar(메뉴막대) : Modify → [Move]
- Command(명령) : CIRCLE

• 이동명령의 실행

Command : MOVE [Enter↵] (또는 M [Enter↵])
Select objects : 이동할 객체 선택
Select objects : [Enter↵]
Specify base point or [Displacement] 〈Displacement〉 : 기준점 P1 클릭
Specify second point or 〈use first point as displacement〉 : 이동점 P2클릭

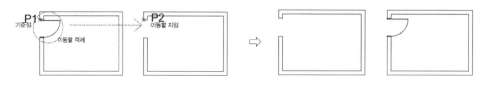

MOVE 전   MOVE 후

MOVE 모드 Option

① Base point : 이동할 기준점을 지정한다.
② Displacement : 원점을 기준으로 주어진 변위만큼 이동한다.
③ Second point of displacement : 기준점이 이동할 점을 지정한다.
④ Use first point as displacement : 기준점을 기준으로 숫자로 변위를 지정한다.

◉ Check Point − 객체 선택

• 편집모드에서 객체를 수정하고자 할 때는 그 객체를 선택할 때 보다 효율적으로 작업
  하기 위해서 다양한 선택 방법이 있다.

1) 직접 선택

편집하고자하는 객체를 그림과 같이 마우스로 직접 선택한다. 커서를 이용해서 하나하
나의 객체를 선택하는 방법으로, 한두 개 정도의 적은 수의 객체를 선택할 때 사용한다.

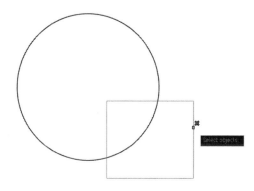

2) 윈도우(W)

여러 개의 객체를 한 번에 선택하고자 할 때 한 쪽에서 대각선방향으로 드래그하여 그려지는 사각형
범위 안에 포함된 된 객체는 선택되고, 걸치거나 범위 밖에 있는 객체는 선택되지 않는다.

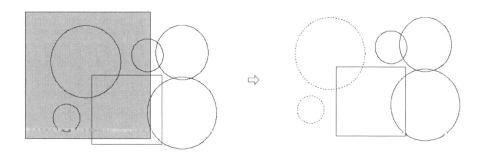

※ 편의상 선택된 객체를 점선으로 표시

3) 걸침(C)

여러 개의 객체를 한 번에 선택하고자 할 때 윈도우 명령과 같이 한 쪽에서 대각선방향으로 드래그하여 그려지는 사각형 범위 안에 포함되거나 걸친 모든 객체가 선택된다.

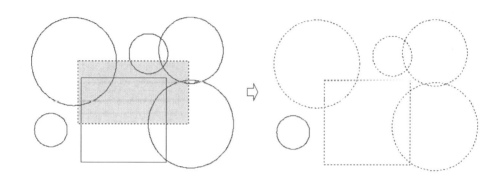

4) 전체(ALL)

도면의 모든 객체를 한 번에 선택하고자 할 때 ALL을 입력하면 화면 밖에 있는 모든 객체까지도 한 꺼번에 선택되는 명령어이다.

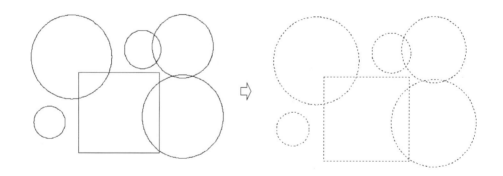

화면에 좌측 그림이 있는 경우 ALL을 입력하면 우측 그림처럼 모두 선택됨

5) 울타리(FENCE)

여러 개의 객체 중 Fence에 걸쳐진 객체만 선택되고, 걸치지 않은 부분은 선택되지 않는 기능

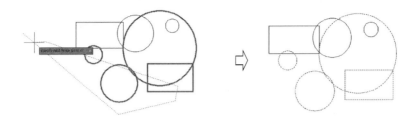

fence 영역을 point로 입력 시

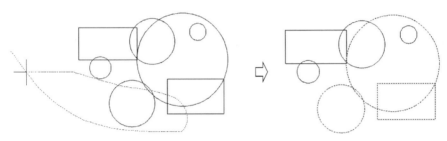

fence 영역을 drag로 입력 시

6) 윈도우 폴리곤(Window Polygon)

여러 개의 객체 중 다각형에 완전히 포함된 객체만 선택하는 기능으로 명령어 창에서 객체선택(Select objects)이 나오면 WP를 입력하여 실행한다.

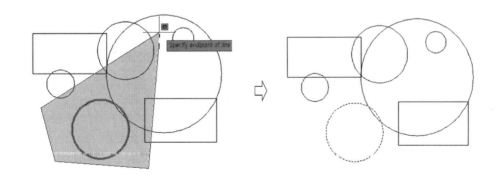

7) 걸침 다각형(Crossing Polygon)

여러 개의 객체 중 다각형에 조금이라도 설치는 객체를 모두 선택하는 기능으로 명령어 창에서 객체선택(Select objects)이 나오면 CP를 입력하여 실행한다.

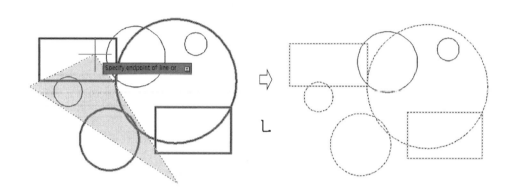

8) 그룹화(Group) (단축명령어 : G)

여러 개의 객체를 선택할 경우 묶음으로 선택되어야 할 그룹들을 설정할 수 있다. 객체를 그룹으로 만들면 객체 중에 일부분만 선택하여도 객체의 그룹이 모두 선택된다.

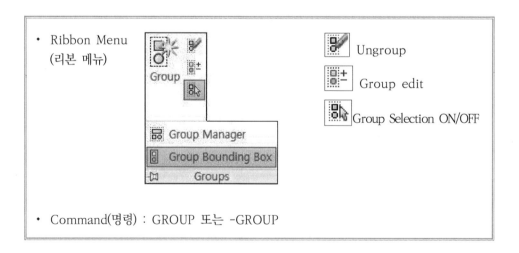

- Ribbon Menu
  (리본 메뉴)

  Group

  Group Manager
  Group Bounding Box
  Groups

  Ungroup
  Group edit
  Group Selection ON/OFF

- Command(명령) : GROUP 또는 -GROUP

▶ GROUP(또는 Classic Group, Group Manage)명령어를 입력하면 'Object Grouping (객체그룹화)' 대화상자가 생성된다.

- **Group Identification**
  - **Group Name** : 그룹의 이름을 표시
  - **Description** : 그룹의 설명 추가. 별표(*)를 사용하여 기존 그룹을 나열할 때 GROUPEDIT 또는 -GROUP 명령을 통해 설명을 표시
  - **Find Name** : 도면에서 그룹을 선택하면 이름이 표시됨
  - **Highlight** : 선택한 그룹을 강조하여 보여줌
- **Create Group**
  - 그룹식별에 이름과 설명을 작성하여 새로운 그룹을 작성하거나 그룹이 선택이 가능한지 지정
- **Change Group**
  - **Remove** : 그룹객체 중 불필요한 객체 삭제
  - **Add** : 다른 객체 추가
  - **Rename** : 그룹 이름 변경
  - **Re-Order** : 그룹내 객체 순서 변경
  - **Description** : 새로운 그룹을 설명하거나 기본 그룹에 대한 설명을 변경
  - **Explode** : 그룹의 특성을 삭제(분해)
  - **Selectable** : 선택 불가능으로 지정되어 있는 그룹을 선택할 수 있도록 만든다.

2. COPY(복사)하기 (단축명령어 : CO, CP)

하나 이상의 객체를 원하는 위치에 복사하는 명령이며, 원본의 형태변화 없이 위치만 다르게 작성한다.

* Ribbon Menu(리본 메뉴) :

✛ Move	↻ Rotate	⁄ ▾	✎
Copy	⚖ Mirror	◰ ▾	⌣
⌐ Stretch	▯ Scale	器 ▾	⌂
		Modify ▾	

* Menu Bar(메뉴막대) : Modify → [Copy]
* Command(명령) : COPY [CO/CP]

·복사명령의 실행

Command : COPY [Enter↵](또는 CO, 또는 CP [Enter↵])
Select objects : 복사할 객체 선택
Select objects : [Enter↵]
Specify base point or [Displacement/mOde 〈Displacement〉: 기준점 또는 변위점 P1 클릭
Specify second point or [Array] 〈use first point as displacement〉 : 복사할
점 P2클릭 (또는 기준점을 이용한 변위 지정)
Specify second point or [Array/Exit/Undo] 〈Exit〉 : [Enter↵]

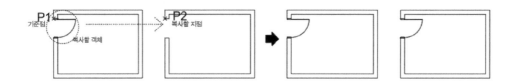

COPY 모드 Option
① Base point : 이동할 기준점을 지정한다.
② Displacement : 원점을 기준으로 주어진 변위만큼 이동한다.
③ mOde : 명령을 자동으로 반복할지 조정
   - Single : 선택 객체의 사본을 하나만 복사하고 종료
   - Multiple : copy 명령이 자동 반복 실행되도록 설정(기본 값)
④ Array : 지정한 수의 사본을 선형으로 배열
⑤ number of items to array : 원래 선택 세트를 포함한 복사 배열의 항목 수
⑥ Fit : 지정한 개수의 사본을 등간격으로 복사하여 배열

3. MIRROR(대칭 복사)하기 (단축명령어 : MI)

선택한 객체를 두 점을 기준으로 지정된 축을 중심으로 선대칭 복사하는 명령어이며 복사할 원본을 삭제할 수 있고 남겨둘 수도 있다.

• Ribbon Menu(리본 메뉴) :

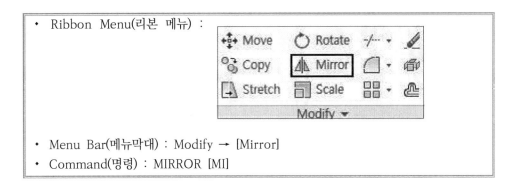

• Menu Bar(메뉴막대) : Modify → [Mirror]
• Command(명령) : MIRROR [MI]

• 대칭 복사명령의 실행

Command : MIRROR [Enter↵] (또는 MI [Enter↵])
Select objects : 복사할 객체 선택 (P1, P2 클릭)
Select objects : [Enter↵]
Specify first point of mirror line : 대칭선의 첫 번째 점 P3 클릭
Specify second point of mirror line : 대칭선의 두 번째 점 P4 클릭
Erase source objects? [Yes/No] 〈No〉 : [Enter↵] (원본삭제 여부)

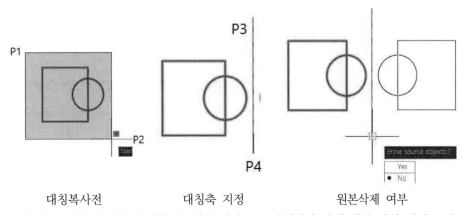

| 대칭복사전 | 대칭축 지정 | 원본삭제 여부 |

※ 대칭 은 편의상 대칭 복사할 두 점을 가상으로 연결하여 알기 쉽게 하기 위해 표현

▸ 활용 Tip

- 일반적으로 Mirror 명령을 실행할 때는 직교모드(Ortho, F8)를 ON시켜 사용하면 편리하다.
- 문자가 뒤집히지 않게 대칭 복사를 원할 경우에는 [Mirrtxt] Enter↵ 하여 값을 "0"으로 설정한다.(참고 : 문자입력)
  - Mirrtext = 0 : 문자 그대로 복사   - Mirrtext = 1 : 문자를 대칭 복사

소화전
소화전   소화전
                                          소화전

4. ARRAY(배열)하기 (단축명령어 : AR)

객체를 일정한 간격의 사각형태나 원형형태로 복사하는 명령어로 같은 크기로 원하는 개수만큼 일정한 간격으로 복사할 수 있다.

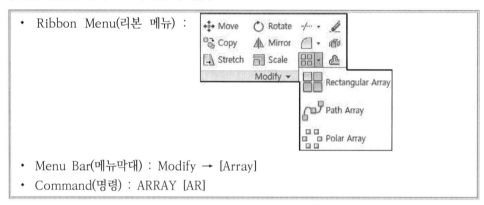

- Ribbon Menu(리본 메뉴) :
- Menu Bar(메뉴막대) : Modify → [Array]
- Command(명령) : ARRAY [AR]

4.1 Rectanglar Array(직사각형 배열) - ▦(ARRAYRECT와 같음)

열과 행의 개수와 객체들 간의 간격을 지정하여 복사하는 옵션이다.

Command : ARRAY Enter↵ (또는 AR Enter↵)
Select objects : 배열할 객체 선택 Enter↵
Enter array type [Rectangular/PAth/POlar] 〈Rectangular〉: Enter↵
Select grip to edit array or [ASsociative/Base point/COUnt/Spacing/COLumns/Rows/Levels /eXit]〈eXit〉: 배열 미리보기에서 그립을 끌어 간격과 행 및 열 수를 조정 또는 배열 상황별 리본에서도 값을 수정 Enter↵

▸ Grip(그립)을 이용한 배열

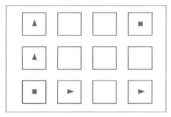

- ▸ ▲ 표를 클릭 또는 드래그 방향에 따라 화살표 방향 한 방향으로 증가 또는 감소
- ■ 클릭 후 드래그 방향에 따라 행/열의 증가 또는 감소, 대각선으로 드래그 할 경우 행/열이 동시에 증가 또는 감소,

❖ 배열 상황별 리본에서의 값 수정

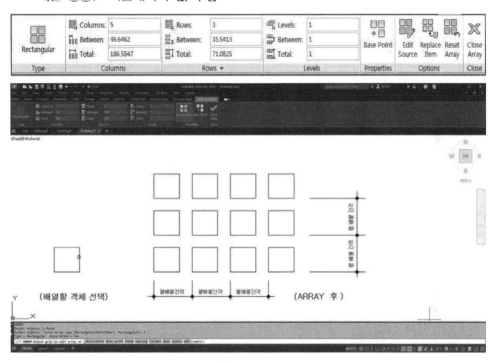

❖ 그립이나 리본 사용 없이 행·열 입력으로 명령 실행

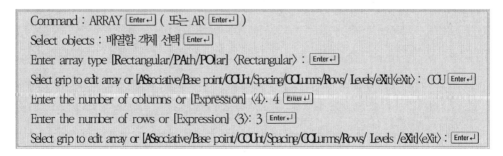

Command : ARRAY [Enter↵] (또는 AR [Enter↵])
Select objects : 배열할 객체 선택 [Enter↵]
Enter array type [Rectangular/PAth/POlar] ⟨Rectangular⟩ : [Enter↵]
Select grip to edit array or [ASsociative/Base point/COUnt/Spacing/COLumns/Rows/ Levels/eXit]⟨eXit⟩ : COU [Enter↵]
Enter the number of columns or [Expression] ⟨4⟩: 4 [Enter↵]
Enter the number of rows or [Expression] ⟨3⟩: 3 [Enter↵]
Select grip to edit array or [ASsociative/Base point/COUnt/Spacing/COLumns/Rows/ Levels /eXit]⟨eXit⟩ : [Enter↵]

Rectanglar ARRAY 모드 Option

① ASsociative array 와 non ASsociative array
- 연관 배열 : 배열 항목은 블록과 비슷한 단일 배열 객체.
항목의 수와 간격을 변경(그립 또는 특성 팔레트를 사용 가능)
- 비연관 배열 : ARRAY 명령을 종료한 후 독립 객체가 된다.

② Base point : 각 객체를 배치하기 위한 기준점을 지정한다.

③ COUnt : 열의 수와 행의 수를 입력(Expression : 열의 수를 함수로 표현)

④ Spacing : 지정한 수의 사본을 선형으로 배열
- the distance between columns or [Unit cell] : 배열할 객체의 길이를 포함하여 행 사
이의 거리를 지정(행을 아래에 추가하려면 행 사이의 거리 값은 음(-)의 값 지정)
- the distance between rows : 열 사이의 거리 지정(열을 왼쪽에 추가하려면
열 사이의 거리로 음(-)의 값 지정)

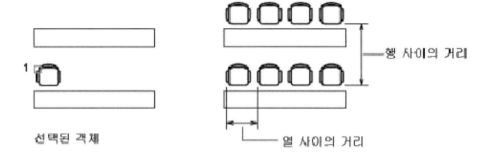

⑤ COLumns : 배열하고자하는 열의 개수 지정(세로로 배치되는 객체 수)

⑥ Rows : 배열하고자하는 행의 개수 지정(가로로 배치되는 객체 수)

⑦ Levels : 3D 배열의 경우 레벨의 수와 간격을 지정

• 연관 배열을 개별 객체로 변환해야 하는 경우 배열에서 EXPLODE 명령을 사용하여
분해하여 개별 객체로 변환하여 사용한다.

4.2 Path Array(경로 배열) - 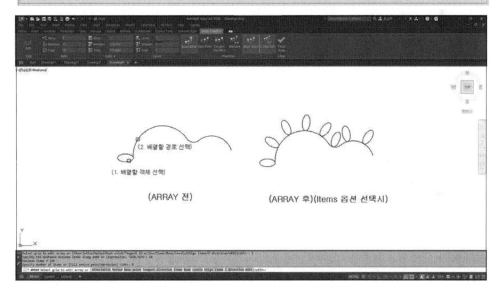 (ARRAYPATH와 같음)

선택된 객체를 정하여진 경로를 따라 배열하는 명령어이다.

Command : ARRAY `Enter↵` (또는 AR `Enter↵`)
Select objects : 배열할 객체 선택 `Enter↵`
Enter array type [Rectangular/PAth/POlar] ⟨Rectangular⟩ : PA `Enter↵`
Select path curve : 경로 곡선 클릭
Select grip to edit array or [ASsociative/Method/Base point/Tangent direction/Items
/Rows/Levels /Align items/Z direction/cXit]⟨cXit⟩: I (또는 그립이나 리본에서 배열 편집)
Specify the distance between items along path or [Expression]⟨14.2271⟩: 10 `Enter↵`
  Maximum items = 8
Specify number of items or [Fill entire path/Expression] ⟨8⟩ : `Enter↵`
Select grip to edit array or [ASsociative/Method/Base point/Tangent direction/Items/
Rows/Levels/Align items/Z direction/eXit]⟨eXit⟩ : `Enter↵`

(ARRAY 전)   (ARRAY 후)(Items 옵션 선택시)

◆ 배열 상황별 리본에서의 값 수정

- 항목간의 간격, 항목 수 등을 각각의 옵션 배열 리본에서 조정할 수 있다.

Path ARRAY 모드 Option

① Method : 경로를 따라 항목을 분산하는 방법을 조정
 - Divide : 지정된 수의 항목을 경로 길이를 따라 균일하게 배열
 - Measure : 선택된 객체를 지정된 간격으로 경로를 따라 일정 배열.

② Base point : 배열의 기준점을 지정한다.
 - Base point : 경로 곡선 상에 배열할 객체의 시작점을 지정한다.
 - Key point : 연관 배열의 경우 원본 객체에서 경로에 맞춰 정렬한 유효한 구속조건을 지정

③ Tangent direction : 경로의 시작 방향을 기준으로 배열된 객체의 정렬 방법을 지정
 - 2 points : 경로를 따라 배열될 객체의 접선을 나타내는 2점을 지정
 - Normal : 경로곡선의 직각 방향을 사용하여 첫 번째 객체의 Z방향을 설정

④ Items : Method설정에 따라 객체의 수 또는 객체간 거리를 지정
 - Number of items along path : 경로를 따라 균등하게 배열 할 수 개체 수 지정
 - Distance between items along path : 배열할 객체간의 거리 지정(배열 수가
   작을 경우 채우기를 켜서 배열할 객체 수를 조정)

⑤ Rows : 배열의 행 수, 행 간의 거리, 그리고 행 간 증분 고도를 지정
 - Number of rows : 행 수 지정
 - Distance between rows : 각 객체 간의 행간의 거리
 - total : 시작 행과 끝 행 사이의 전체 거리를 지정
 - Incrementing elevation : 각 후속 행에 대해 증가하거나 감소하는 고도를 설정
 - Expression : 수학 공식이나 방정식에 따라 값 도출

⑥ Levels : Z축 방향(3D)으로 배열의 행 및 열 패턴 연장을 의미

⑦ Align items : 첫 번째 객체를 기준으로 각 객체가 경로 방향에 접하도록 정렬 여부결정

⑧ Z direction : 객체의 원래 Z 방향을 유지할지 아니면 3D 경로를 따라 항목을 자연적으
   로 뱅크할지를 조정

4.3 Polar Array(곡선 배열) - (ARRAYPOlAR와 같음)

기준점을 중심으로 객체를 원형으로 복사 배열하는 명령어이다.

Command : ARRAY[Enter↵] (또는 AR [Enter↵])

Select objects : 배열할 객체 선택 [Enter↵]

Enter array type [Rectangular/PAth/POlar] ⟨Rectangular⟩ : PO [Enter↵]

Type = Polar   Associative = Yes

Specify center point of array or [Base point/Axis of rotation] : array할 중심점 클릭

Select grip to edit array or [ASsociative/Base point/Items/Angle between/Fill angle/ROWs /Levels/ROTate items/eXit]⟨eXit⟩ : I [Enter↵](배열 미리보기에서 그립을 끌어 간격과 행 및 배열 수 등을 조정 또는 배열 상황별 리본에서도 값을 수정)

Enter number of items in array or [Expression] ⟨6⟩: 6

Specify center point of array or [Base point/Axis of rotation] : array할 중심점 클릭

Select grip to edit array or [ASsociative/Base point/Items/Angle between/Fill angle/ROWs/ Levels/ROTate items/eXit]⟨eXit⟩ : [Enter↵] (또는 옵션 지정)

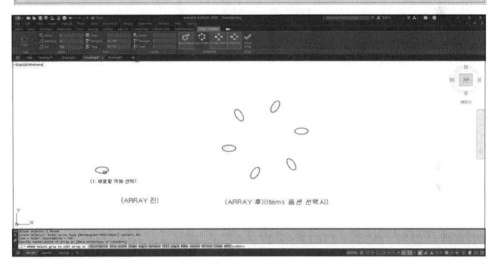

(ARRAY 전)   (ARRAY 후)(Items 옵션 선택시)

◆ Grip으로 배열을 조정

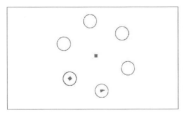

- ▸ 표를 클릭 - 드래그 방향에 따라 중심을 기준으로 객체 간의 간격 증가 또는 감소(채움 각도 조정)
- 객체 인의 ■ 클릭 후 드래그하면 배열 중심의 그기를 조정
- 배열 중심의 ■ 클릭 후 드래그하면 배열 중심의 위치 조정

❖ 배열 상황별 리본에서의 값 수정

	Items:	6	Rows:	1	Levels:	1					
Polar	Between:	60	Between:	60.7707	Between:	1	Associative	Base Point	Rotate Items	Direction	Close Array
	Fill:	360	Total:	60.7707	Total:	1					
Type	Items		Rows ▾		Levels		Properties				Close

Polar ARRAY 모드 Option

① **ASsociative** : 배열할 객체가 연관되는지 독립적인지를 지정

② **Base point** : 배열의 기준점을 지정.
  - Base point : 배열할 객체의 기준점을 지정
  - Key point : 원본 객체에서 경로에 맞춰 정렬한 유효한 구속조건 지정

③ **Items** : 값이나 표현식을 사용하여 배열의 항목 수를 지정

④ **Angle between** : 값이나 표현식을 사용하여 항목 사이의 각도를 지정

⑤ **Fill angle** : 배열의 첫 번째 항목과 마지막 항목 사이 각도를 지정

⑥ **Rows** : 배열의 행 수, 행 간의 거리, 그리고 행 간 증분 고도를 지정
  - Number of rows : 행 수 지정
  - Distance between rows : 각 객체 간의 행간의 거리
  - total : 시작 행과 끝 행 사이의 전체 거리를 지정
  - Incrementing elevation : 각 후속 행에 대해 증가하거나 감소하는 고도를 설정
  - Expression : 수학 공식이나 방정식에 따라 값 도출

⑦ **Levels** : Z축 방향(3D)으로 배열의 행 및 열 패턴 연장을 의미

⑧ **Rotate items** : 객체가 배열될 때 회전되는지 여부를 제어

5. ROTATE(회전)하기 (단축명령어 : RO)

객체의 한 부분 또는 전체를 지정된 기준점을 중심으로 회전시키는 명령어로서 기준점과 방향을 유의해서 입력해야 한다.

- Ribbon Menu(리본 메뉴) :

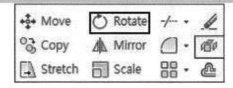

- Menu Bar(메뉴막대) : Modify → [Rotate]
- Command(명령) : ROTATE [RO]

5.1 회전각도를 이용한 회전하기

Command : ROTATE [Enter↵](또는 RO [Enter↵])
Select objects : 회전할 객체 선택 (또는 객체 선택 방법에 따라 객체 선택)
Select objects : [Enter↵]
Specify base point : 회전시킬 기준점 클릭(객체 근처에 기준점을 찍는다)
Specify rotation angle or [Copy/Reference] ⟨30⟩ : 45 [Enter↵]

- 양(+)의 각도는 시계 반대 방향으로 회전, 음(-)의 각도는 시계 방향으로 회전

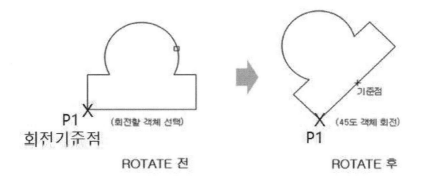

5.2 참조를 이용한 회전하기

1) 현재 각도 입력을 이용한 객체 회전하기

Command : ROTATE Enter↵ (또는 RO Enter↵)
Select objects : 회전할 객체 선택 (또는 객체 선택 방법에 따라 객체 선택)
Select objects : Enter↵
Specify base point : 회전시킬 기준점 클릭(객체 근처에 기준점을 찍는다)
Specify rotation angle or [Copy/Reference] ⟨45⟩ : R Enter↵
Specify the reference angle ⟨0⟩ : 45 Enter↵
Specify the new angle or [Points] ⟨0⟩: 90 Enter↵

2) 마우스로 각도를 입력하여 객체 회전하기

Command : ROTATE Enter↵ (또는 RO Enter↵)
Select objects : 회전할 객체 선택
Select objects : Enter↵
Specify base point : 회전시킬 기준점 P1 클릭
Specify rotation angle or [Copy/Reference] ⟨45⟩ : R Enter↵
Specify the reference angle ⟨0⟩: P1 클릭
Specify second point : P2 클릭
Specify the new angle or [Points] ⟨90⟩ : P3클릭

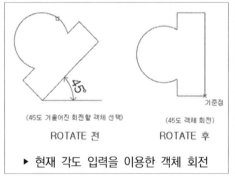

(45도 기울어진 회전할 객체 선택) (45도 객체 회전)
ROTATE 전   ROTATE 후
▶ 현재 각도 입력을 이용한 객체 회전

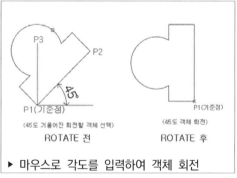

(45도 기울어진 회전할 객체 선택) (45도 객체 회전)
ROTATE 전   ROTATE 후
▶ 마우스로 각도를 입력하여 객체 회전

- 리본 메뉴, 메뉴막대, 도구막대 등에 회전을 클릭하거나 명령 란에 rotate를 입력하여 실행한다.
- 객체의 선택은 가장 편리한 방법을 골라 회전하려는 객체를 선택한다.

5.3 객체를 복사하면서 회전하는 방법

이 방법은 원본과 각도가 다른 복사본을 만들 수 있으며, 객체를 선택한 후 각도를 입력하면 변경된 복사본이 만들어 진다.

Command : ROTATE [Enter↵](또는 RO [Enter↵])
Select objects : 회전할 객체 선택
Select objects : [Enter↵]
Specify base point : 회전시킬 기준점 P1 클릭
Specify rotation angle or [Copy/Reference] ⟨270⟩:C [Enter↵]
Specify rotation angle or [Copy/Reference] ⟨270⟩:30 [Enter↵]

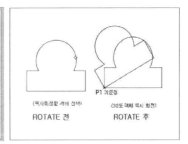

P1 기준점

(복사회생할 객체 선택)
ROTATE 전

(30도 객체 띡시 회전)
ROTATE 후

6. EXPLODE(객체분해)하기 (단축명령어 : X)

폴리선 등(곡선을 제외한 폴리선, 치수선, 해치, 블록 등)으로 그린 통합되어있는 객체를 하나하나로 분해하는 명령어다. 예를 들면 폴리선으로 그린 사각형을 객체분해하면 4개의 변(선)으로 분해되어 하나하나의 객체로 바뀌는 것이다.

- Ribbon Menu(리본 메뉴)

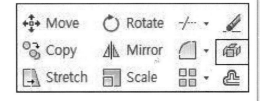

- Menu Bar(메뉴막대) : [Modify → [Explode]
- Command(명령) : EXPLODE

Command : Explode [Enter↵] 또는 🗇
Select objects : 객체 클릭 (분해하고자하는 객체를 클릭, 2이상이면 연속하여 클릭)
Select objects : 1 found [Enter↵]

7. STRETCH(객체신축)하기 (단축명령어 : S)

  선택된 객체를 늘리고 줄이는 명령어로써 "걸치기 윈도우(crossing-window)" 또는 "걸치기 다각형(crossing-polygon)" 입력어가 로드되면 이 2개중 1개를 사용하여 신축을 한다.

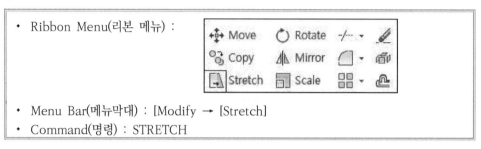

* Ribbon Menu(리본 메뉴) :

* Menu Bar(메뉴막대) : [Modify → [Stretch]
* Command(명령) : STRETCH

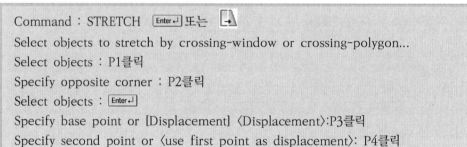

Command : STRETCH Enter↵ 또는

Select objects to stretch by crossing-window or crossing-polygon...
Select objects : P1클릭
Specify opposite corner : P2클릭
Select objects : Enter↵
Specify base point or [Displacement] ⟨Displacement⟩:P3클릭
Specify second point or ⟨use first point as displacement⟩: P4클릭

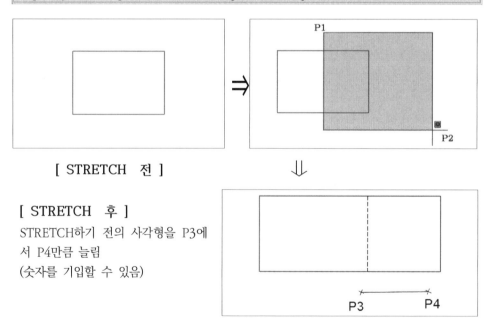

[STRETCH 전]

⇩

[STRETCH 후]
STRETCH하기 전의 사각형을 P3에
서 P4만큼 늘림
(숫자를 기입할 수 있음)

※ STRETCH할 때는 반드시 CROSSING으로 선택해야한다. WINDOW로 잡으면 이동하게 된다.

STRETCH 모드 Option

① Base point : 늘리거나 줄이기 위한 기준점을 지정한다.
② Displacement : 원점을 기준으로 주어진 변위만큼 늘리거나 줄인다.

8. MIRROR(대칭 복사)하기 (단축명령어 : MI)

대칭축을 중심으로 거울에 물체를 비추었을 때처럼 반대 모양으로 복사하거나 이동시키는 명령어이다.

- Ribbon Menu(리본 메뉴)

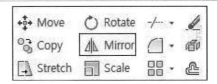

- Menu Bar(메뉴막대) : [Modify → [Mirror]
- Command(명령) : MIRROR   [MI]

Command : MIRROR [Enter↵] 또는 ◢◣
Select objects : P1클릭
Specify opposite corner : P2클릭
Select objects : [Enter↵]
Specify first point of mirror line : P3클릭
Specify second point of mirror line : P4클릭
Erase source objects? [Yes/No] ⟨No⟩: [Enter↵] (원본을 지울 경우 Yes)

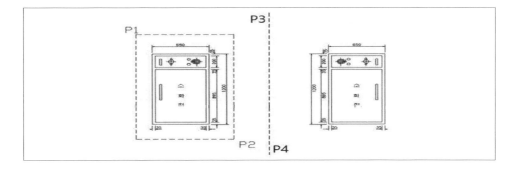

⊙ **Check Point** ▬▬▬▬▬▬▬▬▬▬▬▬▬▬▬▬▬▬▬▬▬▬

1) 일반적으로 Mirror 명령어를 실행할 때는 직교모드(Otho F8)를 ON시켜서 사용하기를 권장 한다.

2) 문자나 수치가 뒤집히지 않도록 대칭복사할 경우 **[Mirrtext]** Enter↵ 를 하여 값을 "0"으로 설정한다. 다음 그림에서 소화전의 글자는 뒤집히지 않고 대칭복사 된 경우 그렇다.

예) 대칭복사 명령을 하기 전에 다음과 같이 실행 한다.

> Command : MIRRTEXT Enter↵
>
> Enter new value for MIRRTEXT (0) : 1 Enter↵
>
> **** System Variable Changed ****
>
> 1 of the monitored system variables has changed from the preferred value.
>
> Use SYSVARMONITOR command to view changes.

위와 같이 MIRRTEXT 값을 "1"로 입력한 후 Mirror 명령어를 실행하면 문자와 치수는 거꾸로 대칭복사 된다. 필요에 따라서 문자를 대칭복사할 때 0, 1 값을 적절하게 사용할 필요가 있다. 기본은 "0"값으로 설정되어 있다.

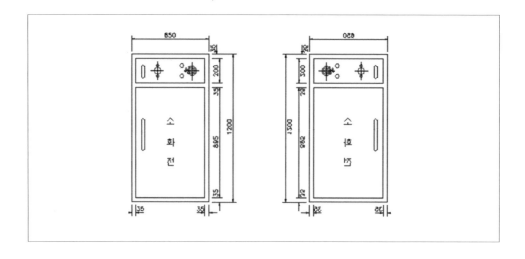

9. OFFSET(수평간격복사)하기 (단축명령어 : O)

  Offset 명령어는 하나의 객체로부터 사용자가 지정해준 거리에 맞게 물체를 복사하는 명령어이다. 직선은 평행한 선이 작성되나 폴리라인, 원, 호 등은 크기가 변하게 된다. .

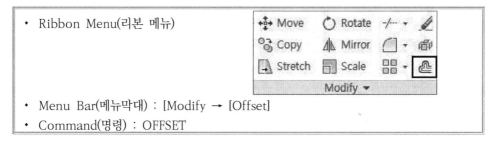

* Menu Bar(메뉴막대) : [Modify → [Offset]
* Command(명령) : OFFSET

9.1 간격을 사용한 OFFSET

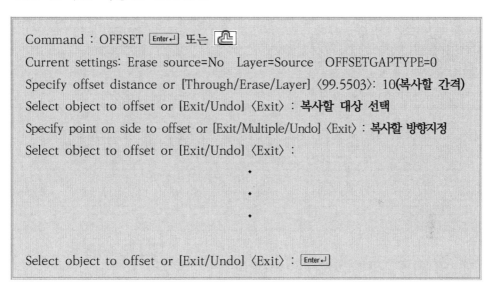

Command : OFFSET [Enter↲] 또는 🗇

Current settings: Erase source=No Layer=Source OFFSETGAPTYPE=0

Specify offset distance or [Through/Erase/Layer] 〈99.5503〉: 10**(복사할 간격)**

Select object to offset or [Exit/Undo] 〈Exit〉: **복사할 대상 선택**

Specify point on side to offset or [Exit/Multiple/Undo] 〈Exit〉: **복사할 방향지정**

Select object to offset or [Exit/Undo] 〈Exit〉 :

· · ·

Select object to offset or [Exit/Undo] 〈Exit〉 : [Enter↲]

9.2 통과지점을 지정하여 OFFSET

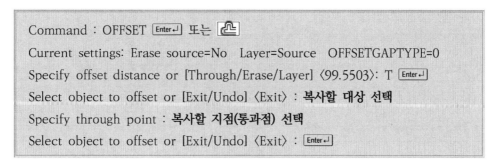

Command : OFFSET [Enter↲] 또는 🗇

Current settings: Erase source=No Layer=Source OFFSETGAPTYPE=0

Specify offset distance or [Through/Erase/Layer] 〈99.5503〉: T [Enter↲]

Select object to offset or [Exit/Undo] 〈Exit〉 : **복사할 대상 선택**

Specify through point : **복사할 지점(통과점) 선택**

Select object to offset or [Exit/Undo] 〈Exit〉 : [Enter↲]

OFFSET 모드 Option
① Through : 옵셋간격을 거리내에 객체가 통과하는 지점을 지정하여 설정한다.

② Erase : 옵셋을 한 후 원본 객체를 지울 것이지 여부를 결정한다.

③ Layer : 옵셋으로 생성되는 객체의 레이어를 원본의 레이어를 따를 것인지, 현재 설정 된 레이어로 할 것인지를 결정한다.
 - Current : 레이어에 관계없이 현재 레이어의 객체로 간격 띄우기
 - Source : 원본 객체와 같은 동일한 레이어로 간격 띄우기

④ offset distance : 옵셋할 간격을 설정한다.

⑤ point on side to offset : 옵셋할 방향을 설정한다.

⑥ Through Point : 통과할 지점을 지정한다.

⑦ Multiple :선택한 객체를 다시 선택하지 않고 처음 지정한 간격으로 계속하여 복사

* 간격 10 띄워 OFFSET하기 예

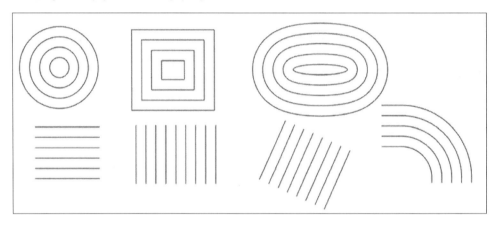

10. SCALE(크기변형)하기 (단축명령어 : SC)

객체의 크기를 주어진 축척에 맞게 축소 또는 확대하여 그리는 명령어이다.

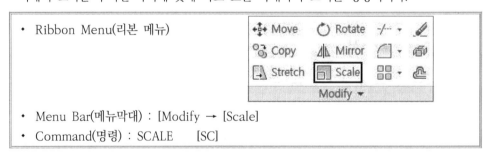

- Menu Bar(메뉴막대) : [Modify → [Scale]
- Command(명령) : SCALE   [SC]

◆ scale factor(축척 비율)를 이용한 SCALE

Command : SCALE [Enter↵] 또는 🔲
Select objects : **크기를 조정할 객체 선택**
Select objects : [Enter↵]
Specify base point : **기준점 클릭**
Specify scale factor or [Copy/Reference] : 2 [Enter↵] **체크기의 2배 확대**

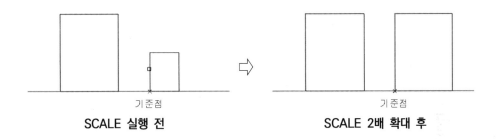

SCALE 실행 전   SCALE 2배 확대 후

◆ Reference(참조)옵션을 이용한 SCALE

Command : SCALE [Enter↵] 또는 🔲
Select objects : **크기를 조정할 객체 선택**
Select objects : [Enter↵]
Specify base poin : **기준점 클릭**
Specify scale factor or [Copy/Reference] : R [Enter↵]
Specify reference length ⟨1.0000⟩ : 10 [Enter↵] 참조할 길이 입력 또는 마우스로 2점 지정)
Specify new length or [Points] ⟨1.0000⟩ : 15 새 길이 입력 10의 길이가 15로 바뀜

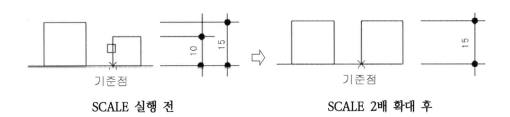

SCALE 실행 전   SCALE 2배 확대 후

■ Copy(복사)옵션을 이용한 SCALE

원본 객체를 그대로 두고 주어진 크기 만큼 변형된 새로운 객체를 그리는 명령어이다.

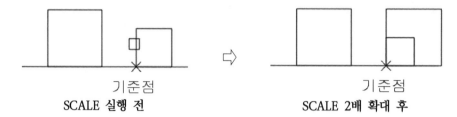

SCALE 실행 전   SCALE 2배 확대 후

11. TRIM(자르기)하기 (단축명령어 : TR)

객체의 크기를 주어진 축척에 맞게 축소 또는 확대하여 그리는 명령어이다.

• Ribbon Menu(리본 메뉴)	⊹ Move ○ Rotate --/ ✎ ⚙ Copy ⚟ Mirror ◢ 🗇 ⊿ Stretch 🔲 Scale ⊞ ⚏ Modify ▾

• Menu Bar(메뉴막대) : [Modify → [Trim]
• Command(명령) : TRIM   [TR]

✦ 경계선 설정 후 TRIM하기

Command : TRIM [Enter↵] 또는 --/

Current settings: Projection=UCS, Edge=None

Select cutting edges ...

Select objects : 잘라낼 기준선을 선택

elect objects : [Enter↵]

Select object to trim or shift-select to extend or

[Fence/Crossing/Project/Edge/eRase/Undo] : 자를 대상 선택

Select object to trim or shift-select to extend or

[Fence/Crossing/Project/Edge/eRase/Undo] : [Enter↵]

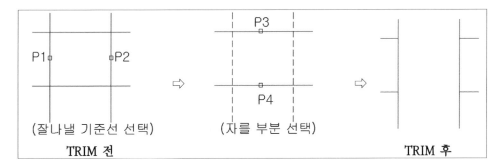

(잘나낼 기준선 선택)   (자를 부분 선택)
    TRIM 전   TRIM 후

▶ 'Trim(자르기)' 작업도중 'Extend(연장)'을 실행하려면 [Shift] 키를 누르면 된다.

TRIM 모드 Option

① Fence : Fence 선택옵션으로 객체를 선택하여 잘라내기 옵션

② Crossing : Crossing 선택옵션으로 객체를 선택하여 잘라내기 옵션

③ Project(투영) : 객체가 서로 Z축 방향으로 만나지 않을 때 사용하는 투영 모드 옵션
  - None : 3차원 공간에서 정확하게 교차하는 객체만 자른다.
  - Ucs : 3차원 공간에서 만나지 않고 현재 UCS의 XY평면상에 투영되어 교차하면
    선을 자를 수 있다.
  - View : 3차원상에서 현재 뷰(화면)를 평면으로 보고 객체를 자른다.

④ Edge(모서리) : 3차원 공간에서 객체를 연장했을 때 기준선에 만나지 않을 경우에
  사용하는 옵션
  - Extend : 3차원공간에서 객체가 서로 교차하고 있지 않아도 연장해서 교차하면
    자를 수 있다.
  - No extend : 3차원공간에서 두 객체가 만나지 않으면 객체를 자를 수 없다.

⑤ Undo : 바로 전의 작업을 취소한다.

TIP	• TRIM으로 객체를 정리할 경우 기준선은 선(Line) 뿐만 아니라 원, 호, 사각형 등 모두가 가능하다. 또한 AutoCAD2006버전이후 부터는 객체선택을 하는데 옵션을 바꾸지 않아도 Crossing 선택옵션이 가능하도록 되어 있다. • TRIM으로 객체를 정리 할 때 기준선을 선택하지 않고 바로 [Enter↵] (Enter Key)를 누르면 도면의 모든 객체가 기준선이 되어 모든 부분을 자를 수 있다. • 'trimextendmode' 명령을 실행하여 변수값을 조정할 수 있다. 초기에는 '1'로 설정이 되어 있어 도면의 모든 객체가 자동으로 절단 또는 연장 경계의 역할 하지만 '0'으로 바꾸면 모든 절단 또는 확장하는 경계를 먼저 지정해야 한다.

12. EXTEND(연장)하기 (단축명령어 : EX)

Extend는 TRIM과 반대의 기능으로 객체를 연장하는 명령어로 직선, 곡선에 관계 없이 연장된다.

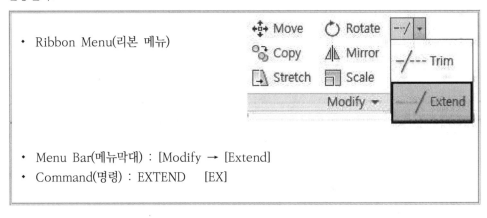

• Ribbon Menu(리본 메뉴)

• Menu Bar(메뉴막대) : [Modify → [Extend]
• Command(명령) : EXTEND   [EX]

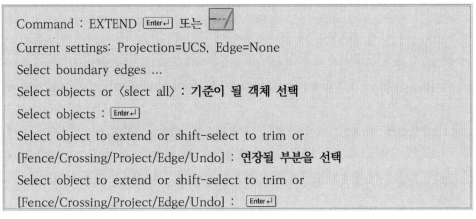

Command : EXTEND [Enter↵] 또는

Current settings: Projection=UCS, Edge=None

Select boundary edges …

Select objects or ⟨slect all⟩ : **기준이 될 객체 선택**

Select objects : [Enter↵]

Select object to extend or shift-select to trim or

[Fence/Crossing/Project/Edge/Undo] : **연장될 부분을 선택**

Select object to extend or shift-select to trim or

[Fence/Crossing/Project/Edge/Undo] :   [Enter↵]

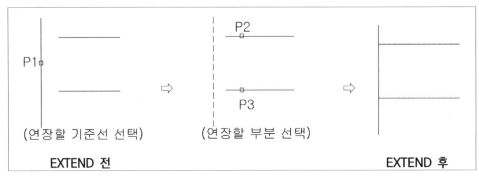

(연장할 기준선 선택)   (연장할 부분 선택)

EXTEND 전   EXTEND 후

▶ 'Extend(연장)' 작업도중 'Trim(자르기)'을 실행할려면 [Shift] 키를 누르면 된다.

EXTNED 모드 OPTION

① Fence : Fence 선택옵션으로 객체를 선택하여 연장하는 옵션

② Crossing : Crossing 선택옵션으로 객체를 선택하여 연장하는 옵션

③ Project(투영) : 객체가 서로 Z축 방향으로 만나지 않을 때 사용하는 투영 모드 옵션
  - None : 3차원 공간에서 정확하게 교차하는 객체만 연장한다.
  - Ucs : 3차원 공간에서 만나지 않고 현재 UCS의 XY평면상에 투영되어 교차하면 선을 연장할 수 있다.
  - View : 3차원상에서 현재 뷰(화면)를 평면으로 보고 객체를 연장한다.

④ Edge(모서리) : 3차원 공간에서 객체를 연장했을 때 기준선에 만나지 않을 경우에 사용하는 옵션
  - Extend : 3차원공간에서 객체가 서로 교차하고 있지 않아도 연장해서 교차하면 연장 할 수 있다.
  - No extend : 3차원공간에서 두 객체가 만나지 않으면 객체를 연장 할 수 없다.

⑤ Undo : 바로 전의 작업을 취소한다.

> **TIP**
> • EXTEND로 객체를 늘릴 경우 기준 선 선택 시 특정한 객체를 선택하지 않고 바로 Enter↵ (Enter Key)를 누르면 도면의 모든 객체가 기준선이 된다. 이 방법을 사용하면 작업량을 줄일 수 있다.

13. FILLET(모깍기)하기 (단축명령어 : F)

Fillet 명령은 두 개의 선이나 호, 원 등을 사용자가 설정한 반지름이 크기대로 객체의 모서리를 라운딩(Rounding)시키는 명령어이다.

• Ribbon Menu(리본 메뉴)

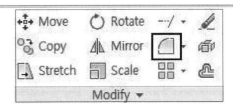

• Menu Bar(메뉴막대) : [Modify → [Fillet]
• Command(명령) : FILLET

13.1 직교 모깍기(R=0)

Command : FILLET [Enter↵] 또는 ◻

Current settings: Mode = TRIM, Radius = 0.0000

Select first object or [Undo/Polyline/Radius/Trim/Multiple] : 직교할 선 선택

Select second object or shift-select to apply corner or [Radius] : 직교할 선 선택

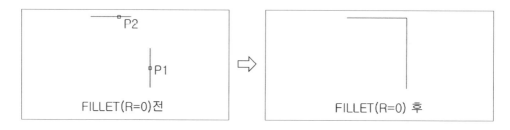

FILLET(R=0)전   FILLET(R=0) 후

TIP   • 모깍기 할 반지름 Radius 값을 "0"으로 지정하면 직교된 형태를 갖는다. 서로
          떨어져 있는 선들을 만나게 하여 정리하는 작업을 할 때 많이 사용한다.

13.2 호의 반지름을 지정하여 FILLET하기

Command : FILLET [Enter↵] 또는 ◻

Current settings: Mode = TRIM, Radius = 0.0000

Select first object or [Undo/Polyline/Radius/Trim/Multiple] : R

Specify fillet radius 〈0.0000〉: 100

Select first object or [Undo/Polyline/Radius/Trim/Multiple] : 선 선택

Select second object or shift-select to apply corner or [Radius] : 다른 선 선택

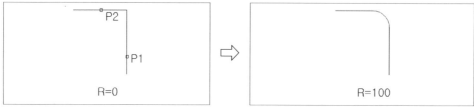

R=0   R=100

• 호의 반지름을 지정하고 P1, P2를 클릭하면 모서리 부분이 지정한 반지름 크기의 호가
  그려진다.

13.3 FILLET후 모서리 지우기 또는 남기기

Command : FILLET [Enter↵] 또는 ⬜
Current settings: Mode = TRIM, Radius = 0.0000
Select first object or [Undo/Polyline/Radius/Trim/Multiple] : R
Specify fillet radius ⟨0.0000⟩: 100
Select first object or [Undo/Polyline/Radius/Trim/Multiple]: t
Enter Trim mode option [Trim/No trim] ⟨Trim⟩: n
Select first object or [Undo/Polyline/Radius/Trim/Multiple] : 선 선택
Select second object or shift-select to apply corner or [Radius] : 다른 선 선택

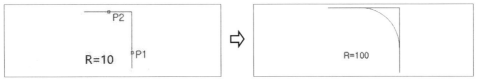

· Fillet 명령에서 자르지 않기(No trim)을 수행하고 P1,p2를 클릭하면 지정한 반지름을 가진 호가 그려진다.

13.4 다중(Multiple) FILLET하기

Command : FILLET [Enter↵] 또는 ⬜
Current settings: Mode = TRIM, Radius = 100
Select first object or [Undo/Polyline/Radius/Trim/Multiple] : M
Select first object or [Undo/Polyline/Radius/Trim/Multiple] : P1선 선택
Select second object or shift-select to apply corner or [Radius] : P2 선택
Select first object or [Undo/Polyline/Radius/Trim/Multiple] : P3선 선택
Select second object or shift-select to apply corner or [Radius] : P4 선택

· Fillet 명령에서 다중((M)을 선택하고 P1,P2, P3, P4를 클릭하면 지정한 반지름을 가진 호가 그려진다.

| **TIP** | · 이전의 옵션 그대로 실행하고자 한다면 [Enter↵](Enter Key)를 치고 작업을 계속 실행하면 된다.(현재 설정이 이전에 실행한 명령어 및 옵션으로 설정되어 있음) |
| | · 이전 명령과 다른 새로운 형식을 입력 할 때는 이전 옵션과 명령으로 설정이 되어 있으므로 반드시 새로 설정한다. |

14. CHAMFER(모따기)하기 (단축명령어 : CHA)

Chamfer명령은 평행하지 않은 두 객체의 모서리를 지정한 거리만큼 이동하여 모따기 한다.

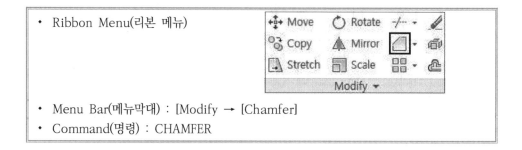

* Ribbon Menu(리본 메뉴)

* Menu Bar(메뉴막대) : [Modify → [Chamfer]
* Command(명령) : CHAMFER

14.1 거리를 설정하여 Chamfer(모따기)하기

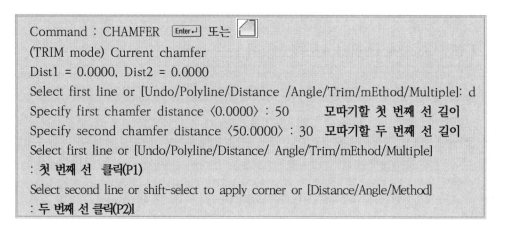

Command : CHAMFER [Enter↵] 또는 〔 〕
(TRIM mode) Current chamfer
Dist1 = 0.0000, Dist2 = 0.0000
Select first line or [Undo/Polyline/Distance /Angle/Trim/mEthod/Multiple]: d
Specify first chamfer distance ⟨0.0000⟩ : 50   **모따기할 첫 번째 선 길이**
Specify second chamfer distance ⟨50.0000⟩ : 30 **모따기할 두 번째 선 길이**
Select first line or [Undo/Polyline/Distance/ Angle/Trim/mEthod/Multiple]
: **첫 번째 선 클릭(P1)**
Select second line or shift-select to apply corner or [Distance/Angle/Method]
: **두 번째 선 클릭(P2)l**

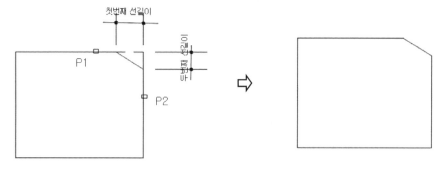

14.2 거리, 각도를 설정하여 Chamfer(모따기)하기

Command : CHAMFER [Enter↵] 또는 ◻
(TRIM mode) Current chamfer Dist1 = 50.0000, Dist2 = 30.0000
Select first line or [Undo/Polyline/Distance/Angle/Trim/mEthod/Multiple]: a
Specify chamfer length on the first line ⟨0.0000⟩: **50 모따기할 길이 입력**
Specify chamfer angle from the first line ⟨0⟩: **30   모다기 각도 입력**
Select first line or [Undo/Polyline/Distance/Angle/Trim/mEthod/Multiple] : **첫 번째 선 클릭(P1)**
Select second line or shift-select to apply corner or [Distance/Angle/Method] : **두 번째 선 클릭(P2)**

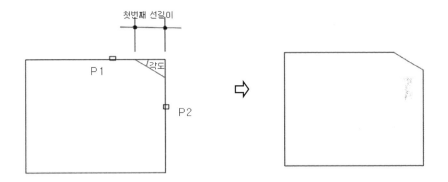

Chamfer 모드 OPTION

① Undo : 반지름 등 바로 전 설정 값 취소

② Polyline : 폴리라인(Pline) 또는 Rectangle로 그려진 경우 모든 모서리를 한 번에 모따기

③ Distance : 모따기 할 부분의 거리 값(Dist1, Dist2) 입력

④ Angle : 거리와 각도를 지정하여 모따기를 한다.

⑤ Trim : 선택된 객체의 모서리를 남겨 둘지를 결정하는 옵션

   - Trim : 두 객체의 모서리를 교차점에서 자른 후 모따기를 한다.

   - NO trim : 두 객체의 모서리를 남겨 둔채로 모따기를 한다.

⑥ mEthod : 거리, 각도 둘 중 어느 옵션을 사용할 것인지를 결정하는 옵션(초기 : 거리)

  - Distance : 두 거리에 의한 모따기

 - Angle : 거리와 각도에 의한 모따기

⑦ Multiple : 여러 번의 작업이 가능하도록 하는 옵션

15. BREAK(끊기)하기 (단축명령어 : BR)

객체의 일부분을 지우거나 분리시킬 때 사용하는 명령어이다.

---

* Ribbon Menu(리본 메뉴)

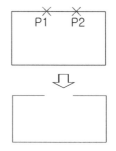

* Menu Bar(메뉴마대) : [Modify → [Break]
* Command(명령) : BREAK

15.1 두 점을 입력하여 Break하기

Command : BREAK [Enter↵] 또는 [🔲]

Select object : P1클릭(절단할 선의 절단 시작점)

Specify second break point or [First point]

: P2 선택(절단할 위치 지정)

• Break 명령을 실행하고 P2 점과 P3점을 클릭하면 P2와 P3사이가 끊어진다. P2는 마우스로 커서를 드래그하여 끊어진 간격을 조정 할 수 있다.

15.2 첫 번째 점 다시 입력하여 Break하기

Command : BREAK [Enter↵] 또는 [🔲]

Select object : P1클릭(절단할 선 지정)

Specify second break point or [First point]: F

Specify first break point : P2 선택(절단할 첫 번째 점 지정)

Specify second break point : P3 선택(절단할 첫 번째 점 지정)

• Break 명령을 실행하고 객체(P1)을 클릭한 후 "F"를 입력한 후 P2 점과 P3점을 클릭하면 P2와 P3사이가 끊어진다.

16. CHANGE(속성변경)하기 (단축명령어 : -CH)

선택한 객체의 위치, 크기, 색상, 레이어 등의 특성을 변경하는 명령어이다.

Command : CHANGE [Enter↵]
Select objects : 객체선택
Select objects : [Enter↵]
Specify change point or [Properties]: P
Enter property to change [Color/Elev/LAyer/LType/ltScale/LWeight/Thickness/ TRansparency/Material/Annotative]:
변경할 옵션선택

Change 모드 OPTION

■ Property to change : 객체 속성을 변경

① Color(색상) : 객체의 색상 변경

  - True color : 선택한 객체에 사용할 트루컬러를 지정(0 ~ 255 정수)

  - Colorblock : 선택한 객체에 사용할 색상을 로드된 색상표에서 지정

② Elev(높이) : 2D 객체의 Z 축 고도를 변경

③ Layer(도면층) : 선택한 객체의 도면층을 변경

④ LType(선종류) : 선택한 객체의 선 종류를 변경

⑤ ltScale(선축척) : 선택한 객체의 선 축척 변경

⑥ LWeight(선굵기) : 선택된 객체의 선의 굵기를 변경

⑦ Thickeness(두께) : 선택한 2D객체의 Z축 방향으로 두께를 변경

⑧ TRansparency(투명도) : 선택한 객체의 투명도 레벨을 변경

⑨ Material(재료) : 재료가 부착된 경우 선택된 객체의 재료를 변경

⑩ Annotaive(주석) : 선택된 객체의 주석 특성을 변경

TIP

■ CHPROP와 CHANGE 명령의 유사성
- CHANGE 옵션 : Color/Elev/LAyer/LType/ltScale/LWeight/Thickness/TRansparency
  /Material/Annotative
- CHPROP옵션 : Color/LAyer/LType/ltScale/LWeight/Thickness/TRansparency
  /Material /Annotative

17. Properties(속성변경 대화상자) (단축명령어 : CH)

Properties는 대화상자를 이용하여 객체의 색상, 레이어, 선 종류, 축척 등의 속성을 바꾸는 명령어이다.

---

* Ribbon Menu(리본 메뉴)

* Menu Bar(메뉴막대) : [Modify → [Properties]
* Command(명령) : PROPERTIES

Command : PROPERTIES `Enter↵`

Command : DDCHPROP `Enter↵`

Command : DDMODIFY `Enter↵`

Properties 모드 OPTION

① No selection : 선택된 객체의 개수와 종류를 보여 준다.

② General : 객체의 색상, 레이어, 선의 종류, 선의 두께, 선의 높이 값 등을 보여 준다.

③ 3D Visualization : 객체의 재질과 그림자 속성 등을 보여 준다.

④ Plot style : 플로터에 관련된 속성들을 보여준다.

⑤ View : 객체의 위치 및 높이 값, 두께 값 등을 보여준다.

⑥ Misc : USC와 관련된 특성 값들을 보여준다

* 속성변경을 하려는 객체를 선택하면 선택된 모든 객체의 특성이 모두 하단부에 나타난다.

* 객체 특성을 변경하려면 특성을 선택한 후 새 값을 입력하거나 목록에서 값을 입력하거나 대화상자에서 특성값을 변경하면 된다.

18. MATCHPROP(특성일치)하기 (단축명령어 : MA)

객체의 일부 또는 특성을 하나 이상의 객체에 복사하는 명령어이다. 색상(Color), 선종류 (Linetype), 선종류 축척(Linetype scale), 선가중치(Lineweight) 등을 복사할 수 있다.

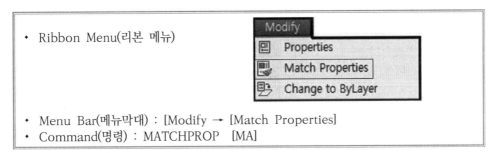

* Ribbon Menu(리본 메뉴)

    Modify
    Properties
    Match Properties
    Change to ByLayer

* Menu Bar(메뉴막대) : [Modify → [Match Properties]
* Command(명령) : MATCHPROP [MA]

Command : MATCHPROP [Enter↵] 또는 🖼️

Command : Select source object :   P1 클릭(원본 객체 선택)

Current active settings :   Color Layer Ltype Ltscale Lineweight Transparency
Thickness PlotStyle Dim Text Hatch Polyline Viewport Table Material Multileader
Center object

Select destination object(s) or [Settings] : P2 클릭(변경시킬 객체 선택)

Select destination object(s) or [Settings] : [Enter↵]

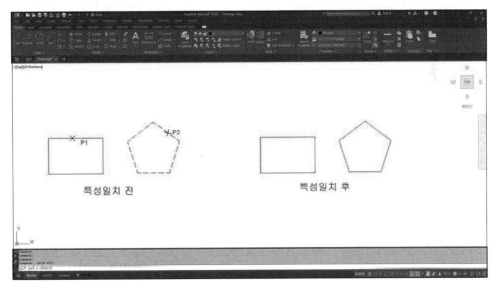

특성일치 전   특성일치 후

Matchprop 설정 OPTION

원본 객체에서 대상 객체로 복사할
기본 특성 및 특수한 특성을 지정

① Basic Properties (기본 특성)

- Color(색상) : 대상 객체의 색상
을 원본 객체의 색상으로 변경
- Layer(도면층) : 대상 객체의 도
면층을 원본 객체의 도면층으로
변경
- Linetype(선 종류) : 대상 객체의
선 종류를 원본 객체의 선 종류로
변경

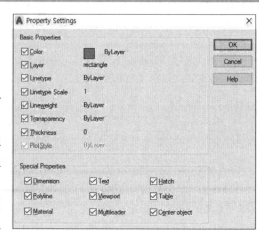

- Linetype scale(선 종류 축척) : 대상 객체의 선 종류 축척 비율을 원본 객체의
선 종류 축척 비율로 변경
- Lineweight(선가중치) : 대상 객체의 선가중치를 원본 객체의 선가중치로 변경
- Transparecy(투명도) : 대상 객체의 투명도를 원본 객체의 투명도로 변경
- Thickness(두께) : 대상 객체의 두께를 원본 객체의 두께로 변경
- PlotStyle : 대상 객체의 플롯 스타일을 원본 객체의 플롯 스타일로 변경

② Special Properties(특수 특성)

- Dimension(치수) : 기본 객체 특성 이외에도, 대상 객체의 치수 스타일 및 주석
특성을 원본 객체와 일치시킴(치수, 지시선 및 공차만 가능)
- Polyline(폴리선) : 기본 객체 특성 이외에도, 대상 폴리선의 폭 및 선종류생성 특
성을 원본 폴리선의 속성과 일치시킴.
- Text(문자) : 대상 객체의 문자 스타일 및 주석 특성을 원본 객체의 문자 스타일 및 주석 특성으로 변경
- Viewport(뷰포트) : 대상 도면 공간 뷰포트의 특성을 원본 뷰포트의 특성과 일치시킴
- Multileader(다중 지시선) : 대상 객체의 다중 지시선 스타일 및 주석 특성을 원본
객체의 다중 지시선 스타일 및 주석 특성으로 변경
- Hatch(해치) : 대상 객체의 해치 특성(주석 특성 포함)을 원본 객체의 해치 특성으로 변경
- Table(테이블) : 대상 객체의 테이블 스타일을 원본 객체의 테이블 스타일로 변경

• Matchprop를 실행시 특성 설정 대화상자의 모든 항목을 체크하여 원본 객체와 대상
객체를 일치 시켜 빠르게 변경하는 것이 편리하다.

19. GRIP 명령어의 활용

커서를 이용하여 객체를 편집하는 명령어이다. 객체를 명령어 없이 선택하면 그립점이 나타난다. 이 그립점을 다시 클릭하면 프롬프트가 객체를 편집할 수 있는 그립모드로 바뀐다. Move, Mirror, Rotate, Scale, Stretch 같은 5가지 편집을 할 수 있다. Grip의 초기 값은 Stretch로 설정되어 있다.

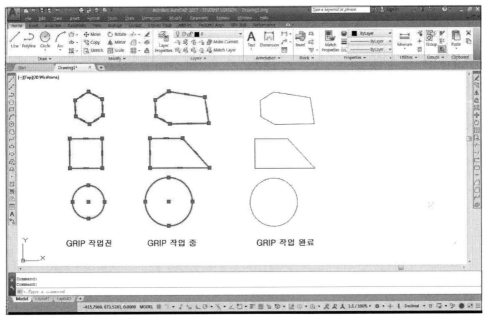

◉ **Check Point - GRIP의 사용법**

* **1단계** : 명령어 입력 없이 객체를 클릭하면 객체에 파란색 사각형이 생긴다.

* **2단계** : 편집을 원하는 파란색 사각형을 다시 한번 클릭하면 사각형이 빨간색으로 변한다.

* **3단계** : 마우스를 이동시키면 설정된 명령어가 실행된다.(초기값 Stretch)

TIP
- Stretch외의 옵션을 원하면 3단계에서 Spacebar를 누르거나 마우스 오른쪽 버튼을 눌러 해당 명령어를 선택한다.
- 3단계에서 마우스 오른쪽 버튼을 클릭하여 Properties 대화상자를 열 수 있다.

CHAPTER
06

문자 쓰기

1. 문자쓰기 및 편집
2. Qtext(문자감추기)
3. 문자 편집하기

1. 문자 쓰기 및 편집

도면을 그릴 때 문자 쓰기는 도면에 문자나 숫자를 써 넣는 것이며 여기에서는 문자 쓰는 요령과 스타일에 관하여 설명한다.

● 문자 쓰기 순서 : 1단계 : 문자 형식 설정 [Format] → [Text Style]
　　　　　　　　　2단계 : 문자 쓰기 [Draw] → [Text]
　　　　　　　　　3단계 : 문자 편집 [Modify] → [Object] →[Text] →[Edit]
　　　　　　　　　　　　　[Modify] → [Properties]

1.1 Text Style(문자 스타일) 지정(단축명령어 : ST)

도면에 문자를 기입할 때 문자의 유형을 설정하는 명령어이다.

・ Ribbon Menu(리본 메뉴) :

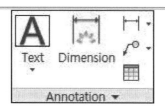

・ Menu Bar(메뉴막대) : [Format] → [Text Style]
・ Command(명령) : STYLE [ST]

---

① 스타일 명령의 실행

Command : STYLE [Enter↵] 또는 [A↗]

Text Style 대화상자 생성

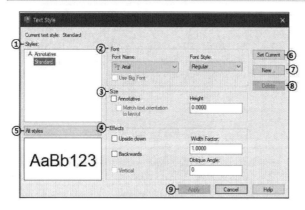

Text Style 모드 Option

① Style : 현재 사용 중인 문자 유형을 나타냄

② Font(글꼴) : 글자 모양을 표현하는 기능

  (a) Font Name(글꼴 이름)

    : 글꼴 선택 명령어이며, 한글 글
꼴과 영문 글꼴 모두 사용할 수
있으며 *.shx (오토캐드 전용글
꼴)파일과 *.ttf(윈도 글꼴)파일을
사용할 수 있는 기능

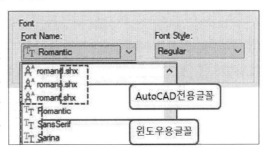

  (b) Font Style(글꼴 유형)

    : 글꼴을 사용할 때 오토캐드 내에 저장돼 있는 한글 글꼴을 지정하는 기능

  (c) Use Big Font(큰 글꼴 사용)

    : 오토캐드에 저장되어 있는 *.shx파일의 글꼴을 지정하는 기능

③ Size : 문자의 크기를 지정(문자의 크기는 보통 도면에 문자 입력 시 직접 입력한다.)

  (a) Annotative(주석) : 주석의 축척에 따라 문자의 크기 자동으로 변경 표시하는 기능

  (b) Match Text Orientation to Layout(배치에 맞게 문자방향지정) : 문자의 방향을
배치공간의 방향과 일치하도록 설정 – 주석에 ✔표시하지 않으면 사용할 수 없다.

  (c) Height or Paper Text Height(높이 또는 도면 문자 높이) : 문자의 세로 길이 설정

④ Effects(효과) : 문자를 거꾸로, 반대로, 수직 등으로 표현하기 위한 옵션을 선택하는 기능

  (a) Upside Down(거꾸로) : 문자를 거꾸로 하는 기능

  (b) Backwards(반대로) : 문자를 반대로 쓰는 기능

  (c) Vertical(수직) : 문자를 수직으로 쓰는 기능

  (d) Width Factor(폭 비율) : 문자의 가로, 세로의 비율을 설정하는 기능

  (e) Oblique Angle(경사 각도) : 문자를 기울여 쓸 때 기울기 각도 설정

⑤ All style (전체스타일) : 지정한 모든 글자 유형을 나타내는 기능

⑥ Set Current(현재로 설정) : 문자의 유형을 설정하고 Set Current 를 클릭하면 현재
사용하는 문자로 지정하는 기능

⑦ New : 새로 만들고자 하는 문자의 유형을 설정

⑧ Delete : 문자의 유형을 삭제

⑨ Apply : 설정된 문자의 유형을 현재의 유형으로 적용하는 기능

TIP | • 한글 글꼴 중 글꼴 이름 앞에 @이 붙은 글꼴은 세로 글씨를 나타낸다.

참 고 | 윈도용 글꼴과 AutoCAD전용글꼴 설정

▶ **윈도우용 글꼴**
: 한글과 영문을 함께 사용할 수 있어서 요즘은 윈도우용 글꼴을 많이 사용한다. 다만 AutoCAD전용글꼴보다 용량이 크기 때문에 도면 용량이 커질 수도 있고, 경우에 따라서는 도면에 오류가 생길 수 있어서 주의해야한다.

▶ **AutoCAD전용글꼴**
: AutoCAD에서만 사용할 수 있는 글꼴로 한글과 영문을 따로 지정해야 한다. AutoCAD전용글꼴을 사용하는 경우 'Use Big Font(큰 글꼴 사용)'에 ✔표시하고 'Big Font'에서 한글글꼴을 지정한다.

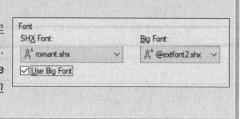

▶ **Style 설정하기**

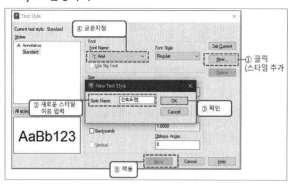

'New(새로만들기)' 클릭 → 'New Text Style(새로운 문자스타일)' 대화상자 → 'Style Name' 입력 → 확인 → 글꼴지정 → 적용

※ 'Style Name'은 Style 1, Style 2, Style3 등 으로 지정하기보다는 스타일 이름만 보더라도 사용되는 글꼴을 알 수 있도록 지정한다.
예) '굴림', 'GD' 등

TIP	작업한 도면의 글자가 '???'로 보이는 이유

- 작업하던 도면의 문자가 제대로 보이지 않고 ???로 표시되거나 엉뚱한 한자 등으로 나타나면 한글 글꼴이 잘못 설정되었으므로 재설정하여야 한다.
- 한글 글꼴을 잘못 설정한 경우

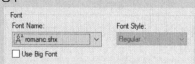

- 올바르게 한글 글꼴을 설정한 경우(AutoCAD전용 한글의 경우 'Big Font'에서 설정)

1.2 Dtext(동적문자, 단일문자)쓰기 (단축명령어 : DT)

이 명령어는 단일 행의 문자를 쓰는데 사용하는 기능이다.

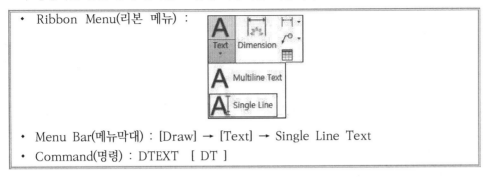

- Ribbon Menu(리본 메뉴) :
- Menu Bar(메뉴막대) : [Draw] → [Text] → Single Line Text
- Command(명령) : DTEXT [DT]

① 수평 단일(동적) 문자 쓰기 실행

Command : DTEXT [Enter↲] 또는 [A]
Current text style: "Standard" Text height : 2.5000 Annotative : No Justify : Left
Specify start point of text or [Justify/Style] : 문자가 쓰여질 시작점 P1 클릭
Specify height ⟨2.5000⟩: 100 [Enter↲] (도면 스케일에 맞게 설정)
Specify rotation angle of text ⟨0⟩: [Enter↲] (글자의 각도 지정)
Enter text : 문자 입력 후 [Enter↲]
Enter text : [Enter↲] (종료시 반드시 [Enter↲]를 연속 두 번 누른다)

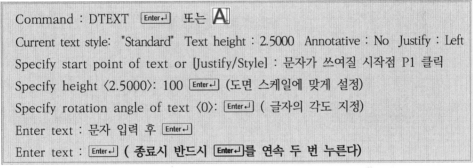

① 시작점 P1 클릭후 글자 크기 입력   ② 글자 각도 입력

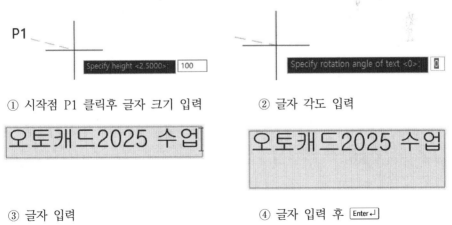

③ 글자 입력   ④ 글자 입력 후 [Enter↲]

오토캐드2025 수업

⑤ 다시 [Enter↲]후 완성

② 기울기를 준 단일(동적) 문자 쓰기

Command : DTEXT [Enter↵] 또는 **A**

Current text style: "Standard" Text height : 2.5000 Annotative : No Justify : Left

Specify start point of text or [Justify/Style] : J [Enter↵]

Enter   an   option

[Left/Center/Right/Align/Middle/Fit/TL/TC/TR/ML/MC/MR/BL/BC/BR] : M

Specify middle point of text : 문자의 중앙 중간부 클릭

Specify height ⟨2.5000⟩: 100 [Enter↵] (도면 스케일에 맞게 설정)

Specify rotation angle of text ⟨0⟩: 45[Enter↵] (글자의 각도 지정)

Enter text : 문자 입력 후 [Enter↵]

Enter text : [Enter↵] (종료 시 반드시 [Enter↵]를 연속 두 번 누른다)

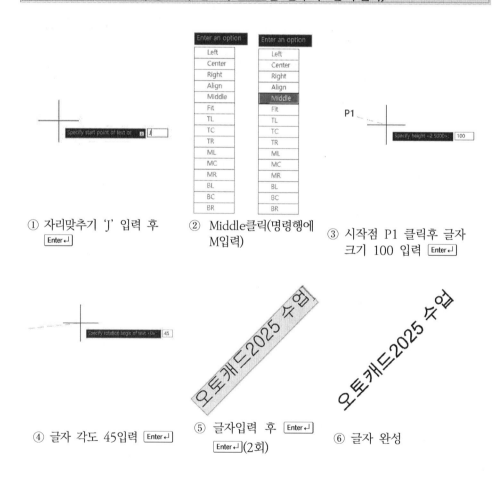

① 자리맞추기 'J' 입력 후 [Enter↵]

② Middle클릭(명령행에 M입력)

③ 시작점 P1 클릭후 글자 크기 100 입력 [Enter↵]

④ 글자 각도 45입력 [Enter↵]

⑤ 글자입력 후 [Enter↵] [Enter↵](2회)

⑥ 글자 완성

DTEXT 모드 Option

1) Style ; 문자 유형을 나타냄
2) Justify : 문자 정렬(자리맞추기)
   [Left/Center/Right/Align/Middle/Fit/TL/TC/TR/ML/MC/MR/BL/BC/BR]

구 분		
		500 / 500
Normal	문자의 좌측하단부가 지정한 점에 정렬	소방 캐드 수업
Align	문자의 크기를 변화시켜 지정한 두 점 사이에 정렬	소방캐드 수업
Fit	문자의 폭을 변화시켜 지정한 두 점 사이에 정렬	소방 캐드 수업
Center	문자의 중앙 하단부가 지정한 점에 정렬	소방 캐드 수업
Middle	문자의 중앙 중간부가 지정한 점에 정렬	소방 캐드 수업
Right	문자의 우측 하단부가 지정한 지점에 정렬	소방 캐드 수업

TL : 좌측 - 상단	
TC : 중앙 - 상단	
TR : 우측 - 상단	
ML : 좌측 - 중앙	
MC : 중앙 - 중앙	
MR : 우측 - 중앙	
BL : 좌측 - 하단	
BC : 중앙 - 하단	
BR : 우측 - 하단	

• MTEXT에서 특수문자 입력

1.캐드 명령어 MTEXT를 치면 아래와 같은 Text Editor 패널이 생성됨.

2.대화상자에서 @를 누르면 많이 사용하는 특수 문자를 선택할 수 있다.

※ 단일행 문자쓰기로 1열 문자입력 후 Enter↵를 치고 다음 열 문자를 입력할 수 있다. 이 경우 각각 각 행은 각각 독립 객체로 존재하므로 수정할 때 각각 따로 수정해야한다.

1.3 Mtext(문장, 여러 줄 문자)쓰기 (단축명령어 : T)

MTEXT(Multiline Text)는 간단한 문장을 입력할 때 사용하는 명령어이다. 이 명령어를 실행하면 대화상자가 생성되어 문자를 원하는 형태로 편집하여 기입할 수 있다.

> • Ribbon Menu(리본 메뉴) :
>
>
>
> • Menu Bar(메뉴막대) : [Draw] → [Text] → Multiline Text
> • Command(명령) : MTEXT [T]

◆ 문장(여러 줄 문자) 쓰기 실행

Command : MTEXT [Enter↵] 또는 [A]

Current text style: "Standard" Text height: 100 Annotative: No

Specify first corner : 첫 번째 코너 P1 클릭

Specify opposite corner or [Height/Justify/Line spacing/Rotation/Style/Width/Columns] : H

Specify height ⟨100⟩: 150

Specify opposite corner or [Height/Justify/Line spacing/Rotation/Style/Width/Columns] : P2클릭

Text Editor 대화상자와 글상자가 생성

글자 입력이 끝나면 빈 여백 아무 곳에 마우스 클릭하면 글상자 해제되고 완성

▶ STEP1

mtext 입력 후 P1, P2클릭

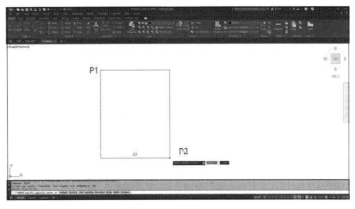

▶ STEP2
편집모드

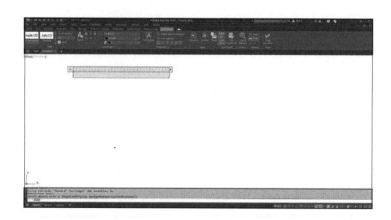

▶ STEP3
문자입력

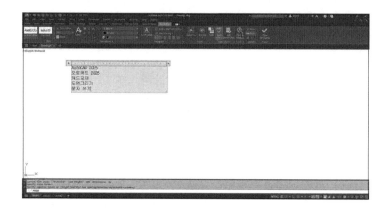

▶ STEP3
문자입력 완료

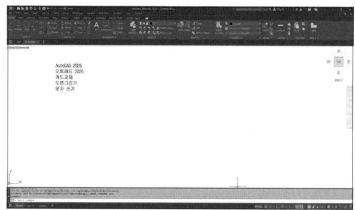

TMTEXT 모드 Option

1) Height ; 문장의 높이 설정

2) Justify : 문장의 정렬방식 설정

3) Line spacing : 문장의 줄 간격 설정

4) Rotation : 글상자를 회전한다.

5) Style : 문장의 스타일을 설정

6) Width : 문장의 길이를 설정한다.

7) Columns : 문장의 열을 설정한다.

TIP

● MTEXT 입력 옵션

1. Specify opposite corner or [Height/Justify/Line spacing/Rotation /Style/Width /Columns] : 이 상태에서 글자를 써도 되고, 옵션을 지정한 후에 써도 된다.

2. 그러나 굳이 옵션을 선택하는 번거로움 보다는 글자 입력 후 편집기를 이용해 편집하는 편이 편리하다.

① 캐드 명령어 MTEXT를 치면 아래와 같은 Text Editor 패널이 생성됨.

② 편집 및 설정 패널 내용은 다음과 같다. 필요한 부분만 선택한 후 편집 저장한다.

- ● Style패널 : 문자유형, 문자 높이
- ● Formatting 패널 : 문자의 굵기, 기울기, 밑줄, 윗줄, 글자 유형, 문자 배경, 도면층 및 색깔 설정
- ● Paragraph : 문자의 자리 맞추기, 글머리 기호 및 번호 변경, 행간격 설정
- ● Insert : 열 기능, 기호 삽입, 필드 삽입 등을 지정
- ● Option : 높음(찾기 및 대치 대화상자 표시), 눈금자(편집기 위의 눈금표시), 명령 취소/복구 실행
- ● 문자 편집 종료 : 문자의 편집을 종료하고 편집한 내용 저장

2. Qtext(문자감추기) (단축명령어 : QT)

도면을 그릴 때 너무 많은 요소를 넣으면 Display 속도가 저하된다. 특히 트루타입
(*.TTF)의 한글 폰트를 사용할 경우 속도 저하를 일으키는 경우가 많다. 이러한 경우 문자
를 사각 상자 형태로 나타내어 문자를 Display 하는데 걸리는 시간을 절약할 수 있다.

Command : QTEXT [Enter↵]
Enter mode [ON/OFF] 〈OFF〉 : ON [Enter↵]
Command : REGEN [Enter↵]

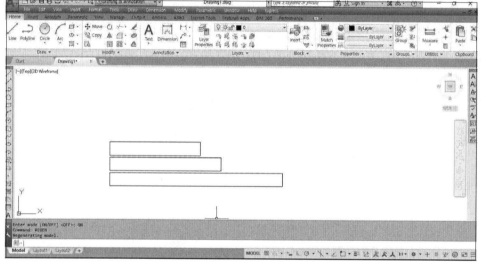

QTEXT 모드 Option

1) ON ; 문자를 화면에 나타내지 않고 문자가 있는 부분을 사각형으로 표시한다.

2) OFF : 문자를 화면에 표시 한다.

• QTEXT명령을 실행한 후(ON 또는 OFF) 그 결과를 확인하기 위해서는 'REGEN' 명
령을 실행하여 확인 할 수 있다.

3. 문자 편집하기

3.1 단일행 문자 순정

1) DDEDIT(문자 수정 편집) (단축명령어 : ED)

이 기능은 단일행으로 기입한 문자(DT로 작성한 문자)를 수정하는데 사용된다.

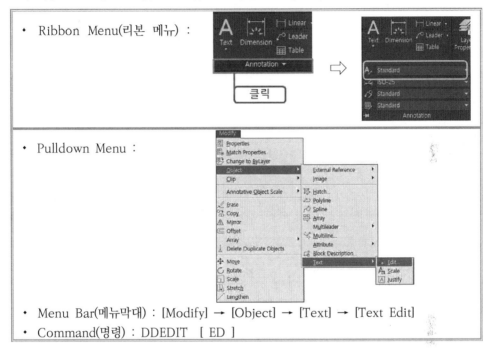

* Ribbon Menu(리본 메뉴) :

클릭

* Pulldown Menu :

* Menu Bar(메뉴막대) : [Modify] → [Object] → [Text] → [Text Edit]
* Command(명령) : DDEDIT [ED]

Command : DDEDIT Enter↵ 또는 [A,] -- 수정할 문자를 더블 클릭
Select an annotation object or [Mode] : 수정할 문자 선택

AutoCAD
오토캐드   ⇨
CAD 교재

AutoCAD
오토캐드2025   ⇨
CAD 교재

AutoCAD
오토캐드2025
CAD 교재

▸ STEP 1 DDEDIT 실행
  후 수정할 문자열 클릭

▸ STEP 2 문자 수정

▸ STEP 3 문자 수정후 Enter↵
  또는 빈 여백에 마우스 클릭

※ 문자 수정 편집도 DDEDIT 실행을 통해서 수정할 수 있으나, 수정하고자 하는 열을
마우스로 더블 클릭하여 선택하고 수정해도 된다.

2) 문자 축척 수정

선택한 문자 객체의 위치를 변경하지 않고 문자를 축소 및 확대한다.

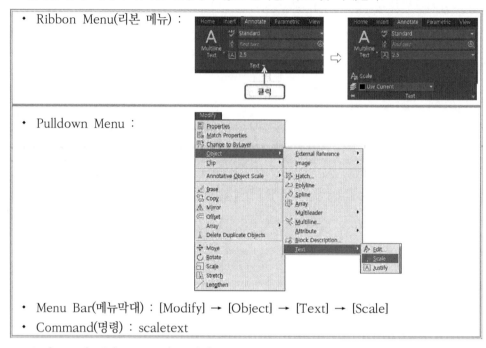

* Menu Bar(메뉴막대) : [Modify] → [Object] → [Text] → [Scale]
* Command(명령) : scaletext

▸ 높이 100인 문자 150 크기로 확대

```
Command : _scaletext Enter↵
Select objects : P1 클릭
Select objects : 1 found
Select objects : Enter↵
Enter a base point option for scaling
[Existing/Left/Center/Middle/Right/TL/TC/TR/ML/MC/MR/BL/BC/BR]
⟨Existing⟩ : E Enter↵
Specify new model height or [Paper height/Match object/Scale factor] ⟨100⟩: 150 Enter↵
1 objects changed
```

▸ 수정할 문자열 선택

▸ 150크기로 확대

Scaletext 모드 Option
① a base point option for scaling(축척하기위한 기준점)
  : 축척하기 위한 기준점 지정. 여러 개 문자 시 '기존'옵션을 사용하면 현재 위치를 유지한다.
② new model height(새모형 높이) : 새로운 문자 높이 지정
③ Match object(객체일치) : 원하는 높이의 문자를 선택하여 문자의 높이와 맞춘다.
④ Scale factor(축척비율) : 선택란 문자를 지정한 비율로 축척한다.

2) 문자 Justify(자리 맞추기)

선택한 문자 객체의 위치를 변경하지 않고 문자의 자리 맞춤점을 변경한다.

• Ribbon Menu(리본 메뉴) :	
• Pulldown Menu :	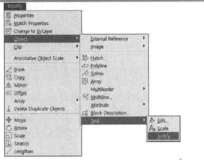
• Menu Bar(메뉴막대) : [Modify] → [Object] → [Text] → [Justify] • Command(명령) : justifytext	

▶ 중앙으로 잘 맞추기

```
Command : JUSTIFYTEXT Enter↵
Select objects : P1클릭
Select objects : 1 found
Select objects : Enter↵
Enter a justification option
[Left/Align/Fit/Center/Middle/Right/TL/TC/TR/ML/MC/MR/BL/BC/BR] 〈Left〉: C Enter↵
```

AutoCAD
   • 거리 맞춤 : Left(왼쪽)

AutoCAD
   • 거리 맞춤 : Center(중앙)

➡ DTEXTED 시스템변수

: DTEXTED시스템 변수 값은 초기에 '2'설정되어있다. '1'로 변경하면 문자를 작성하기 위한 문자 프롬프트를 표시한다.그리고 도면 아무 곳이나 클릭하여 문자블록을 작성랄 수 있는 '문자편집' 대화상자가 나타낸다.

Command : DTEXTED Enter↵
Enter new value for DTEXTED 〈2〉: 1 Enter↵

▶ '문자 편집' 대화상자

⒜ Edit Text	×
Text: 모토캐드	
OK Cancel Help	

3.2 MTEDIT(문자 속성 편집)

이 기능은 Mtext로 작성된 문자를 수정하는데 사용되며, 문자를 입력하고 Enter↵하면 문자가 수정되지만, 마우스를 이용하여 문자를 더블 클릭하여 편집하기도 한다.

Command : MTEDIT Enter↵ 또는 🅰️ -- 수정할 문자를 더블 클릭

Select an MTEXT object : 수정할 문자 선택

Text Editor탭과 옵션메뉴가 아래와 같이 생성(필요에 따라 문자 형식 등 속성 변경)

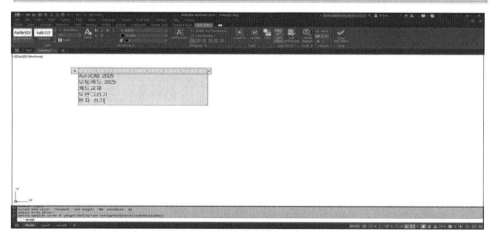

편집모드에서 마우스 오른쪽 버튼을 클릭하여 바로가기 메뉴에서 워드프로세서, 메모장의 내용을 복사 및 붙여 넣기하여 쉽게 가져올 수 있다.

CHAPTER
07

치수넣기

1. 치수 기입 순서
2. Dimstyle (치수스타일) 설정
3. Linear Dimension (직선치수)
4. 원 또는 원호의 치수 기입
5. 치수 공간 (Dimspace)
6. 신속 치수(Qdim)기입
7. Oblique(경사치수)기입
8. 치수의 편집
9. 다중 지시선(Multileader)

1. 치수 기입 순서

 - 치수를 기입하기 위해서 작성하려는 두 지점을 클릭하고 치수 문자의 위치를 지정하여 치수를 기입한다. 그러나 원하는 치수를 기입하기 위해서는 먼저 각 요소의 스타일을 만들어서 치수 변수와 옵션을 조정해주어야 한다. 일반적으로 AutoCAD에서의 치수 기입순서는 다음의 절차에 따른다.

> ● 치수 기입 순서
> - 1단계 : 치수 형식 설정 [Dimension] → [Dimension Style]
> - 2단계 : 객체 형태에 따른 치수 기입
> - 3단계 : 치수 편집 [DIMEDIT]
>   [Dimension] → [Update], [Override]

2. Dimstyle (치수스타일) 설정

치수의 유형(기호, 화살표, 문자, 단위 등)을 설정하거나 변경하여 치수의 유형을 새롭게 적용시키거나 변경하는 명령어이다.

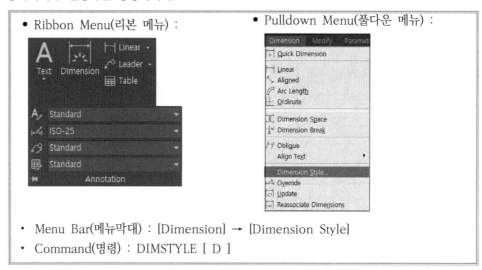

> ● Ribbon Menu(리본 메뉴) :
>
> ● Pulldown Menu(풀다운 메뉴) :
>
> ・ Menu Bar(메뉴막대) : [Dimension] → [Dimension Style]
> ・ Command(명령) : DIMSTYLE [D]

2.1 치수스타일 명령의 실행

> Command : DIMSTYLE Enter↵ 또는 🖊
> Dimension Style Manager 대화 상자 생성

2.2 Dimension Style Manager 대화 상자

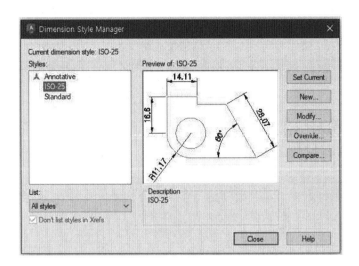

① Current dimension style (현재 치수 스타일) : 현재 도면의 치수 스타일의 이름을 표시
② Style(스타일) : 현재 도면에 적용되는 치수 스타일 표시하거나 스타일을 설정, 이름 바꾸기, 삭제 등이 표시 됨
③ List(리스트) : 스타일 리스트의 스타일 표시를 조정한다. 도면의 모든 치수 스타일을 보려면 모든 스타일을 선택하고, 현재 도면의 치수에 사용되는 치수 스타일만 보려면 사용 중인 스타일을 선택한다.
④ Don't list styles in Xref(외부 참조의 스타일을 나열하지 않음) : 이 옵션을 선택하면 스타일 리스트 중 외부에서 참조되는 도면의 치수 스타일 표시가 억제됨.
⑤ Preiew(미리보기) : 스타일 리스트에서 선택한 스타일이 그래픽으로 표시
⑥ Description(설명) : 현재 스타일을 기준으로 스타일리스트에서 선택한 스타일에 대해 설명
⑦ Set Current (현재로 설정) : 현재 사용할 치수 유형을 선택한다.

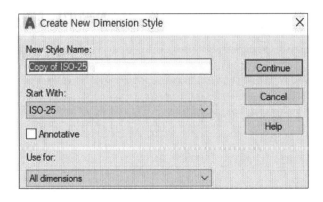

⑧ **New(새로 만들기)** : 새 차수 스타일을 정의할 수 있는 새 차수 스타일 작성 대화상자를 표시
- **New Style Name(새 스타일 이름)**
  : 새로운 치수 유형의 이름을 입력
- **Start With(시작)** : 새로운 치수 유형의 기반이 되는 기존의 치수 유형을 선택
- **Annotative(주석)** : 주석 객체 유형으로 지정한다.
- **Use for (사용)** : 설정한 치수 유형을 수정 편집하는 옵션
⑨ **Modify(수정)** : 선택한 치수 유형을 수정·편집하는 옵션. 처음 생성할 때의 대화상자와 동일하다.
⑩ **Override(재지정)** : 치수 유형 재지정할 수 있는 대화상자 표시(대화상자의 옵션은 편집 치수 스타일 대화상자의 옵션과 동일), 현재 치수 스타일이 활성화 되어 있을 경우에만 사용이 기능
⑪ **Compare(비교)** : 단일 치수 스타일의 모든 특성 표시하거나 두 치수 스타일을 비교할 수 있는 치수 스타일 비교 대화상자를 표시
- Compare : 비교 대상 치수 스타일을 선택
- With : 비교 대상 치수 스타일을 선택

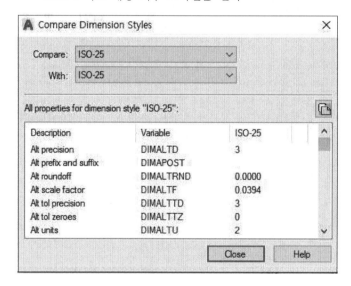

2.3 Dimension Style 만들기

- 대화상자의 생성(동일한 내용의 대화 상자)
  - New 클릭 → 옵션 설정 → New Dimension Style 대화상자
  - Modify 클릭 → Modify Dimension Style 대화상자

1) Line(선)

: 치수선 및 치수보조선의 색상 및 종류, 가중치 등을 설정하는 옵션

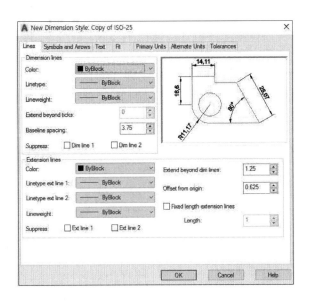

① Dimension lines(치수 선) :

- Color(색상) : 치수선의 색상을 및 설정
- Linetype(선종류) : 치수선의 선 종류를 설정
- Lineweigh(선가중치) : 치수선의 가중치 설정
- Extend beyond ticks(눈금 너머로 연장) : 치수보조선 너머로 치수선을 연장
- Baseline spacing(기준선 간격) : 치수선과 치수선의 간격 설정
- Suppress(억제) : 치수선을 표시하지 않을 때 사용

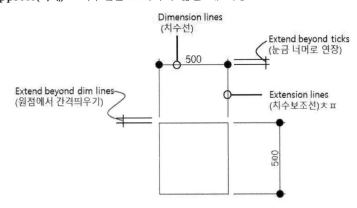

② Extension lines(치수보조선)

- Color(색상) : 치수보조선의 색상을 설정
- Linetype ext line 1(선종류 치수보조선 1) : 첫 번째 치수보조선의 선종류 설정
- Linetype ext line 2(선종류 치수보조선 2) : 두 번째 치수보조선의 선종류 설정
- Lineweigh(선가중치) : 치수 보조선의 가중치 설정
- Suppress(억제) : 치수 보조선을 표시하지 않을 때 사용
- Extend beyond ticks(눈금 너머로 연장) : 치수선 위로 치수 보조선을 연장할 거리
- Extend beyond dim lines(원점에서 간격띄우기)
   : 치수보조선을 그림에서 간격띄우기를 할
   거리를 설정
- Fixed length extension lines(고정
   길이 치수보조선) : 고정된 길이의 치
   수보조선설정여부 설정
- Length (길이) : 치수보조선의 전체 길이를 설정

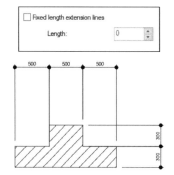

▶ 고정길이 치수보조선에 ✔하지 않은 경우

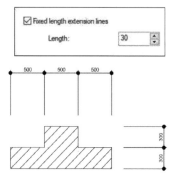

▶ 고정길이 치수보조선에 ✔한 경우

2) Symbol and Arrow(기호 및 화살)

: 기호 및 화살의 크기, 표식 기호 등의 유형을 설정

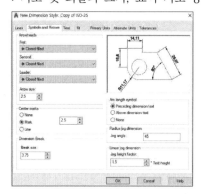

① Arrowheads(화살촉)

첫 번째 차수선에 사용할 화살촉과 두 번째 화살촉의 모양, 지시선에 사
용되는 화살촉의 모양 및 크기를 설정하는 옵션
- Color(색상) : 치수선의 색상을 및 설정

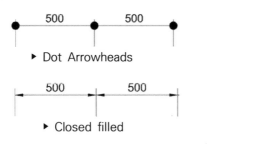

▶ Dot Arrowheads

▶ Closed filled

Arrowhead 종류

▶ 화살표 크기 = 2.5   ▶ 화살표 크기 = 5   지시선 화살표

② Center Marks(중심 표식)

- 원, 원호의 지름 및 반지름 치수의 중심 표식과 중심선의 모양 및 크기 설정 옵션

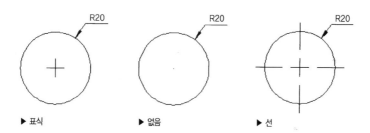

▶ 표식   ▶ 없음   ▶ 선

• Dimension Break : 치수를 끊기를 간격 폭을 설정

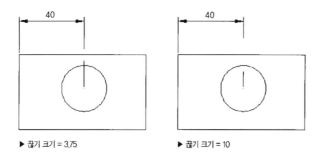

▶ 끊기 크기 = 3.75   ▶ 끊기 크기 = 10

● **Arc length symbols** : 호 길이 치수의 원호 기호 표시 설정
 - Preceding dimension text(선행 치수 문자) : 호 길이 기호를 치수 문자 앞에 배치
 - Above dimension text(치수문자 위) : 호 길이 기호를 치수 문자 앞에 배치
 - None(없음) : 호 길이 기호 표시를 억제

▶ 앞의 치수 문자   ▶ 위의 치수 문자   ▶ 없음

● **Radius jog dimension(반지름 꺾기 치수)** : 꺾어(지그재그) 반지름 치수 각도 설정
원 또는 호의 중심점이 페이지 바깥쪽에 있을 때 작성

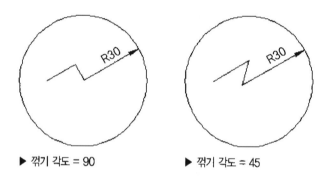

▶ 꺾기 각도 = 90   ▶ 꺾기 각도 = 45

● **Linear jog dimension(선형 꺾기치수)** : 선형꺾기 치수의 높이 비율을 설정하는 옵션

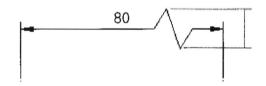

3) Text(문자)

: 치수문자의 모양(스타일, 색상, 높이 등)과 배치(수직, 수평 등), 정렬(수평, 수직에 정렬 등)을 설정하는 옵션

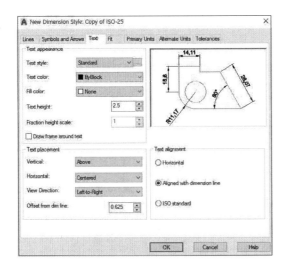

① Text Appearance(문자 모양)

- **Text style(문자 스타일)** : 치수 문자로 사용 가능한 문자 스타일을 나열 선택하는 옵션
- **Text color(문자 색상)** : 치수 문자의 색상을 설정
- **Fill color(채우기 색상)** : 치수의 문자 배경 색상을 설정

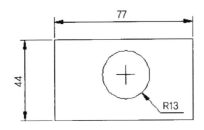

- **Text height(문자 높이)** : 현재 치수 문자 스타일의 높이를 설정

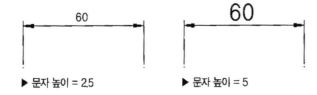

▶ 문자 높이 = 2.5   ▶ 문자 높이 = 5

- Fraction height scale(분수 높이 축척) : 치수 문자와 관련된 분수의 축척 설정

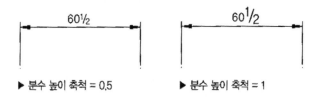

▶ 분수 높이 축척 = 0.5   ▶ 분수 높이 축척 = 1

- Draw frame around text(문자 주위에 프레임 그리기) : 치수 문자 주위에 직사각형 프레임을 표시

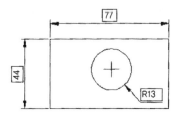

② 문자 배치

- **Vertical(수직)** : 치수선을 기준으로 치수문자의 위치를 수직(세로)방향으로 지정 옵션
  - ▶ **Centered(중심)** : 치수 문자를 치수선의 양쪽 사이에 오게 함
  - ▶ **Above(위)** : 치수 문자를 치수 선 위에 배치
  - ▶ **Outside(외부)** : 첫 번째 정의점에서 가장 먼 치수선 쪽에 치수 문자를 배치
  - ▶ **JIS** : JIS(Japanese Industrial Standards) 표기법에 따라 치수 문자를 배치
  - ▶ Below(아래) : 치수 문자를 치수선 아래에 배치

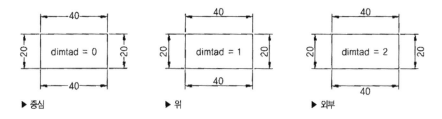

▶ 중심   ▶ 위   ▶ 외부

- **Horizontal(수평)** : 치수선에 평행하도록 치수 문자를 수평(가로)로 배치
  - ▶ **Centered(중심)** : 치수 문자를 치수보조선 사이의 치수선을 따라 중심에 위치
  - ▶ **At Ext Line 1(치수보조선 1)** : 문자를 치수선을 따라 첫 번째 치수보조선의 왼쪽에 정렬
  - ▶ **At Ext Line 2(치수보조선 2)** : 문자를 치수선을 따라 두 번째 치수보조선의 오른쪽 정렬
  - ▶ **Over Ext Line 1(치수보조선 1 너머)** : 문자를 첫 번째 치수보조선 위에 또는 첫 번째 치수보조 선을 따라 배치

▶ **Over Ext Line 1(차수보조선 2 너머)** : 문자를 첫 번째 차수보조선 위에 또는 두 번째 치수보조선을 따라 배치

- **View Direction(뷰 방향)** : 치수 문자 뷰 방향을 조정
  ▶ **Left-to-Right(왼쪽에서 오른쪽으로)** : 문자를 왼쪽에서 오른쪽으로 쓰기
  ▶ **Right-to-Left(오른쪽에서 왼쪽으로)** : 문자를 오른쪽에서 왼쪽으로 쓰기
- **Offset from dim line(치수선에서 간격띄우기)** : 치수선과 치수문자 사이 간격을 설정

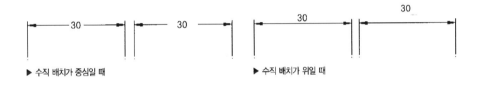

③ Text alignment(문자 배치)

- **Horizontal(수평)** : 문자를 항상 수평으로 정렬
- **Aligned with dimension line(치수선에 정렬)** : 문자를 치수선에 평행하게 정렬
- **ISO Standard (ISO 표준)** : 문자가 치수보조선 안에 있을 때는 치수선을 따라 문자를 정렬하고, 문자가 치수보조선 밖에 있을 때는 문자를 수평으로 정렬

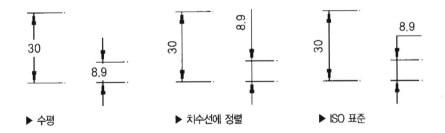

4) Fit(맞춤)

: 치수선, 치수보조선, 치수문자 등 구성요소들의 배치공간을 설정하는 옵션

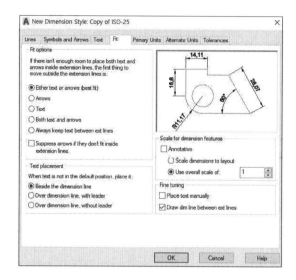

① Fit options

: 치수보조선사이 공간이 좁을 때 치수문자와 화살표를 안이나 바깥으로 조정하여 위치를 결정하는 옵션

- **Either text or arrows(best fit)(문자 또는 화살표(최대로 맞춤)** : 최대로 맞춤을 기준으로 하여 치수보조선 바깥쪽으로 문자 또는 화살촉을 이동
- **Arrows** : 화살표를 치수보조선 밖으로 위치를 이동 배치
- **Text** : 치수문자의 위치를 치수보조선 밖으로 이동 배치
- **Both text and arrows** : 치수보조선 사이의 공간이 부족할 경우 문자와 화살표 모두 외부로 배치시키는 옵션
- **Always keep text between ext lines(항상 치수보조선 사이에 문자 위치)** : 치수보조선 사이에 항상 문자를 배치하도록 하는 옵션
- **Suppress arrows if they don't fit inside extension(화살표가 치수보조선내에 맞지 않으면 화살표 억제)** : 치수보조선 사이의 공간이 부족할 때 화살표를 억제(숨김)

화살표를 치수보조선 밖으로 위치 / 항상 치수보조선 사이에 문자 위치 / 화살표가 치수보조선내에 맞지 않으면 화살표 억제

② Text placement(문자 배치)

: 문자를 설정한 위치에 배치할 수 없는 경우 치수문자의 배치에 관한 옵션

- Beside the dimension line(치수 선 옆) : 문자를 치수선 옆에 배치하여 치수문자를 이동할 때마다 치수선도 함께 이동
- Over dimension line, with leader(지시선을 사용하여 치수선 위에 배치) : 문자를 이동할 때 치수선이 이동하지 않고, 문자가 치수선으로부터 멀리 떨어져 있을 경우 문자와 치수선을 연결하는 지시선을 작성하지만 너무 가까이 있으면 지시선은 생략됨
- Over dimension line, without leader(지시선 없이 치수 선 위에 배치) : 문자를 이동할 때 치수선이 이동하지 않고, 치수선으로부터 멀리 떨어진 문자가 지시선을 사용하여 치수선에 연결되지 않음

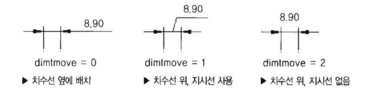

③ Scale for dimension features(치수 피쳐 축척)

: 전체적인 축척을 변경하는 옵션

- Annotative(주석) : 치수가 주석임을 지정.
- Scale dimension to layout(배치할 치수 축척) : 배치공간에서의 축척을 모형공간에서도 적용하는 옵션
- Use overall scale of(전체 축척 사용) : 문자 및 화살촉 크기를 비롯하여 크기, 거리 또는 간격을 지정하는 모든 치수 스타일 설정에 대한 축척을 설정하는 옵션

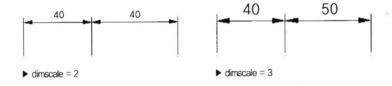

④ Fine tuning(최상으로 조정)

: 치수 문자 배치를 위한 추가 옵션을 제공합니다.

- Place text manually(문자 수동 배치) : 수평 자리 맞추기 설정을 무시하고 치수문자를 수동(마우스)로 지정 배치하는 옵션
- Draw dim line between ext line(치수보조선 사이에 치수선 그리기) : 치수문자를 항상 치수보조선 사이에 배치하는 옵션

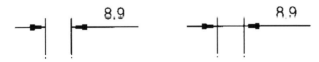

5) Primary units(1차 단위)

: 치수문자의 단위, 정밀도, 분수형식, 각도 치수 등 설정 옵션

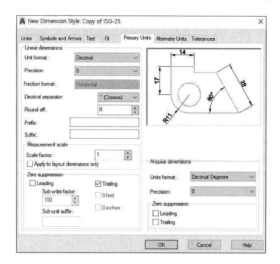

① Linear dimension(선형 치수)

: 직선치수에 대한 형식과 정밀도를 설정
- **Unit format(단위 형식)** : 직선치수의 단위형식 지정(공학, 건축, 과학, 십진법, 분수 등)
- **Precision(정밀도)** : 직선치수의 정밀도 지정(소수점 자릿수 설정)
- **Fraction format(분수 형식)** : 분수의 치수 형태 지정

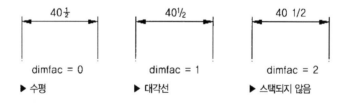

- **Decimal separator(소수 구분 기호)** : 소수점의 모양을 Period(.), Comma(,), Space(공백)중에서 선택
- **Round off(반올림)** : 반올림할 자릿수 설정(각도 치수 제외)

- **Prefix(머리말)** : 치수문자 앞부분에 들어갈 기호를 지정할 수 있는 옵션(접두사지정)

- **Suffix(꼬리말)** : 치수문자 뒷부분에 들어갈 기호를 지정할 수 있는 옵션(접미사지정)

▶ 꼬리말에 mm를 지정한 경우

- **Measurement scale(측정 축척)** : 선형 축척 옵션
  ▶ **Scale factor(축척 비율)** : 동일 도면에서 일부분을 확대하는 경우 차수에 곱할 숫자 지정
  ▶ **Apply to layout dimension only(배치 치수에만 적용)** : 배치 뷰포트에서 작성된 치수에만 측정단위 축척 비율을 적용

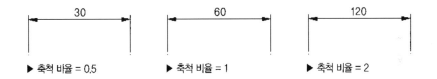

▶ 축척 비율 = 0.5　　　　▶ 축척 비율 = 1　　　　▶ 축척 비율 = 2

- **Zero suppression(0 억제)** : 치수문자에서 소수점 앞과 뒤의 "0"의 생략 여부 결정
  ▶ **Leading(선행)** : 소수치수에서 소수점 앞의 0을 억제 (0.5 → .5)
  ▶ **Sub-units-factor(보조 단위 비율)** : 보조 단위의 수를 단위로 설정(꼬리말이 m인데 하위 단위 꼬리말은 cm로 표시하도록 되어 있다면 100을 입력)
  ▶ **Sub-units-suffix(보조 단위 꼬리말)** : 치수 값의 보조 단위에 꼬리말을 추가 (예, 0.96m를 96cm로 표시하려면 cm를 입력)
  ▶ **Trailing(후행)** : 소수점을 기준으로 뒤의 "0"을 생략(50.00 → 50)
  ▶ **0 Feet (0 피트)** : 거리가 1피트 미만일 때 피트-인치 치수에서 피트 부분을 억제
  ▶ **0 Inch(0 인치)** : 피트-인치 치수에서 거리가 피트의 정수 부분만으로 이루어질 때 인치 부분 억제

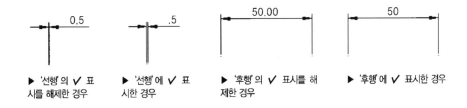

▶ '선행'의 ✓ 표시를 해제한 경우　　▶ '선행'에 ✓ 표시한 경우　　▶ '후행'의 ✓ 표시를 해제한 경우　　▶ '후행'에 ✓ 표시한 경우

② Angular Dimension(각도 치수)

: 각도 치수 기입 형식 결정 옵션

- Units format(단위 형식) : 각도 단위 형식을 설정
- Precision(정밀도) : 각도 치수에 사용할 소수점 자릿수를 설정
- Zero Suppression(0 억제)
  ▶ Leading(선행) : 각도 소수 치수에서 소수점 앞에 오는 0을 생략(0.5000 → .5000)
  ▶ Trailing(후행) : 각도 소수 치수에서 뒤에 오는 0을 생략(12.5000 → 12.5)

6) Alternate units(대체 단위)

: 기존적인 측정 값(1차 단위) 옆에 표시하는 대체단위(2차 단위), 즉 보조 단위의 형식을 설정하는 옵션

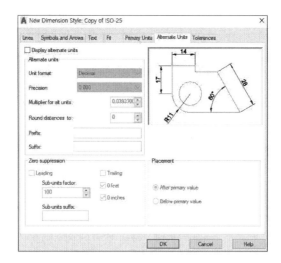

- Display alternate units(대체단위 표시) : 대체 단위 표시 여부를 결정하고 설정값을 결정
- Alternate units(대체 단위) : 각도를 제외한 대체단위 치수를 설정
- Unit format(단위 형식) : 치수단위 형식 결정(Scientific, Decimal, Engineering, Architectural stacked, Fraction stacked, Architectural, Fraction, Window desktops)
- Precision(정밀도) : 대체 단위의 소수점 자릿수를 설정
- Multiplier for alt units(대체 단위에 대한 승수) : 1차 단위와 대체 단위 사이의 변환 요인으로 사용할 승수를 지정(예, Inch를 mm로 변환하려면 25.4를 입력)

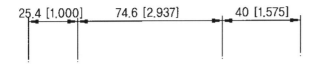

- **Round distances to(반올림 거리)** : 각도를 제외한 모든 차수 유형의 대체 단위에 대한 반올림 규칙을 설정(0.25를 입력하면 모든 대체 측정값은 가장 근접한 0.25 단위로 반올림)
- **Prefix(머리말)** : 대체 차수 문자에 머리말(문자 또는 특수기호)을 삽입(%%c30 → ∅30)
- **Suffix(꼬리말)** : 대체 차수 문자에 꼬리말(문자 또는 특수기호)을 삽입

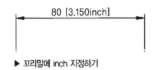

▶ 꼬리말에 inch 지정하기

- **Zero suppression(0 억제)** : 대체단위의 소수점을 기준으로 앞과 뒤의 0을 생략 옵션
  ▶ **Leading(선행)** : 모든 소수 치수에서 소수점 앞에 오는 0을 생략
  ▶ **Sub-units-factor(보조 단위 비율)** : 보조 단위의 수를 단위로 설정(꼬리말이 m인데 하위 단위 꼬리말은 cm로 표시하도록 되어 있다면 100을 입력)
  ▶ **Sub-units-suffix(보조 단위 꼬리말)** : 치수 값의 보조 단위에 꼬리말을 추가
  (예, 0.96m를 96cm로 표시하려면 cm를 입력)
  ▶ **Trailing(후행)** : 소수점을 기준으로 뒤의 "0"을 생략(12.5000 → 12.5)
  ▶ **0 Feet (0 피트)** : 거리가 1피트 미만일 때 피트-인치 치수에서 피트 부분을 억제
  ▶ **0 Inch(0 인치)** : 피트-인치 차수에서 거리가 피트의 정수 부분만으로 이루어질 때 인치 부분 억제
- **Placement(배치)** : 대체 단위의 치수문자 배치를 조정
  ▶ **After primary value(1차 값 후)** : 1차 단위 뒤에 대체 단위를 배치
  ▶ **Below primary value(2차 값 아래)** : 1차 단위 아래에 대체 단위 배치

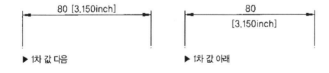

▶ 1차 값 다음   ▶ 1차 값 아래

7) Tolerances(공차)

: 측정된 단위값의 허용 공차 값 설정

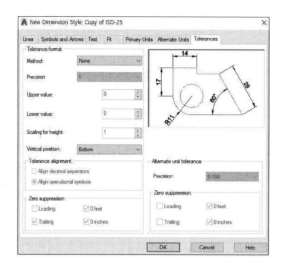

① Tolerance format(공차 형식)

: 공차의 표기 형식을 설정

- **Method(방법)** : 공차형식 중 표기법을 설정
  - ▶ **None(없음)** : 공차를 추가하지 않음
  - ▶ **Symmetrical(대칭)** : 치수 측정에 단일 편차 값이 적용되는 양수/음수 공차 표현식을 추가
  - ▶ **Deviation(편차)** : 양수/음수 공차 표현식을 추가
  - ▶ **Limits(한계)** : 최소값과 최대값이 차례로 표시
  - ▶ **Basic(기준)** : 기준 치수를 작성

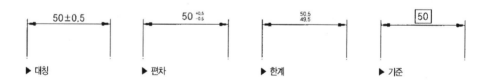

- **Precision(정밀도)** : 소수점 자릿수를 설정
- **Upper value(상한값)** : 최대 또는 상한 공차값을 설정이며, 대칭을 선택하면 공차에 이 값이 최대, 최소 공차 값으로 설정된다.
- **Lower value(하한값)** : 최소 또는 하한 공차값을 설정

- Scaling for height(높이에 대한 축척) : 주 치수 문자 높이에 대한 공차 높이의 비율로 공차 문자의 현재 높이를 설정

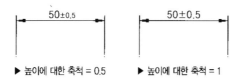

▶ 높이에 대한 축척 = 0.5   ▶ 높이에 대한 축척 = 1

- Vertical position(수직 위치) : 대칭 및 편차 공차의 문자 자리맞추기를 조정.
  - ▶ Top(맨 위) : 공차 문자를 주 치수 문자의 맨 위에 정렬
  - ▶ Middle(가운데) : 공차 문자를 주 치수 문자의 중간에 정렬
  - ▶ Bottom(맨 아래) : 공차 문자를 주 치수 문자의 맨 아래에 정렬

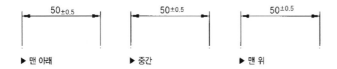

▶ 맨 아래   ▶ 중간   ▶ 맨 위

② Tolerance alignment (공차 정렬)

: 스택 시 상위 및 하위 공차 값의 정렬을 조정
- Align decimal separator(십진 구분 기호 정렬) : 소수 구분 기호에 의해 스택
- Align operational symbols(작동 기호 정렬) : 연산 기호에 의해 스택

③ Zero suppression (0 억제)

: 선행 및 후행 0 과 0 값이 있는 피트 및 인치의 억제(생략)
- Leading(선행) : 소수점 앞에 오는 0을 생략
- Trailing(후행) : 소수점 뒤에 오는 0을 생략
- 0 Feet (0 피트) : 거리가 1피트 미만일 때 피트-인치 치수에서 피트 부분을 억제
- 0 Inch(0 인치) : 피트-인치 치수에서 거리가 피트의 정수 부분만으로 이루어질 때 인치 부분 억제

④ Alternate unit tolerance(대체 단위 공차)

대체 공차 단위의 형식을 지정(대체단위를 사용할 경우 활선화됨)
- Precision(정밀도) : 소수점 자릿수를 및 설정
- Zero suppression(0 억제) : 선행 및 후행 0 그리고 0 값이 있는 피트 및 인치의 억제
  - ▶ Leading(선행) : 소수점 앞에 오는 0을 억제(생략)
  - ▶ Trailing(후행) : 소수점 뒤에 오는 0을 생략
  - ▶ 0 Feet (0 피트) : 거리가 1피트 미만일 때 피트-인치 치수에서 피트 부분을 억제
  - ▶ 0 Inch(0 인치) : 피트-인치 치수에서 거리가 피트의 정수 부분만으로 이루어질 때 인치 부분 억제

3. Linear Dimension (직선치수)

수평(가로) 또는 수직(세로) 치수를 기입할 때 사용하며 치수를 직접 입력하거나 보조선의 각도를 변경할 수 있다.

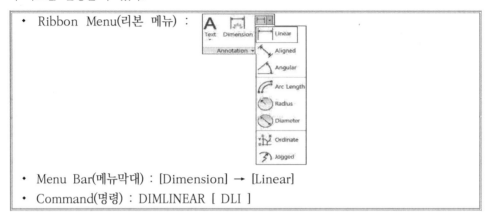

- Ribbon Menu(리본 메뉴) :
- Menu Bar(메뉴막대) : [Dimension] → [Linear]
- Command(명령) : DIMLINEAR [DLI]

3.1 수평치수 기입

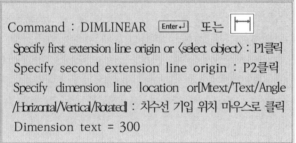

Command : DIMLINEAR [Enter↵] 또는

Specify first extension line origin or ⟨select object⟩ : P1클릭
Specify second extension line origin : P2클릭
Specify dimension line location or[Mtext/Text/Angle
/Horizontal/Vertical/Rotated] : 치수선 기입 위치 마우스로 클릭
Dimension text = 300

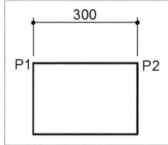

3.2 수직치수 기입

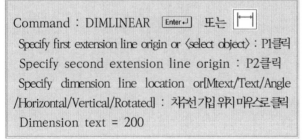

Command : DIMLINEAR [Enter↵] 또는

Specify first extension line origin or ⟨select object⟩ : P1클릭
Specify second extension line origin : P2클릭
Specify dimension line location or[Mtext/Text/Angle
/Horizontal/Vertical/Rotated] : 치수선기입 위치마우스로클릭
Dimension text = 200

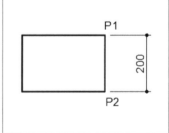

3.3 Mtext(여러 줄 문자) 기입

Command : DIMLINEAR [Enter↵] 또는 [H]

Specify first extension line origin or ⟨select object⟩: P1클릭

Specify second extension line origin : P2클릭

Specify dimension line location or [Mtext/Text/Angle/Horizontal/Vertical/Rotated] : M (문자 편집기 탭이 생성 됨)

문자 상자에 문자 및 치수 기입 후 클릭 → 치수선 기입 위치 마우스로 클릭

Dimension text = 300

• 치수 문자를 간편하게 수정하기 위해 차수 문자를 더블 클릭하면 문자 편집기 탭이 생성되어 쉽게 편집할 수 있다.

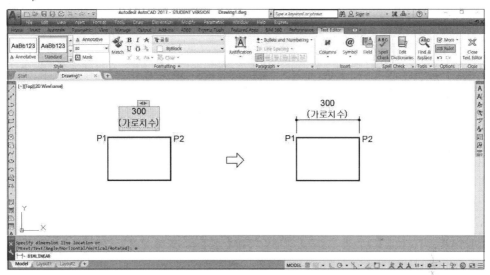

3.4 Text(문자) 기입

Command : DIMLINEAR [Enter↵] 또는 [H]

Specify first extension line origin or ⟨select object⟩: P1클릭

Specify second extension line origin : P2클릭

Specify dimension line location or [Mtext/Text/Angle/Horizontal/Vertical/Rotated] : T (문자 편집기 탭이 생성 됨)

Enter dimension text ⟨300⟩ : [Enter↵]

치수선 기입 위치 마우스로 클릭

Dimension text = 300

Linear Dimension 모드 Option
1) Mtext : 여러 줄 문자 기입
2) Text : 한 줄 치수 문자 기입
3) Angle : 치수 문자의 각도 설정
4) Horizontal : 수평(가로) 치수 기입 시 사용
5) Vertical : 수직(세로) 치수 기입 시 사용
6) Rotated : 회전 차수를 설정할 때 사용(차수보조선이 회전)

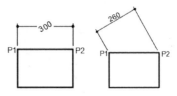

Angle 옵션 실행   Rotated 옵션 실행

3.5 Aligned(정렬 치수) 기입

Aligned(정렬 치수)는 사선(대각선)의 길이를 측정하고 기입하는데 사용하는 명령어이다.

• Ribbon Menu(리본 메뉴) :

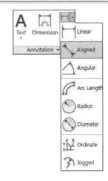

• Menu Bar(메뉴막대) : [Dimension] → [Aligned]
• Command(명령) : DIMALIGNED [DAL]

Command : DIMALIGNED [Enter↵] 또는
Specify first extension line origin or 〈select object〉
: P1클릭
Specify second extension line origin : P2클릭
Specify dimension line location or [Mtext/Text/Angle]
: 치수선 기입 위치 마우스로 클릭
Dimension text = 283

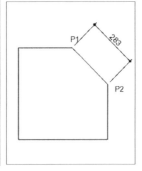

3.6 Dimcontinue(연속치수) 기입

연속치수란 이전에 기입한 객체의 치수 보조선 원점 중 두 번째 원점을 기준으로 객체의 연속된 치수를 작성하는 명령어이다.

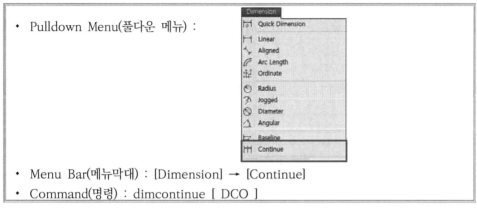

- Pulldown Menu(풀다운 메뉴) :
- Menu Bar(메뉴막대) : [Dimension] → [Continue]
- Command(명령) : dimcontinue [DCO]

Command : DIM [Enter↵]
Specify first extension line origin or 〈select object〉: P1클릭 [Enter↵]
Specify second extension line origin : P2클릭 [Enter↵]
Specify dimension line location or [Mtext/Text/Angle/Horizontal/Vertical/Rotated] : P3클릭
Dimension text = 250

Command : dimcont [Enter↵] 또는 |┼┼|
Specify second extension line origin or [Select/Undo] 〈Select〉 : P4클릭
Dimension text = 250
Specify second extension line origin or [Select/Undo] 〈Select〉 : P5클릭
Dimension text = 250
Specify second extension line origin or [Select/Undo] 〈Select〉 : [Enter↵]
Select continued dimension : [Enter↵]

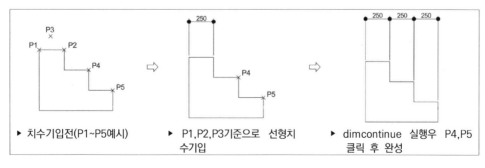

▶ 치수기입전(P1~P5예시)   ▶ P1,P2,P3기준으로 선형치수기입   ▶ dimcontinue 실행우 P4,P5 클릭 후 완성

3.7 Baseline(기준선 치수) 기입

기준선 치수 명령어는 첫 번째 치수보조선에서 시작되는 다중 치수선이다. 기준선 치수는 선형, 각도, 정렬치수 등의 기준이 되는 치수가 있어야하며, 먼저 기입된 치수로부터 마지막 지정한 치수까지의 거리를 측정하여 기입된다.

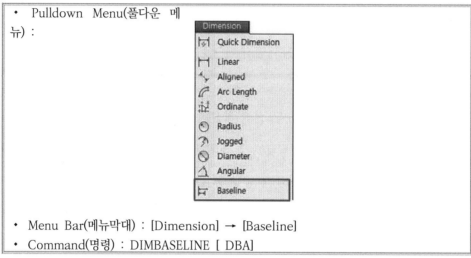

- Pulldown Menu(풀다운 메뉴) :
- Menu Bar(메뉴막대) : [Dimension] → [Baseline]
- Command(명령) : DIMBASELINE [DBA]

Command : dim [Enter↵]
Specify first extension line origin or ⟨select object⟩ : P1클릭
Specify second extension line origin : P2클릭
Specify dimension line location or
[Mtext/Text/Angle/Horizontal/Vertical/Rotated] : P3 클릭
Dimension text = 250
Command :
Command : dimbaseline [Enter↵] 또는 ⊢ 클릭
Specify second extension line origin or [Select/Undo] ⟨Select⟩:
Dimension text = 500
Specify second extension line origin or [Select/Undo] ⟨Select⟩:
Dimension text = 750
Specify second extension line origin or [Select/Undo] ⟨Select⟩:
Select base dimension:

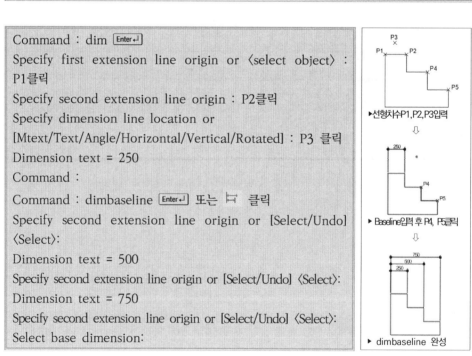

▶선형치수P1,P2,P3입력

⇩

▶ Baseline입력 후 P4, P5클릭

⇩

▶ dimbaseline 완성

4. 원 또는 원호의 치수 기입

4.1 Radius Dimension(반지름치수)

반지름 치수의 기입은 중심선 또는 중심선 표식을 갖는 원과 호의 반지름 치수를 기입하는 명령어이다.

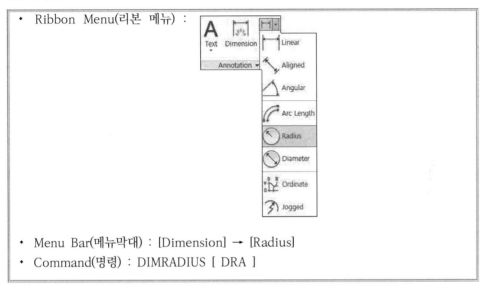

- Ribbon Menu(리본 메뉴) :

- Menu Bar(메뉴막대) : [Dimension] → [Radius]
- Command(명령) : DIMRADIUS [DRA]

Command : DIMRADIUS [Enter↵] 또는

Select arc or circle : 원 또는 호 클릭

Dimension text = 500

Sepcify dimension line location or [Mtext/Text/Angle] : 치수선의 위치 클릭(안쪽

또는 바깥쪽

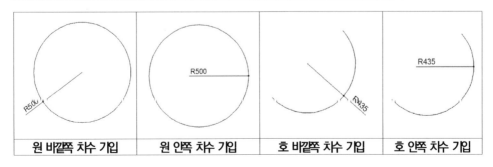

원 바깥쪽 치수 기입	원 안쪽 치수 기입	호 바깥쪽 치수 기입	호 안쪽 치수 기입

4.2 Diameter Dimension(지름치수)

반지름 치수의 기입은 중심선 또는 중심선 표식을 갖는 원과 호의 반지름 치수를 기입하는
명령어이다.

- Ribbon Menu(리본 메뉴) :

- Menu Bar(메뉴막대) : [Dimension] → [Diameter]
- Command(명령) : DIMDIAMETER [DDI]

Command : DIMDIAMETER Enter↵ 또는

Select arc or circle : 원 또는 호 클릭

Dimension text = 1,000

Sepcify dimension line location or [Mtext/Text/Angle] : 치수선의 위치 클릭(안쪽 또는 바깥쪽)

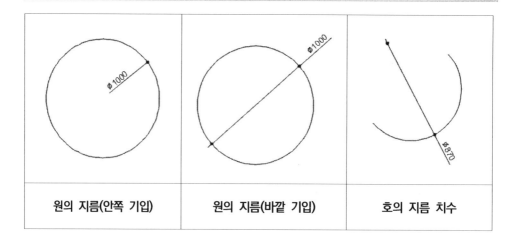

| 원의 지름(안쪽 기입) | 원의 지름(바깥 기입) | 호의 지름 치수 |

4.3 Center Mark(중심표시)

원이나 호의 중심점 십자 모양의 표식(양수 '+' 로 입력)이나 중심선(음수 ' - '로 입력)을 작성하는 명령어이다.

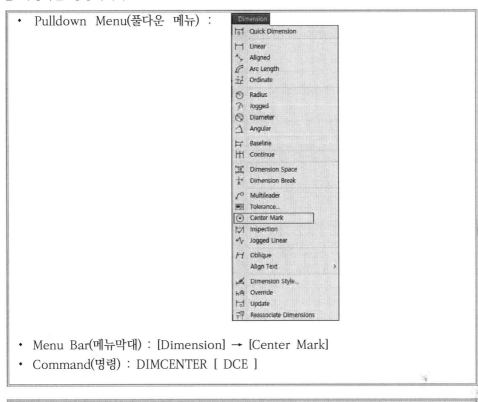

- Pulldown Menu(풀다운 메뉴) :
- Menu Bar(메뉴막대) : [Dimension] → [Center Mark]
- Command(명령) : DIMCENTER [DCE]

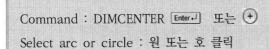

Command : DIMCENTER `Enter↵` 또는 ⊕

Select arc or circle : 원 또는 호 클릭

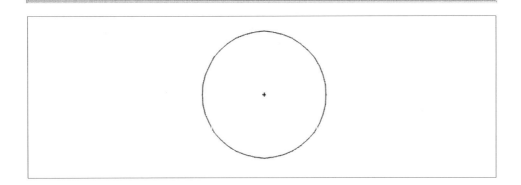

4.4 호의 길이 치수(Dimarc) 기입

호나 폴리라인 호의 길이를 측정하여 기입하는 기능이다.

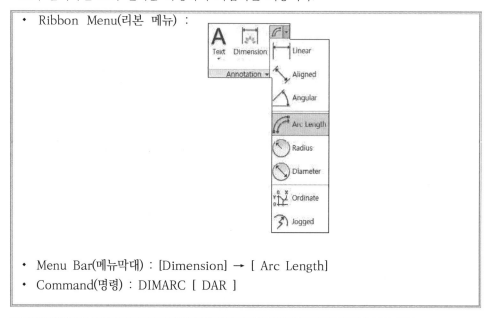

* Menu Bar(메뉴막대) : [Dimension] → [Arc Length]
* Command(명령) : DIMARC [DAR]

Command : DIMARC Enter↵ 또는

Select arc or polyline arc segment : 호 또는 폴리라인 호 클릭

Specify arc length dimension location, or [Mtext/Text/Angle/Partial/Leader] : 호 길이 치수 위치 클릭

Dimension text = 1588

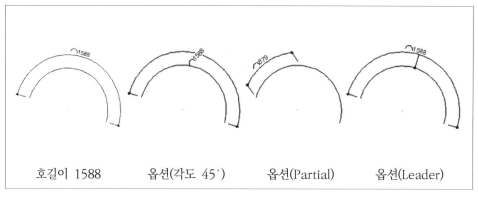

| 호길이 1588 | 옵션(각도 45°) | 옵션(Partial) | 옵션(Leader) |

4.5 각도 치수(Dimangular) 기입

각도 치수 기입 명령은 두 선분을 선택하여 두 선분 사이의 각도를 기입하는 명령어로 호의 각도를 기입하거나 원을 지나는 두 점 사이의 각도 등을 기입한다.

- Ribbon Menu(리본 메뉴) :

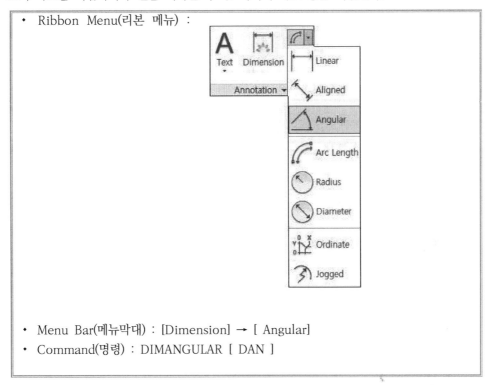

- Menu Bar(메뉴막대) : [Dimension] → [Angular]
- Command(명령) : DIMANGULAR [DAN]

1) 두 선분이 이루는 각도 치수 기입

Command : DIMANGULAR [Enter↵] 또는 [△]

Select arc, circle, line, or 〈specify vertex〉 :
P1 클릭(각도를 이루는 첫 번째 선 클릭)

Select second line : P2클릭(각도를 이루는 두 번째 선분 클릭)

Specify dimension arc line location or
[Mtext/Text /Angle/Quadrant] : P3클릭 (치수 위치 클릭)

Dimension text = 30

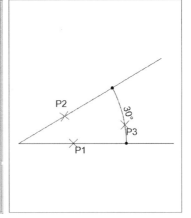

2) 원의 두 점 사이 각도 치수 기입

Command : DIMANGULAR [Enter↵] 또는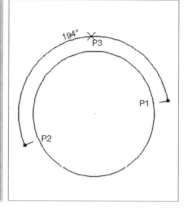

Select arc, circle, line, or ⟨specify vertex⟩ : P1클릭(원의 첫 번째 점 클릭)

Specify second angle endpoint : P2클릭(기입할 원의 두 번째 각도 위치 클릭)

Specify dimension arc line location or [Mtext/Text/Angle/Quadrant] : P3클릭(치수 위치 클릭)

Dimension text = 194

● 호의 각도 치수 기입

Command : DIMANGULAR [Enter↵] 또는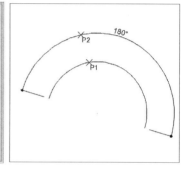

Select arc, circle, line, or ⟨specify vertex⟩ : P1 클릭 (각도 치수를 기입할 호 클릭)

Specify dimension arc line location or [Mtext/Text /Angle /Quadrant] : P2 클릭 (치수 위치 클릭)

Dimension text = 180

● " [Mtext/Text/Angle/Quadrant] : " 명령어의 옵션은 치수 문자의 기입 방법이다.

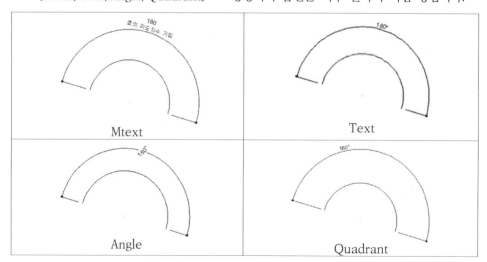

4.6 꺾인 지시선 치수(Dimjogged) 기입

원이나 호의 반지름 치수를 기입하는 명령으로 곡선의 반지름이 클 경우 중심선 표시가 화면 밖에 있을 때 꺾인선 지시선 치수를 사용하여 곡선의 중심점을 임의로 표시하여 치수를 기입할 수 있다는 점에서 일반 반지름(Radius) 치수 기입법과는 다르다.

- Ribbon Menu(리본 메뉴) :

A		△:
Text	Dimension	Linear
	Annotation ▾	Aligned
		Angular
		Arc Length
		Radius
		Diameter
		Ordinate
		Jogged

- Menu Bar(메뉴막대) : [Dimension] → [Jogged]
- Command(명령) : DIMJOGGED [DJO]

1) 꺾인 지시선으로 원의 지름치수 기입

Command : DIMJOGGED [Enter↵] 또는 🗲
Select arc or circle : P1클릭(원 선택)
Specify center location override : P2클릭(재지정 중심점 클릭) 꺾인 선과 치수 생성
Dimension text = 505
Specify dimension line location or [Mtext/Text /Angle]: P3클릭(마우스를 움직여 치수 문자의 위치클릭)
Specify jog location : P4 클릭(마우스를 움직여 꺾인 선의 위치 클릭)

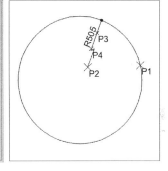

2) 꺾인 지시선으로 호의 지름치수 기입

Command : DIMJOGGED [Enter↵] 또는 🗲
Select arc or circle : P1클릭(호 선택)
Specify center location override : P2클릭(호의 재 지정 중심점 클릭) 꺾인 선과 치수 생성
Dimension text = 1624
Specify dimension line location or [Mtext/Text /Angle] : P3클릭(마우스를 움직여 치수 문자의 위치클릭)
Specify jog location : P4클릭(마우스를 움직여 꺾인 선의 위치 클릭)

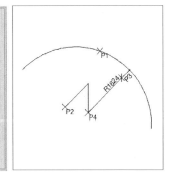

4.7 세로좌표 치수(Dimordinate) 기입

세로좌표 치수 명령은 X 또는 Y좌표 상에 지시선을 그어 치수를 기입한다. 세로좌표 치수는 데이텀이라는 원점으로부터 부품의 구멍과 같은 피치까지의 수평 또는 수직 길이 치수를 말한다.

* Ribbon Menu(리본 메뉴) :

A Text	Dimension

Annotation ▾

- Linear
- Aligned
- Angular
- Arc Length
- Radius
- Diameter
- Ordinate
- Jogged

* Menu Bar(메뉴막대) : [Dimension] → [Ordinate]
* Command(명령) : DIMORDINATE [DOR]

1) 데이텀(수직 지시선에 치수 기입)에 의한 치수 기입

이 기능은 치수가 수직 지시선에 기입된다. 마우스의 움직임에 따라 수직선이나 꺾임선 위에 기입된다.

Command : DIMORDINATE Enter↵ 또는 클릭
Specify feature location : P1클릭(보조선과 기입치수 활성화)
Specify leader endpoint or [Xdatum/Ydatum/Mtext/Text
/Angle] : X Enter↵ (세로축 기입치수 활성화)
Specify leader endpoint or [Xdatum/Ydatum/Mtext /Text/Angle] : 지시선 끝점 P2 클릭
Dimension text = 27077

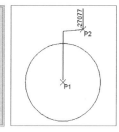

2) Y 데이텀(수직 지시선에 치수 기입)에 의한 치수 기입

이 기능은 치수가 수평 지시선을 긋고 그 위에 치수를 기입한다. 마우스의 움직임에 따라 수평선에 기입될 수도 있고 꺾임선 위에 기입될 수도 있다.

Command : DIMORDINATE Enter↵ 또는 클릭
Specify feature location : P1클릭(보조선과 기입 치수 활성화)
Specify leader endpoint or [Xdatum/Ydatum/Mtext /Text/Angle]
: Y Enter↵ (가로축 기입치수 활성화)
Specify leader endpoint or [Xdatum/Ydatum/Mtext/Text/Angle]
: 지시선 끝점 P2 클릭
Dimension text = 1282

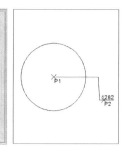

5. 치수 공간 (Dimspace)

치수공간은 치수간격을 일정하게 조절하여주는 기능으로서 기입된 치수가 같은 간격으로 배치되어 있지 않을 때 사용하는 명령어이다. 이 때 각도 치수는 중심을 공유해야 선택된 치수는 서로 평행하고 치수보조선이 있어야 한다.

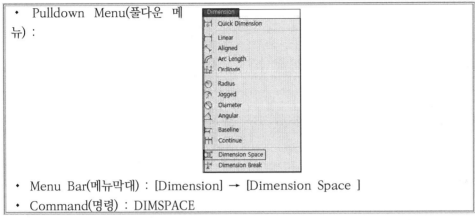

* Pulldown Menu(풀다운 메뉴) :

* Menu Bar(메뉴막대) : [Dimension] → [Dimension Space]
* Command(명령) : DIMSPACE

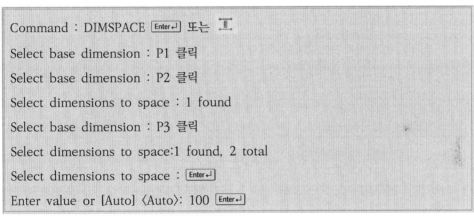

Command : DIMSPACE [Enter↵] 또는 [아이콘]

Select base dimension : P1 클릭

Select base dimension : P2 클릭

Select dimensions to space : 1 found

Select base dimension : P3 클릭

Select dimensions to space:1 found, 2 total

Select dimensions to space : [Enter↵]

Enter value or [Auto] 〈Auto〉: 100 [Enter↵]

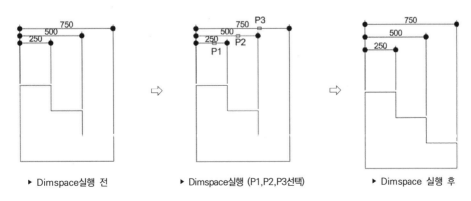

▶ Dimspace실행 전   ▶ Dimspace실행 (P1,P2,P3선택)   ▶ Dimspace 실행 후

6. 신속 치수(Qdim)기입

치수공간은 치수간격을 일정하게 조절하여주는 기능으로서 기입된 치수가 같은 간격으로 배치되어 있지 않을 때 사용하는 명령어이다. 이 때 각도 치수는 중심을 공유해야 선택된 치수는 서로 평행하고 치수보조선이 있어야 한다.

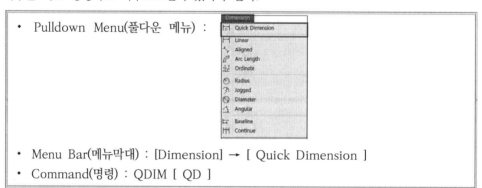

* Pulldown Menu(풀다운 메뉴) :
* Menu Bar(메뉴막대) : [Dimension] → [Quick Dimension]
* Command(명령) : QDIM [QD]

6.1 연속치수 기입

신속치수 명령어를 입력하거나 아이콘을 클릭하여 명령을 실행한 후 치수를 기입할 부분의 객체를 한 번에 선택하고 옵션에서 연속(C)을 입력 후 치수선의 위치를 지정한다.

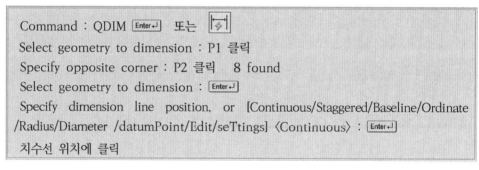

Command : QDIM [Enter↵] 또는 [이미지]
Select geometry to dimension : P1 클릭
Specify opposite corner : P2 클릭 8 found
Select geometry to dimension : [Enter↵]
Specify dimension line position, or [Continuous/Staggered/Baseline/Ordinate /Radius/Diameter /datumPoint/Edit/seTtings] 〈Continuous〉 : [Enter↵]
치수선 위치에 클릭

연속 치수 실행 전   연속치수 실행 후

Quick Dimension 모드 Option

1) Continuous(연속) : 연속된 선형 치수선을 작성

2) Staggered(다중) : 일정한 간격으로 간격띄우기한 일련의 다중 치수를 작성

3) Baseline(기준선) : 공통 치수보조선을 공유하는 일련의 기준선 치수를 작성

4) Ordinate(세로좌표) : 치수보조선 하나와 데이터 점을 기준으로 측정된 X 또는 Y 값을 함께 사용하여 피쳐에 주석을 단 일련의 세로좌표 치수를 작성

5) Radius(반지름) : 선택한 호 및 원의 반지름 치수 작성

6) Diameter(지름) : 선택한 호 및 원의 지름 치수 작성

7) Datumpoint(데이텀 점) : 기준선 치수와 세로좌표 치수의 새 데이텀 점을 설정

8) Edit(편집) : 치수를 생성하기 전에 선택한 점 위치를 제거

9) Settings(설정) : 치수보조선 원점(교차점 또는 끝점)을 지정하기 위한 객체 스냅 우선 순위를 설정

• Quick Dimension Option 설정 예

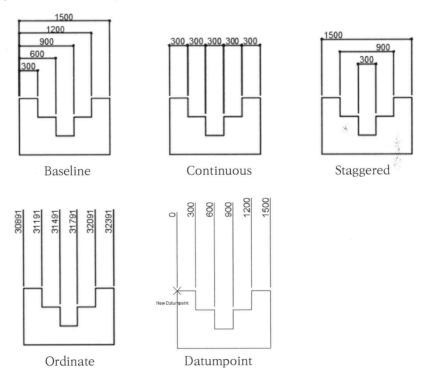

Baseline   Continuous   Staggered

Ordinate   Datumpoint

7. Oblique(경사치수)기입

치수보조선을 필요에 따라 일정 각도를 기울려 치수를 표현하고자 할 때 사용하는 명령어이다.

* Pulldown Menu(풀다운 메뉴) :

* Menu Bar(메뉴막대) : [Dimension] → [Oblique]
* Command(명령) : DIMEDIT → OBLIQUE

Command : DIMEDIT [Enter↵]
Enter type of dimension editing [Home/New/Rotate
/Oblique] 〈Home〉 : O
Select objects : 기우릴 치수 마우스 클릭
Select objects : [Enter↵]
Enter obliquing angle (press ENTER for none) : 45 (기울기 각도 입력)

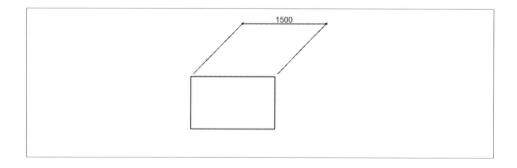

8. 치수의 편집

8.1 치수 편집 (Dimedit)

작성한 치수 문자들의 각도를 변경하거나 새롭게 작성 또는 치수보조선의 기울기를 재설정하는 명령어이다.

- Command(명령) : DIMEDIT [DIMED]

Command : DIMEDIT [Enter↵]
Enter type of dimension editing [Home/New/Rotate/Oblique] 〈Home〉: N [Enter↵]

문자 편집기와 [300] 가 생성 (이를 이용하여 새 문자 편집)
Select objects : P1 클릭
Select objects : [Enter↵]

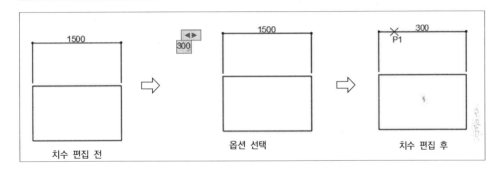

| 치수 편집 전 | 옵션 선택 | 치수 편집 후 |

Dimedit 모드 Option

1) Home : 변경된 치수문자의 위치를 가운데로 정렬
2) New : 치수 문자를 새로운 값으로 수정하여 기입
3) Rotate : 치수문자를 회전
4) Oblique : 치수보조선을 회전시켜 치수를 기입

8.2 치수 문자 편집 (Dimtedit)

작성한 치수 문자들의 각도를 변경하거나 새롭게 작성 또는 치수보조선의 기울기를 재설정하는 명령어이다.

• Command(명령) : DIMTEDIT [DIMTED]

Command : DIMTEDIT [Enter↵] 또는 DIMTED
Select dimension : P1클릭
Specify new location for dimension text or [Left/Right/Center/Home/Angle] : L [Enter↵]

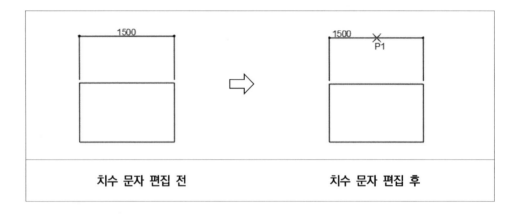

| 치수 문자 편집 전 | 치수 문자 편집 후 |

Dimedit 모드 Option

  1) Left : 선택한 치수의 문자를 왼쪽으로 정렬하는 옵션
  2) Right : 선택한 치수를 오른쪽으로 정렬하는 옵션
  3) Center : 선택한 치수의 문자를 중앙으로 정렬하는 옵션
  4) Home : 변경한 치수문자의 각도를 처음 상태로 복원하는 옵션
  5) Angle : 선택한 치수 문자의 각도를 변경하는 옵션

8.3 DIMSCALE(치수 축척 변경)

- Command(명령) : DIMSCALE

Command : DIMSCALE [Enter↵]
Enter new value for DIMSCALE ⟨1.0000⟩: 10

8.4 DIMS-UPDATE(치수 환경 변경)

- Menu Bar(메뉴막대) : [Dimension] → [Update]

[Dimension] → [Update] 클릭
Enter a dimension style option[ANnotative/Save/Restore/STatus/Variables
/Apply/?] ⟨Restore⟩ : _apply
S elect objects : 치수 클릭 [Enter↵]

8.5 DIMS-OVERRIDE(치수 특성에 덮어쓰기)

- Menu Bar(메뉴막대) : [Dimension] → [Override]

[Dimension] → [Override] 클릭
Enter dimension variable name to override or [Clear overrides] : DIMSCALE
Enter new value for dimension variable ⟨10.0000⟩: 30
Enter dimension variable name to override : [Enter↵]
Select objects : 치수 클릭
Select objects : [Enter↵]

TIP	• 치수문자 편집에서 문자 크기를 변경하여도 변화가 없을 경우는, [TEXT Style]의 [Height] 값을 '0'으로 설정하여야 한다. 만약 [TEXT Style]의 [Height] 값을 특정한 값으로 정해 놓으면 치수문자의 크기도 그 값을 따르게 된다.

9. 다중 지시선(Multileader)

9.1 다중지시선 스타일

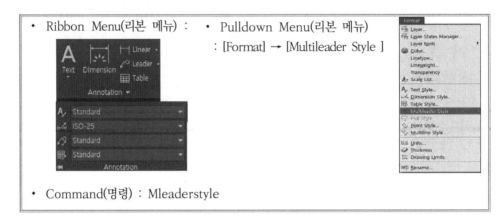

- Ribbon Menu(리본 메뉴) :
- Pulldown Menu(리본 메뉴)
  : [Format] → [Multileader Style]
- Command(명령) : Mleaderstyle

1) 다중 지시선 스타일 명령어 옵션

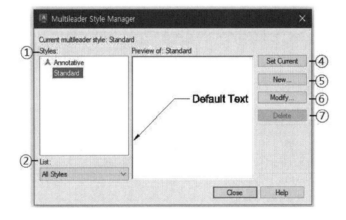

① **Style(스타일)** : 다중 지시선 스타일 목록을 나타낸다.

② **List** : 'All Styles(모든 스타일)'을 선택하면 목록에 설정된 모든 스타일이 나타나고, '사용중인 스타일'을 선택하면 현재도면에 'Styles in use(사용중인 스타일)' 목록이 나타난다.

③ **Preview of (미리보기)** : 스타일 목록에서 선택한 스타일의 미리 보기 이미지를 표시한다.

④ **Set Current(현재로 설정)** : 스타일 목록에서 선택한 다중지시선 스타일로 설정한다. 새로운 모든 다중지시선은 현재 설정된 스타일을 사용하여 작성된다.

⑤ **New...(새로만들기)** : 새로운 다중선 스타일을 작성한다. '새로만들기'를 클릭하여

'Create New Multileader Style(새 다중지시선 스타일)' 작성 대화상자를 열고 'New style name(새 스타일 이름)'을 입력한 후 '⌜Continue⌟ 계속'을 클릭하고 옵션을 설정한다. '시작'에서는 기존의 다중지시선 스타일을 선택한 후 설정을 기본으로 새 스타일을 작성한다.

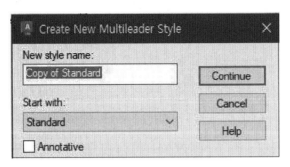

⑥ **Moderfy(수정)** : 다중지시선 스타일 수정
⑦ **Delete(삭제)** : 스타일 목록에서 선택한 다중 지시선 스타일을 삭제한다. 도면에서 사용중인 스타일을 삭제할 수 없다.

2) 다중지시선 스타일의 세부 옵션

'Mutileader Style Manager(다중지시선 스타일 대화상자)'에서 'New(새로만들기)'를 클릭하면 'Create New Multileader Style(새로 다중지시선 스타일 작성)' 생성되면 'Continue(계속)'을 클릭하거나, 또는 '다중지시선 스타일 대화상자'에서 Modify(수정)'을 클릭하면 다중지시선 스타일에 관한 세부 옵션 지정 대화상자가 생성된다.

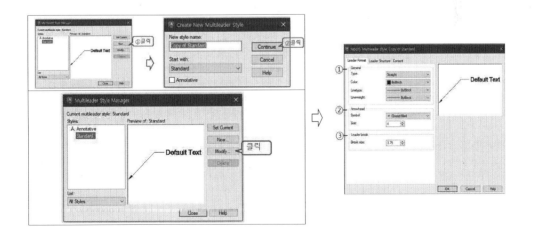

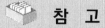 **참 고** 다중지시선 용어

➡ 다중 지시선 기본 용어 이해

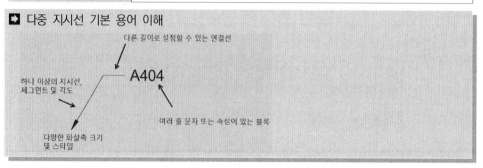

① General(일반)

- **Type(유형)** : 지시선의 유형을 설정.

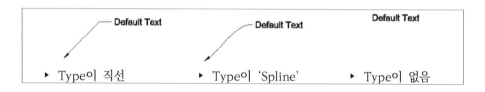

- **색상, 선종류, 선가중치** : 지시선의 색상, 종류, 가중치를 지정.

② Arrowhead(화살촉)

- **Symbol(기호)** : 화살촉의 형태 지정
- **Size(크기)** : 화살촉의 크기 조정

③ Leader Break(지시선 끊기)

치수끊기를 다중지시선에 추가 할 때 사용

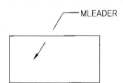

3) 지시선 구조

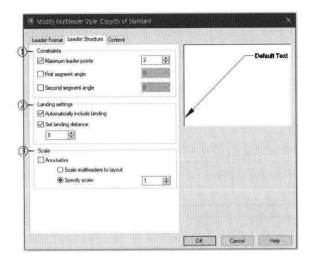

① Constraints(구속조건)

- Maximum leader points(최대 지시선 점 수) : 지시선의 최대의 점 수 조정

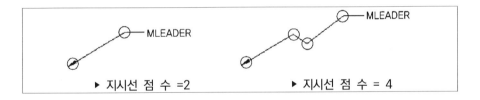

- First segment angle(첫번째 세그먼트 각도) : 체크(✔)하면 지시선의 첫 번째 각도 지정
- Second segment angle(첫번째 세그먼트 각도) : 체크(✔)하면 지시선의 첫 번째 각도 지정

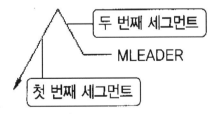

② 연결선 지정
 - **Automatically include landing(자동연결선 포함)** : 수평연결선에 다중지시선 내용에 부착
 - **Set landing distance(연결선 고리)** : 연결선 거리 조정

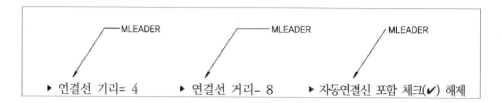

③ 축척
 - **Annotative(주석)** : 체크(✔)하면 다중 지시선이 주석 객체로 지정
 - **Scale mutileaders to layout(다중지시선을 배치에 맞게 축척)** : 모형공간 및 도면공간 뷰포트의 축척을 기반으로 하여 다중지시선의 축척비율을 지정
 - **Specify scale(축척지정)** : 다중지시선의 축척 조정

4) Content(내용)

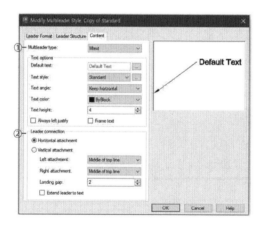

① **다중지시선 유형** : 다중지시선에 'Mtext(여러줄 문자)' 또는 'Block'을 사용할 것인지 지정
② **문자 옵션** : 다중지시선 유형이 'Mtext(여러줄 문자)' 선택시 설정

 - **Default text(기본문자)** : 📄 클릭→여러 줄 문자 내부 편집기→기본문자 입력(탭 문자편집기 생성)

 - 문자스타일, 각도, 색상, 높이, 항상 왼쪽 자리 맞추기 탭에서 각각을 지정

③ 지시선 연결

: 다중지시선 유형이 'Mtext(여러줄 문자)' 선택할 때 옵션이 나타남

- Left attachment(왼쪽 부착) : 문자가 지시선의 왼쪽에 있는 경우 다중지시선 문자에 연결선 부착 위치를 지정
- Right attachment(오른쪽 부착) : 문자가 지시선의 오른쪽에 있는 경우 다중지시선 문자에 연결선 부착 위치를 지정

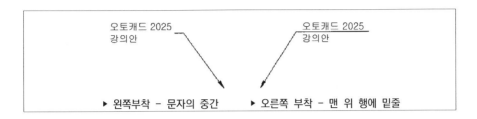

- **연결선 간격** : 연결선과 지시선문자 사이의 간격 지정

④ **블록옵션** : '다중지시선 유형'이 'Block'인 경우 나타나는 옵션

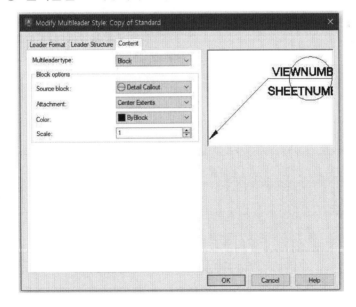

- **Source Block(원본 블록)** : 다중 지시선에 사용할 블록 지정
- **Attachment(부착)** : '사용자 정의' 블록을 사용하는 경우 다중지시선을 블록의 삽입점에 부착할지, 블록의 중심점에 부착할 여부 지정

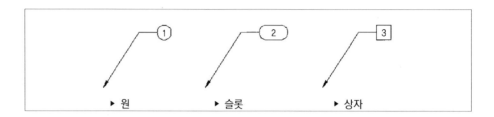

- **색상** : 다중지시선 블록의 색상 지정

9.2 다중지시선 작성

다중 지시선 스타일을 설정한 후 이를 이용해 다중 지시선을 작성한다. 다중 지시선은 여러 줄 문자로 주석을 넣거나 상세 콜아웃(뷰 번호, 시트 번호), 태그 번호 등을 도면에 넣을 때 편리하게 사용할 수 있다.

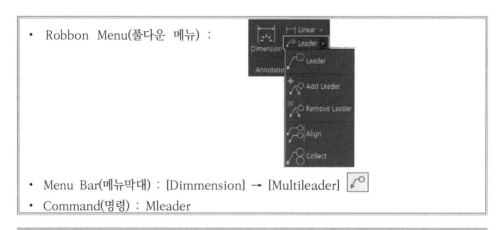

- Robbon Menu(풀다운 메뉴) :
- Menu Bar(메뉴막대) : [Dimmension] → [Multileader]
- Command(명령) : Mleader

Command : mleader [Enter↵] 또는 클릭
Specify first corner of text or [pre enter Text/select Mtext/leader arrowHead first /leader Landing first/Options] ⟨Options⟩ : P1 클릭
Specify opposite corner : P2 클릭
여러줄 문자입력 및 편집기 생성 : 문자입력 (여러줄 문자 입력기 밖 여백에 P3클릭)
Specify leader arrowhead location : P4

① Option : Mtext 먼저

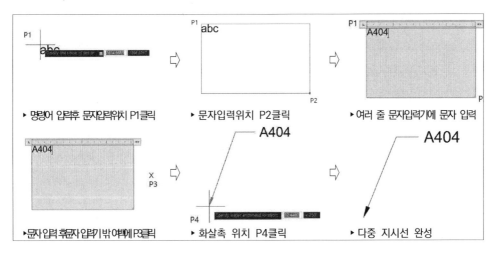

▸ 명령어 입력후 문자입력위치 P1클릭

▸ 문자입력위치 P2클릭

▸ 여러 줄 문자입력기에 문자 입력

▸ 문자입력 후 문자 입력기 밖 여백에 P3클릭

▸ 화살촉 위치 P4클릭

▸ 다중 지시선 완성

② Option : leader Landing first(지시선 연결 먼저)

Command : mleader Enter↵ 또는 클릭
Specify first corner of text or [pre enter Text/select Mtext/leader arrowHead first/leader Landing first/Options] ⟨leader Landing first⟩ : L Enter↵
Specify leader landing location or [pre enter Text/leader arrowHead first/Content first/Options] ⟨Options⟩ : P1클릭
Specify leader arrowhead location : P2 클릭
여러줄 문자입력 및 편집기 생성 : 문자입력 (여러줄 문자 입력기 밖 여백에 P3클릭)

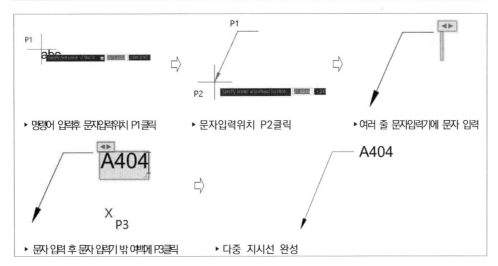

▸ 명령어 입력후 문자입력위치 P1클릭

▸ 문자입력위치 P2클릭

▸ 여러 줄 문자입력기에 문자 입력

▸ 문자 입력 후 문자 입력기 밖 여백에 P3클릭

▸ 다중 지시선 완성

③ Option : leader arrowHead first(화살촉 먼저)

Command : mleader [Enter↵] 또는 [🔍] 클릭
Specify first corner of text or [pre enter Text/select Mtext/leader arrowHead first/leader Landing first/Options] ⟨leader Landing first⟩ : H [Enter↵]
Specify leader arrowhead location or [pre enter Text/leader Landing first/Content first/Options] ⟨Content first⟩ : P1클릭(화살촉 위치)
Specify leader landing location : P2클릭(연결선 위치)

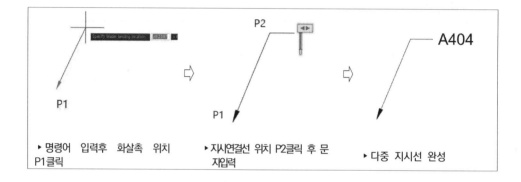

▶ 명령어 입력후 화살촉 위치 P1클릭 ▶ 지시연결선 위치 P2클릭 후 문자입력 ▶ 다중 지시선 완성

④ pre enter Text(문자 먼저 입력)

Command : mleader [Enter↵] 또는 [🔍] 클릭
Specify first corner of text or [pre enter Text/select Mtext/leader arrowHead first/leader Landing first/Options] ⟨leader Landing first⟩ : T [Enter↵]
Specify insertion point for text or [OVerwrite/leader arrowHead first/leader Landing first/Options] ⟨⟩ : 문자 위치 P1클릭 후 문자입력 후 문자입력기 밖 P2클릭하면 P3 생성
Specify leader arrowhead location : P4클릭 (화살촉 위치)

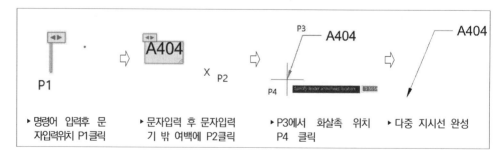

▶ 명령어 입력후 문자입력위치 P1클릭 ▶ 문자입력 후 문자입력기 밖 여백에 P2클릭 ▶ P3에서 화살촉 위치 P4 클릭 ▶ 다중 지시선 완성

9.2 다중지시선 수정

작성된 다중 지시선에 추가 또는 제거하고 정렬 및 수집하는 기능을 학습한다.

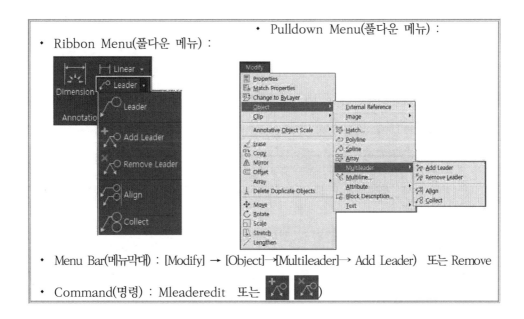

- Menu Bar(메뉴막대) : [Modify] → [Object]→[Multileader]→ Add Leader) 또는 Remove

- Command(명령) : Mleaderedit 또는

1) 지시선 추가

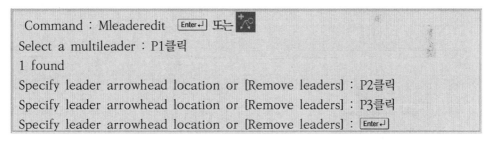

Command : Mleaderedit [Enter↵] 또는
Select a multileader : P1클릭
1 found
Specify leader arrowhead location or [Remove leaders] : P2클릭
Specify leader arrowhead location or [Remove leaders] : P3클릭
Specify leader arrowhead location or [Remove leaders] : [Enter↵]

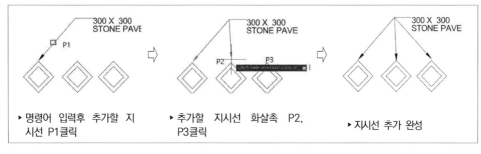

▸ 명령어 입력후 추가할 지   ▸ 추가할 지시선 화살촉 P2,
시선 P1클릭   P3클릭   ▸ 지시선 추가 완성

2) 지시선 제거

Command : MLEADEREDIT
Select a multileader : P1클릭 (편집할 다중 지시선 선택)
1 found
Specify leader arrowhead location or [Remove leaders]: r
Specify leaders to remove or [Add leaders] : P2 클릭 (제거할 지시선 클릭)
Specify leaders to remove or [Add leaders] : Enter↵

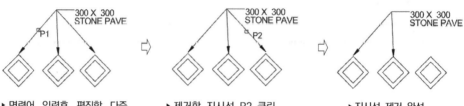

▸ 명령어 입력후 편집할 다중
  지시선 P1클릭

▸ 제거할 지시선 P2 클릭

▸ 지시선 제거 완성

TIP
● 리본메뉴나 도구막대를 이용할 경우옵션 선택과정이 나타나지 안음
Command :
Select a multileader : P1클릭 (편집할 다중 지시선 선택)
1 found
Specify leaders to remove or [Add leaders] : P2 클릭 (제거할 지시선 클릭)
Specify leaders to remove or [Add leaders] : Enter↵

3) 다중 지시선 정렬

* Ribbon Menu(풀다운 메뉴) :

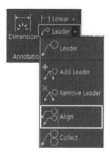

* Pulldown Menu(풀다운 메뉴) :

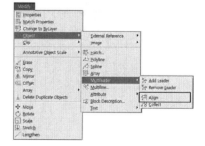

* Menu Bar(메뉴막대) : [Modify] → [Object]→[Multileader]→ Align
* Command(명령) : Mleaderalign 또는

Command : mleaderalign 또는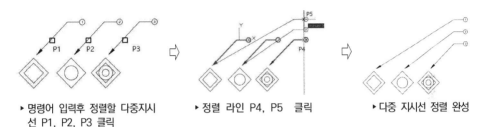

Select multileaders : P1클릭 1 found

Select multileaders : P2클릭 1 found, 2 total

Select multileaders : P3클릭 1 found, 3 total

Select multileaders : Enter↵

Current mode : Use current spacing

Select multileader to align to or [Options] : o Enter↵ (옵션 설정)

Enter an option [Distribute/make leader segments Parallel/specify Spacing /Use current spacing] ⟨Use current spacing⟩: d Enter↵

Specify first point or [Options] : P4 클릭

Specify second point : P5 클릭

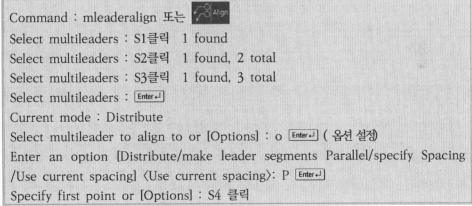

▸ 명령어 입력후 정렬할 다중지시 선 P1, P2, P3 클릭

▸ 정렬 라인 P4, P5 클릭

▸ 다중 지시선 정렬 완성

▸ **make leader segments Paralle(지시선 세그먼트를 평행으로 지정)** : 선택한 다중 지 시선의 마지막 지시선 세그먼트가 각각 평행이 되도록 컨텐츠를 배치

Command : mleaderalign 또는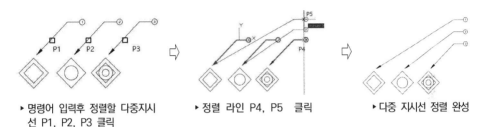

Select multileaders : S1클릭 1 found

Select multileaders : S2클릭 1 found, 2 total

Select multileaders : S3클릭 1 found, 3 total

Select multileaders : Enter↵

Current mode : Distribute

Select multileader to align to or [Options] : o Enter↵ (옵션 설정)

Enter an option [Distribute/make leader segments Parallel/specify Spacing /Use current spacing] ⟨Use current spacing⟩: P Enter↵

Specify first point or [Options] : S4 클릭

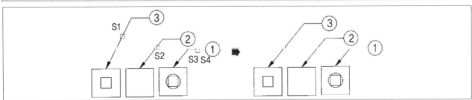

▶ specify Spacing(간격두기 지정) : 선택한 다중 지시선의 컨텐츠 범위 간 간격두기를 지정

Command : mleaderalign 또는 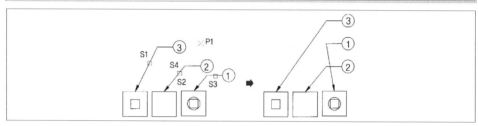Align
Select multileaders : S1클릭   1 found
Select multileaders : S2클릭   1 found, 2 total
Select multileaders : S3클릭   1 found, 3 total
Select multileaders : Enter↵
Current mode : make leader segments Parallel
Select multileader to align to or [Options] : o Enter↵ (옵션 설정)
Enter an option [Distribute/make leader segments Parallel/specify Spacing
/Use current spacing] 〈Use current spacing〉: S Enter↵
Specify spacing 〈0.000000〉: 10
Specify first point or [Options] : P1 클릭

▶ Use current spacing(현재 간격두기 사용) : 다중 지시선 컨텐츠 간 현재 간격두기를 사용

Command : mleaderalign 또는 Align
Select multileaders : S1클릭   1 found
Select multileaders : S2클릭   1 found, 2 total
Select multileaders : S3클릭   1 found, 3 total
Select multileaders : Enter↵
Current mode : specify Spacing
Select multileader to align to or [Options] : o Enter↵ (옵션 설정)
Enter an option [Distribute/make leader segments Parallel/specify
Spacing/Use current spacing] 〈Use current spacing〉: U Enter↵
Specify first point or [Options] : S4 클릭

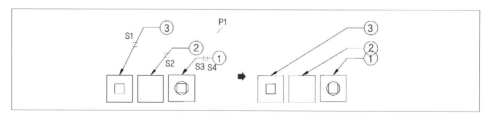

4) 다중 지시선 수집

블록을 콘텐츠로 포함하는 다중 지시선을 단일 지시선에 부착하여 패널으로 구성한다.
그리고 마지막으로 선택한 다중 지시선에 나머지 블록이 정렬한다.

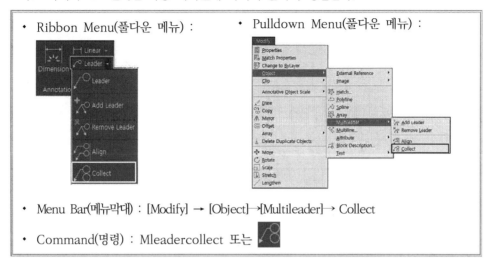

- Menu Bar(메뉴막대) : [Modify] → [Object]→[Multileader]→ Collect
- Command(명령) : Mleadercollect 또는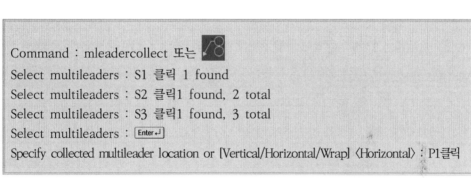

Command : mleadercollect 또는
Select multileaders : S1 클릭 1 found
Select multileaders : S2 클릭1 found, 2 total
Select multileaders : S3 클릭1 found, 3 total
Select multileaders : Enter↵
Specify collected multileader location or [Vertical/Horizontal/Wrap] 〈Horizontal〉 : P1클릭

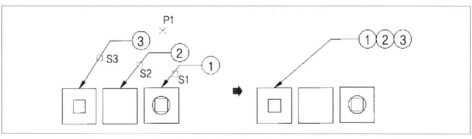

- ▶ Vertical(수직) : 수집한 다중 지시선 블록을 수직으로 배열
- ▶ Wrap(줄바꿈) : 줄바꿈된 다중 지시선 집합의 폭을 지정한다. 'Number(번호)'는 다중 지시선 집합의 행당 최대 블록 수를 지정

Command : mleadercollect 또는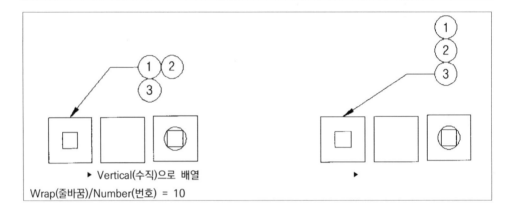

Select multileaders : S1 클릭 1 found
Select multileaders : S2 클릭1 found, 2 total
Select multileaders : S3 클릭1 found, 3 total
Select multileaders : [Enter↵]
Specify collected multileader location or [Vertical/Horizontal/Wrap]
⟨Horizontal⟩ : w [Enter↵]
Specify wrap width or [Number]: ⟨0.000000⟩10 [Enter↵]
Specify collected multileader location or [Vertical/Horizontal/Wrap] ⟨Wrap⟩ : [Enter↵]

▶ Vertical(수직)으로 배열
Wrap(줄바꿈)/Number(번호) = 10

▶

CHAPTER
08

도면층과 정보명령 조회

1. 도면층(Layer)
2. 정보조회명령

1. 도면층(Layer) (단축명령어 : LA)

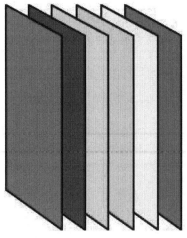

AutoCAD 프로그램에서 도면을 그릴 때 같은 속성을 가진 요소를 같은 이름으로 저장해 놓으면 필요에 따라 불러오거나 화면에서 보이게 하는 등 조정이 가능하다.

옆의 그림처럼 각각 투명한 셀로판지에 평면도를 벽체 마감선, 전기 배선도, 가구 배치도 등으로 나누어 그린다고 볼 때 이 각 부분을 다른 도면층에 그려두면 편리하게 작업을 할 수 있고 합치면 하나의 두면이 될 수 있다. 도면층을 따로 설정하면 도면층을 화면상에 보이게 하거나, 안 보이게 할 수 있고, 각 도면층 별로 색상이나 선 형태를 다시 지정해 줄 수 있기 때문입니다.

다시 말해서 도면층은 투명한 도면 여러 장을 기능상으로 구분하거나, 재질과 표현 같은 Display 상 구분이 필요할 때 , 각각의 내용을 따로 분리해 그려 놓고 관리하는 기능이다.

1.1 도면층 대화상자

도면에 문자를 기입할 때 문자의 유형을 설정하는 명령어이다.

- Ribbon Menu(리본 메뉴) :

  [Layer Properties | 🔆 ☀ 🔓 ⬛ 0 ▼ | Layers ▼]

- Menu Bar(메뉴막대) : [Format] → [Layer]
- Command(명령) : LAYER [LA]

• Layer 명령어의 실행

Command : LAYER [Enter↵] 또는 🖼

Layer Properties Manager 대화상자 생성

• **Layer Properties Manager 대화상자 생성**

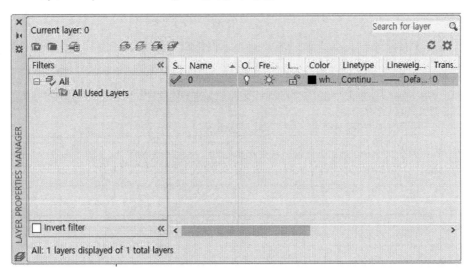

1) Current layer(현재 도면층)

현재 도면 층은 도면층을 만들고 관리하는 것으로서, 현재 도면층 "0"은 레이어 작업의 기본 층이며 이는 삭제되지 않는다. 다른 레이어를 지정하지 않는 한 모든 작업이 이 레이어 층에서 수행된다.

2) New Property Filter (새 특성 필터)

하나 이상의 레이어 특성을 기준으로 레이어 필터를 작성하며, 레이어 특성대ghk상자는 다음과 같다.

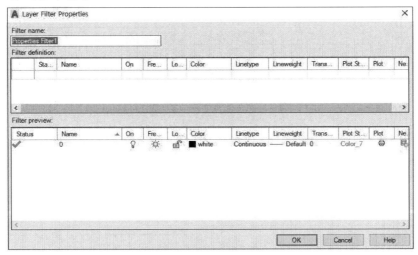

- Filter Name(필터 이름) : 도면층 특성 필터의 이름을 표시합니다.

- Filter Definition(필터정의) : 나열될 도면층을 결정하는 도면층의 특성을 표시
하나 이상의 특성을 클릭하여 지정해서 필터를 정의하고, 지정된 모든 특성이 도면
층 이름을 표시
ex) 필터 이름 : Mechanical로 지정
    필터 정의 : 도면층 이름에는 문자 "mech"가 포함, 켜기 on , 동결해제, 도면
    층이 잠겨 있rh, 색상은 빨간색
- Status(상태)
  ▶ 공백 : 도면층 상태가 문제가 되지 않음
  ▶ ⬜ : 도면층이 사용 중
  ▶ ⬜ : 도면층이 사용 중이 아님
  ▶ 🖥 : 도면층이 사용 중이며, 배치 뷰포트에 특성 재지정이 켜져 있음
  ▶ 🖥 : 도면층이 사용 중이 아니며, 배치 뷰포트에 특성 재지정이 켜져 있음
- Name(이름) : 도면층 이름 또는 표준 와일드카드 문자를 사용한 도면층 부분 이름을 입력
- On(켜기) : 켜기, 끄기, 공백 아이콘

3) New Group Filter(새 그룹 필터)

: 필터로 끄는 도면층만 포함하는 레이어 필터 작성

4) 도면층 및 도면층 특성

- New Layer ⬚⬚⬚⬚ : 도면층을 작성하고 기본 이름을 즉시 변경
- New Layer VP Frozen in All Viewport(새 도면층 VP가 모든 뷰포트에서 동결됨) ⬚⬚⬚⬚
  : 도면층을 작성하고 기존의 모든 배치 뷰포트에서 동결(모형 탭 또는 배치 탭에서 사용)
- Delete Layer(레이어삭제) ⬚⬚⬚⬚ : 선택한 도면층 삭제(예외, 0, defpoints,
  블록 도면층, 현재 도면층, 외부 참조 도면층, 부분적으로 열린 도면의 도면층)
- Set Current(현재로 설정) ⬚⬚⬚⬚ : 선택된 도면층을 현재 도면층으로 설정

⑤ 도면층 리스트 : 도면층 리스트를 사용하여 도면층 특성을 수정

- 정렬 : 열 레이블을 클릭하면 해당 열을 기준으로 정렬
- 열 순서 : 열을 리스트의 새 위치로 끌어 열 순서를 변경
- Status(상태) : {공백} : 도면층 필터
                  ✔ : 현재 도면층
                  ⬜ : 객체를 포함
                  ⬜ : 객체를 포함하지 않음(기본적으로 객체 포함하는 것으로 표시됨)

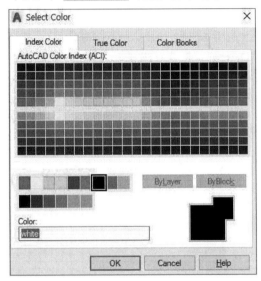

　　　　　　　　: 객체를 포함하며 배치 뷰포트에서 특성 재지정이 켜짐

　　　　　　　　: 객체 미포함, 배치 뷰포트에서 특성 재지정이 켜짐

- **Name(이름)** : 도면층 또는 필터의 이름을 표시

- **On(켜기)** 💡💡 : 선택한 도면층을 켜거나 끔.(💡 On, 💡 OFF)

- **Frozen(동결)** ☼ ❄ : 선택한 도면층을 동결 또는 해제(☼ 동결해제, ❄ 동결)

- **Lock(잠금)** 🔓🔒 : 선택한 도면층을 잠그거나 잠금해제 (잠김 시에는 도면 수정 불가능)

- **Color(색상)** : 선택한 도면층에 대한 색상을 지정(색상 선택 대화상자 표시)

  Color의 아이콘 (■ White)을 클릭하면 아래의 대화상자가 나타나면 원하는 색을 지정한 후 ⎡ OK ⎤ 버튼을 클릭 한다.

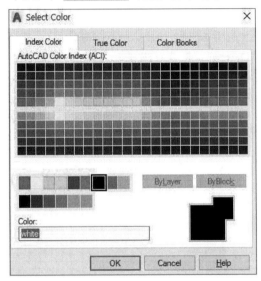

- **Linetype(선종류)** : 선택한 도면층에 대한 선종류 지정(선종류 선택 대화상자 표시) Continue 부위를 클릭하면, 아래의 대화상자가 나타난다. 원하는 선이 없으면

  ⎡ Load... ⎤ 버튼을 클릭한 후 해당 선 종류를 불러와 선택한다.

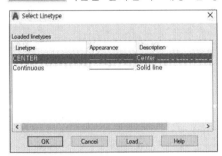 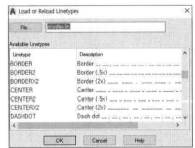

- Lineweight(선가중치) : 선택한 도면층에 대한 선가중치(선두께)지정(선가중치 대화상자 표시)

  —— Default 부위를 클릭하여 대화상자가 나타나면 원하는 선 두께를 선택한 후 OK 버튼을 클릭한다.

- Transparency(투명도) : 선택한 도면층에 대한 투명도 지정(투명도 대화상자 표시)

- Plot Style(플롯 스타일) : 선택한 도면층에 대한 플롯 스타일 지정(플롯 스타일 선택 대화상자 표시)

- Plot(플롯) : 선택된 도면층의 플롯 여부 조정(꺼져 있거나 동결된 도면층은 플롯 설정에 관계없이 플로팅되지 않음)

- New VP Freeze(새 VP 동결) : 새 배치 뷰포트에서 선택된 도면층을 동결

- Description(설명) : (선택적) 도면층 또는 도면층 필터에 대해 설명

TIP	• Freeze와 On 기능의 구분 사용
	  - 오랫동안 보이지 않게 하려는 도면층을 동결
	  - 가시성 설정을 자주 전환하려는 경우에는 도면이 재생성되지 않도록 하기 위해 On/Off 설정 사용

5) 도면층 리스트 관리

- Search for layer(도면층 검색) 🔍 : 문자를 입력하면 이름별로 도면층 리스트를 필터링

#(파운드)	임의의 숫자와 일치
@(at)	임의의 영문자와 일치
. (마침표)	영숫자가 아닌 임의의 문자와 일치
*(별표)	임의의 문자열과 일치하며 검색 문자열의 어느 곳에서나 사용 가능
? (물음표)	임의의 단일 문자에 해당(예: ?BC는 ABC, 3BC 등과 일치)
~(물결 기호)	특정 패턴을 제외한 모든 문자열과 일치(예: ~*AB*는 AB를 포함하지 않는 모든 문자열과 일치)
[ ]	괄호 안의 문자 중 하나와 일치(예: [AB]C는 AC 및 BC와 일치)
[~]	괄호 안에 없는 임의의 문자와 일치(예: [~AB]C는 XC와 일치하지만 AC와는 일치하지 않음)
[-]	단일 문자의 범위를 지정(예: [A-G]C는 AC, BC에서 GC까지 해당하지만 HC는 해당하지 않음)
'(역따옴표)	다음에 오는 문자를 문자 그대로 읽음(예: '~AB는 ~AB와 일치)

6) 도면층 상태 관리자

- 도면층 상태관리자는 지정된 도면층 상태를 관리하며, 현재 설정된 도면층을 저장하여, 필요에 따라 복원하여 사용할 수 있는 기능

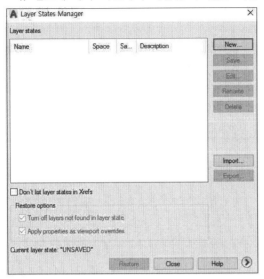

1.2 Layer Toolbar(레이어 도구 막대) 실행 예

①클릭

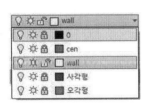

-  Layer Properties Manager : 대화상자 생성
- (On), (Off) • (Isolate), (Unisolate)
- (Freezen), (Thaw) (Lock), (Unlock
- (Make Current) • (Match Layer)
- (Previous) • (Change to Current Layer)
- (Layer Walk) • (Merge)
- (Delete)
- (Copy Objects to New Layer)
- (VP Freeze in ALL Viewports except current)
- 현재 레이어의 종류와 상태를 나타내고 우측의 ▼표시를 클릭하면 현재 도면에서 설정되어 있는 모든 레이어를 보여주며, 레이어의 속성을 변경할 수 있다.

1.3 Properties Toolbar(특성 도구 막대) 실행 예

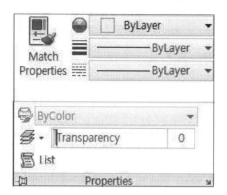

- Color(색상), Linetype(선 종류), Lineweight(선가중치) 등 객체의 속성을 설정 및 변경

  - **Object Color**
    : 도면에서 레이어의 색상을 빠르고 쉽게 설정할 수 있다. 색상 선정 대
    화상자가 나타남

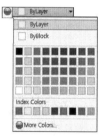

  - **Lineweight** : 선의 가중치(두께)를 지정한다.

  - **Linetype**: 선의 종류를 결정한다. Others ....를 클릭하면 Linetype
    대화상자가 나타남

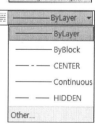

- ![Matchprop icon] (Matchprop) : 선택한 객체의 특성을 변경

- ![List icon] (List) : 선택한 객체의 특성 데이터를 표시 (참조 : 2.정보조회명령어)

2. 정보조회명령

2.1 DIST(거리 측정) (단축명령어 : DI)

Dist 명령어는 두 점 사이의 거리와 각도를 계산해 준다.

---

* Ribbon Menu(리본 메뉴) :

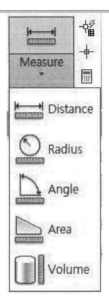

* Menu Bar(메뉴막대) : [Tools] → [Inquiry] → [Distance]
* Command(명령) : DIST [DI]

Command : DIST `Enter↵` 또는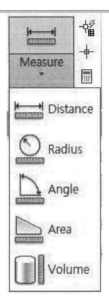

Specify first point : 첫 번째 점 클릭

Specify second point or [Multiple points] : 두 번째 점 클릭

Distance = 1057.4013, Angle in XY Plane = 0, Angle from XY Plane = 0

Delta X = 1057.4013, Delta Y = 0.0000, Delta Z = 0.0000

2.2 RADIUS(반지름 측정)

원 또는 호의 반지름과 지름을 계산해 준다.

- Ribbon Menu(리본 메뉴) :

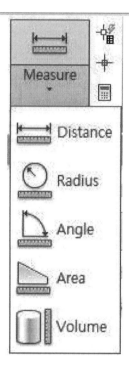

- Menu Bar(메뉴막대) : [Tools] → [Inquiry] → [Radius]
- Command(명령) : MEASUREGEOM[MEA] → R

Command : MEA [Enter↵] 또는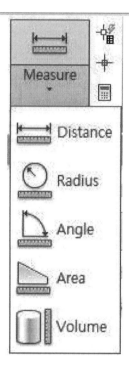

Enter an option [Distance/Radius/Angle/ARea/Volume] 〈Distance〉 : R

Select arc or circle : 원 클릭

Radius = 150.0000   Diameter = 300.0000

2.3 ANGLE(각도 측정)

두 선분, 호, 원의 각도를 계산해 준다.

- Ribbon Menu(리본 메뉴) :

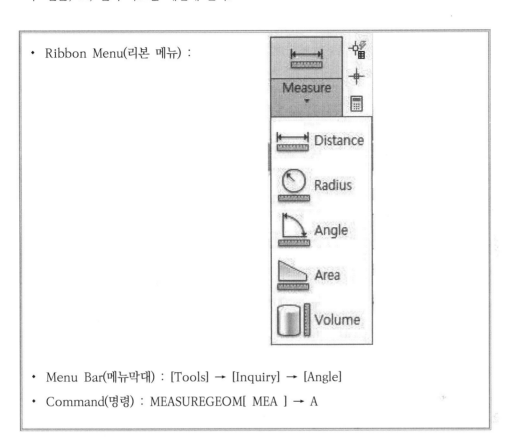

- Menu Bar(메뉴막대) : [Tools] → [Inquiry] → [Angle]
- Command(명령) : MEASUREGEOM[MEA] → A

Command : MEA [Enter↵] 또는

Enter an option [Distance/Radius/Angle/ARea/Volume] 〈Distance〉 : A

Select arc, circle, line, or 〈Specify vertex〉 : 객체 클릭

Specify second angle endpoint : 두 번째 점 클릭

Angle = 28°

2.4 AREA(면적 계산) (단축명령어 : AA)

객체의 면적을 계산해 준다.

- Ribbon Menu(리본 메뉴) :

- Menu Bar(메뉴막대) : [Tools] → [Inquiry] → [Area]
- Command(명령) : AREA [AA]

Command : AREA [Enter↵] 또는

Specify first corner point or [Object/Add area/Subtract area] 〈Object〉: 첫 번째점

Specify next point or [Arc/Length/Undo] : 두 번째 점

Specify next point or [Arc/Length/Undo] : 세 번째 점

Specify next point or [Arc/Length/Undo/Total] 〈Total〉: 네 번째 점

Specify next point or [Arc/Length/Undo/Total] 〈Total〉: [Enter↵]

Area = 120000.0000, Perimeter = 1400.0000

Area 모드 Option

1) Object : 객체(원이나 닫힌 사각형)를 선택하여 면적을 선택한다.
 2) Add area : 두 객체의 면적을 서로 더한다.
 3) Subtract area : 앞의 객체의 면적에서 뒤 객체의 면적을 뺀다.

2.5 List(정보조회) (단축명령어 : LI)

List 명령은 선택한 객체의 데이터 리스트를 보여 준다. 다음은 시작점이 (10,10), 끝점이(60,60)인 Pline을 선택했을 때 값들이다. 자동으로 Text Screen으로 전환된다.

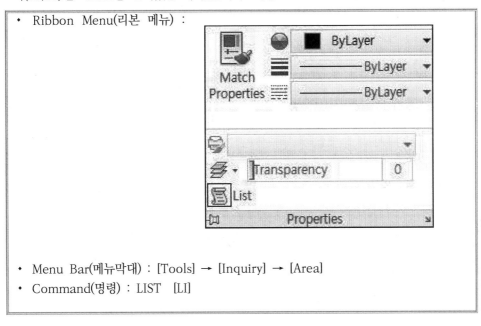

- Menu Bar(메뉴막대) : [Tools] → [Inquiry] → [Area]
- Command(명령) : LIST [LI]

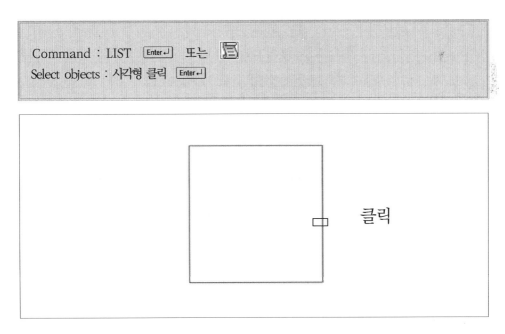

```
 AutoCAD Text Window - Drawing1.dwg                    —    □    ×
Edit
        at point  X=  10.0000  Y=  80.0000  Z=   0.0000
        at point  X=  10.0000  Y=  10.0000  Z=   0.0000

Command:  <Polar on>
Command:  LIST

Select objects: 1 found

Select objects:
                LWPOLYLINE  Layer: "0"
                        Space: Model space
              Handle = 273
          Closed
    Constant width    0.0000
            area    4900.0000
        perimeter    280.0000

        at point  X=  10.0000  Y=  10.0000  Z=   0.0000
        at point  X=  80.0000  Y=  10.0000  Z=   0.0000
        at point  X=  80.0000  Y=  80.0000  Z=   0.0000
        at point  X=  10.0000  Y=  80.0000  Z=   0.0000
        at point  X=  10.0000  Y=  10.0000  Z=   0.0000

Command:
```

① LWPOLYLINE Layer: "0" - 객체의 이름과 레이어 표시
② Space : Model space - 모델영역의 객체
③ Handle = 273 - 객체의 고유번호
④ Constant width   0.0000 - 선의 두께
⑤ area   4900.0000 - 객체의 면적
⑥ perimeter   280.0000 - 선의 길이(둘레길이)
⑦ at point X= 10.0000 Y= 10.0000 Z=   0.0000 - 첫 번째 점의 좌표값
⑧ at point X= 80.0000 Y= 10.0000 Z=   0.0000 - 두 번째 점의 좌표값
⑨ at point X= 80.0000 Y= 80.0000 Z=   0.0000 - 세 번째 점의 좌표값
⑩ at point X= 10.0000 Y= 80.0000 Z=   0.0000 - 네 번째 점의 좌표값

2.6 ID Point (좌표점)

- Ribbon Menu(리본 메뉴) :

- Menu Bar(메뉴막대) : [Tools] → [Inquiry] → [ID Point]
- Command(명령) : ID

Command : ID [Enter↵] 또는
Specify point : 임의의 좌표점 클릭
X = -7.7543   Y = 9.8477   Z = 0.0000

2.7 TIME (시간)

- Ribbon Menu(리본 메뉴) :

- Menu Bar(메뉴막대) : [Tools] → [Inquiry] → [Time]
- Command(명령) : TIME

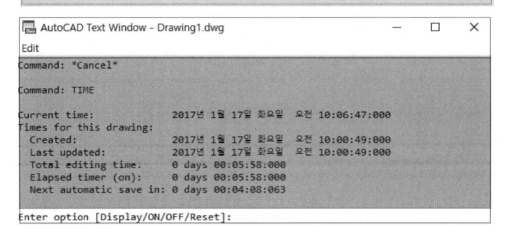

Command : TIME [Enter↵] 또는 🕐

```
AutoCAD Text Window - Drawing1.dwg                    —    □    ×
Edit
Command: *Cancel*

Command: TIME

Current time:             2017년 1월 17일 화요일  오전 10:06:47:000
Times for this drawing:
 Created:                 2017년 1월 17일 화요일  오전 10:00:49:000
 Last updated:            2017년 1월 17일 화요일  오전 10:00:49:000
 Total editing time:      0 days 00:05:58:000
 Elapsed timer (on):      0 days 00:05:58:000
 Next automatic save in:  0 days 00:04:08:063

Enter option [Display/ON/OFF/Reset]:
```

① Current time : - 현재 시각
② Times for this drawing : - 도면 작성 시각
③ Created : - 최초 작성시각
④ Last updated : - 최초 갱신 시각
⑤ Total editing time : - 총 편집 시간
⑥ Elapsed timer (on) : - 경과 시간
⑦ Next automatic save in : - 다음 자동 저장 시간
⑧ Enter option [Display/ON/OFF/Reset] : - 화면 디스플레이/켜기/끄기/재설정

2.8 Status (현재 상태)

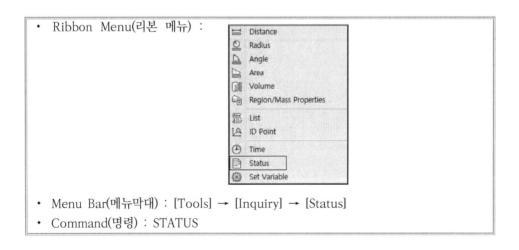

- Ribbon Menu(리본 메뉴) :
  - Distance
  - Radius
  - Angle
  - Area
  - Volume
  - Region/Mass Properties
  - List
  - ID Point
  - Time
  - Status
  - Set Variable
- Menu Bar(메뉴막대) : [Tools] → [Inquiry] → [Status]
- Command(명령) : STATUS

Command : STATUS [Enter↵] 또는

AutoCAD Text Window - Drawing1.dwg   — □ ✕

Edit

```
Command: STATUS
142 objects in Drawing1.dwg
Undo file size:         912 bytes
Model space limits are X:    0.0000    Y:    0.0000   (Off)
                       X:  420.0000    Y:  297.0000
Model space uses       *Nothing*
Display shows          X:  286.9179    Y:  198.7618
                       X: 7943.9704    Y: 2682.6063
Insertion base is      X:    0.0000    Y:    0.0000   Z:    0.0000
Snap resolution is     X:   10.0000    Y:   10.0000
Grid spacing is        X:   10.0000    Y:   10.0000
Press ENTER to continue:
```

① Model space limits are - 도면 영역
② Model space uses   - 도면 사용 영역
③ Display shows   - 현재 화면 영역
④ Insertion base is   - 삽입 기준점
⑤ Snap resolution is   - 스냅 간격
⑥ Grid spacing is   - 그리드 간격

CHAPTER
09

도면출력하기

1. Model Space(모형공간)과 Layout Space(배치공간)
2. PLOT(플롯)

1. Model Space(모형공간)과 Layout Space(배치공간)

AutoCAD에서 작업이 완성된 도면은 모형공간과 배치공간에서의 출력이 가능하며, 파일 형태로 작성도 가능하다.

1.1 Model Space(모형공간)

모형 공간은 도면 작성과 편집을 하는 공간이며, AutoCAD를 이용하여 도면을 그리는 컴퓨터 화면이다. 다른 뷰포트의 도면을 출력할 필요가 없는 경우 모형공간에서 출력이 가능하다. 화면 하단의 상태줄을 이용하여 배치공간의 화면을 다시 모형공간으로 전환이 가능하다.

1.2 Layout Space(배치공간)

배치 공간은 출력을 하기 위해 도면을 배치하는 공간이며, 하나의 도면에 대하여 용지 크기별, 축척별로 여러 개 배치를 해 놓을 수 있는 기능을 갖추고 있다.

화면 하단의 상태 표시줄에 있는 Layout을 이용하면 모형공간과 배치공간을 자유로이 이동할 수 있다. 배치공간에서 사용되는 명령어는 Mview, Vplayer, Chspace, Exportlayout 등이 있다.

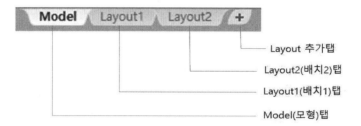

- Mview

  배치공간에서 작성한 도면을 배치하는 명령어

- Vplayer

  배치된 뷰 포트의 도면 층을 각각 따로 조정할 수 있는 명령어

- Chspace

  모형공간의 객체를 배치공간으로 이동하거나 배치공간에서 작성한 객체를 모형공간으로 이동하는 명령어

- Exportlayout

  현재의 배치공간에 작성된 객체를 새 도면의 모형공간으로 내보내기 하는 명령어

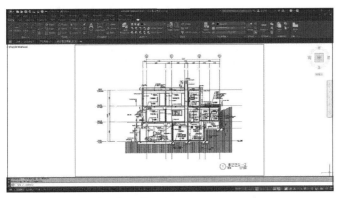

▶ Model space(모형공간)

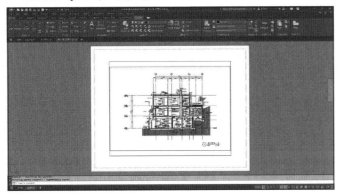

▶ Layout space(배치공간)

1.3 공간변경하기

탭을 클릭하면 공간이 변경된다. 탭을 마우스 오른쪽버튼으로 클릭하여 바로가기 메뉴를 열고 새로운 배치를 추가하거나, 배치 이름을 바꾸거나, 페이지를 설정할 수 있다.

1.4 배치공간에서 도면 객체 수정하기

배치공간에서 모형공간의 객체를 수정하려면 도면공간으로 변경하여 객체를 수정해야한다. 하지만 번거롭게 도면공간으로 변경하기보다 배치공간에서 도면객체를 수정할 수 있다. 배치공간에서 상태막대의 'paper(도면)' PAPER 을 클릭하면 뷰포트 활성화되면서 커서가 뷰포트 내부로 이동한다. 활성화된 뷰포트는 테두리가 진하게 표시되는데, 활성화 상태에서 객체를 수정할 경우 다른 뷰포트의 내부를 클릭하면 해당 뷰포트 커서가 이동한다.

상태막대의 paper(도면)' MODEL 을 클릭하면 다시 배치 상태로 커서가 이동한다. 또는 ;뷰포트'의 내부를 더블클릭해도 '뷰포트'가 활성화되고, 배치공간 부분을 더블 클릭하면 다시 배치상태가 된다.

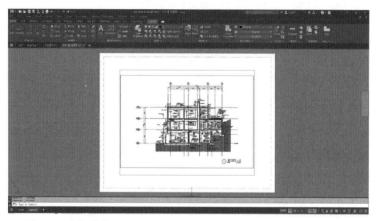

▶ 뷰포트 비활성화

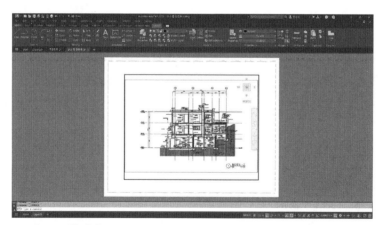

▶ 뷰포트 활성화

1.5 배치공간에서 도면 축척하기

배치공간은 미리 종이 크기에 맞게 도면을 배치하는 것이므로 뷰포트에 도면 축척을 지정한다. 배치상태에서 뷰포트를 선택하고 상태막대에서 '뷰포트 축척' 0.000214 ▾ 을 클릭하여 원하는 축척을 지정하면 뷰포트의 화면을 축척에 맞게 변경할 수 있다.

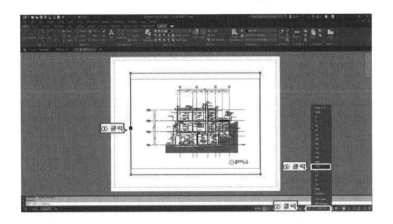

사용하려는 축척이 없는 경우 'Scale of the selected viewport(선택한 뷰포트 축척)' 을 클릭하면 'Custom..(사용정의)'를 선택하여 'Edit Drawing Scale(도면 축척 편집)' 대화상자를 열고 원하는 축척을 추가하거나 편집하여 사용한다.

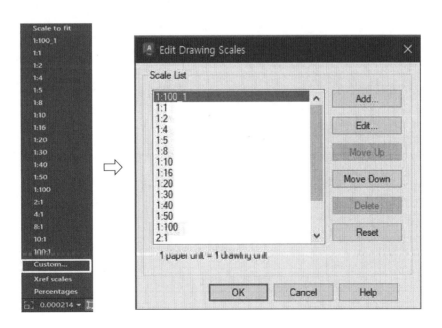

2. PLOT(플롯)

도면을 플로터, 프린터 또는 파일로 인쇄하는 명령어이다.

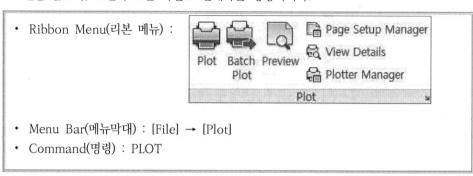

* Ribbon Menu(리본 메뉴) :

    Plot Batch Preview Page Setup Manager
          Plot   View Details
                          Plotter Manager
                   Plot

* Menu Bar(메뉴막대) : [File] → [Plot]
* Command(명령) : PLOT

Command : PLOT Enter↵ 또는

Plot 대화상자 생성

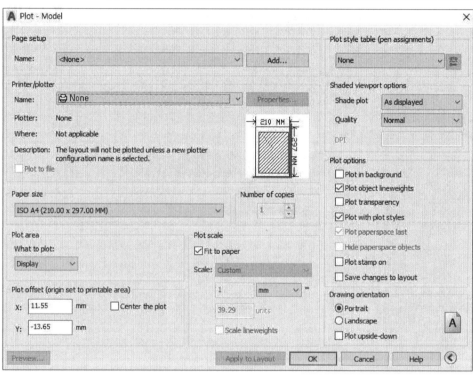

Plot 모드 Option

1) Page setup(페이지 설정)

플로터 옵션(플로터, 인쇄영역, 스케일 등 모든 데이터)을 미리 저장해 놓고 필요
할 때 선택하면 모든 옵션을 매번 지정하지 않고 간단하게 사용할 수 있다.
- Name : 현재 작업 중인 화면 이름을 표시
- Add : 새로운 플롯 이름을 추가할 대화상자를 찾을 수 있다.

2) Printer/Plotter(프린터/플로터)

프린터/플로터를 선택한다.
- Name(이름) : 현재 설치된 프린터/플로터의 종류를 나열하고 출력하고자하는 장치 선택
- Plotter(플로터) : 현재 선택한 페이지 설정에서 지정된 플롯 장치를 표시
- Where(위치) : 현재 선택한 페이지 설정에서 지정된 출력 장치의 실제 위치를 표시
- Description(설명) : 지정된 출력 장치에 대한 설명문을 표시
- Plot to File(파일에 플롯) : EPS 등의 파일로 인쇄할 때 사용되는 탭

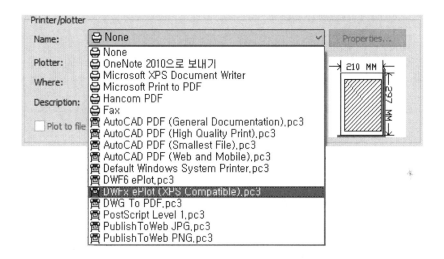

3) Paper size(용지 크기)

선택된 플로팅 장치에 사용할 수 있는 표준 용지 크기를 표시

4) Number of copies(사본 수)

출력할 매수를 지정

5) Plot area(플롯 영역) :

도면에서 출력할 부분을 지정
- What to plot(플롯 대상) : 플롯할 대상(화면, 윈도, 한계)을 나타낸다.

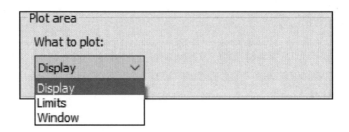

▶ Display(화면표시) : 화면에 디스플레이된 영역만 출력

▶ Window : 마우스로 원하는 영역만 윈도로 잡아 선택한 영역만 출력

▶ Limits(한계) : 모형공간에서 한계 영역(Limits 값)에 있는 객체만 출력하는 기능

6) Plot to offset(Origin Set To Printable Area)(플롯 간격띄우기)

출력할 용지의 여백을 지정한다.

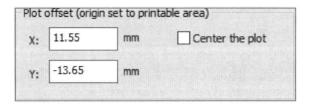

▶ X, Y : 출력할 용지의 왼쪽 하단 부분을 원점으로 X축, Y축 으로 떨어진 간격을 입력

▶ Center the plot(플롯의 중심) : 도면이 용지의 중앙에 맞추려면 □를 체크 한다.

7) Plot scale (플롯 축척)

출력물의 축척을 지정(기본은 1:1로 설정되어 있음)

▶ Fit to paper(용지에 맞춤) : 용지 크기에 맞는 축척으로 자동 출력 됨

▶ Scale(축척) : 사용자가 도면의 축척을 선택

▶ Scale lineweights(선가중치 축척) : 선두께가 축척되는 플롯 값에 비례하여 축척됨

Plot offset (origin set to printable area)

X: 11.55   mm   ☐ Center the plot

Y: -13.65   mm

8) Plot style table(Pen Assignments)(플롯 스타일 테이블(펜 지정))
화면에 그려진 색상에 따른 선 두께와 종류를 설정

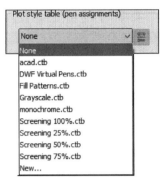

"monochrome.ctb"을 선택한 후 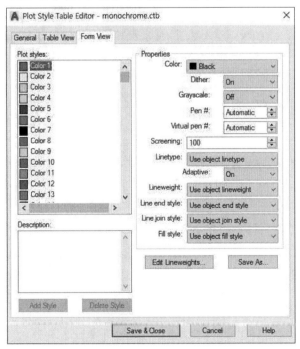 버튼을 클릭하면 Plot Style Table
Editor 대화상자가 생성된다. 도면에서 사용된 색을 선택한 후 적절한 선 두께
를 지정한다.

"monochrome.ctb"은 도면에 사용된 색상에 관계없이 모든 도면 요소를 Black
으로 인쇄하도록 설정되어 있는 파일이다.

- Plot styles : 현재 객체에 적용되어 있는 색상의 번호(유형)을 나타냄
- Color(색상) : 선택된 플로트 번호의 색상을 변환
- Dither(디더링) : 선을 부드럽게 효과를 줌
- Grayscale(회색조) : 색상을 회색조로만 고정
- Pen#(펜#) : 객체를 출력할 때 사용할 펜을 지정(1~32중에서 지정)
- Virtual pen #(가상 펜 #) : Non-pen-plot에서 가상의 펜 지정(1~32중에서 지정)
- Screening(스크리닝) : 색상의 농도를 설정(0 ~ 100%)
- Linetype(선종류) : 선의 종류를 선택할 수 있으며 'Use object linetype'이 기본값
- Adaptive(가변성) : Linetype scale의 적용 여부를 결정
- Lineweight(선가중치) : 선의 두께 설정(기본 값 : Use object lineweight)

이름	색상	번호	선종류	선가중치(선굵기)
0 (기본으로 있음)	Black (White)	7	Continuous(실선)	기본값
외형선	Green	3	Continuous(실선)	0.5
중심선	Red	1	CENTER2	0.25
숨은선	Yellow	2	HIDDEN2	0.35
윤곽선	Cyan	4	Continuous(실선)	0.7
가상선	Blue	5	PHANTOM2	0.25
가는실선	Margenta	6	Continuous(실선)	0.25
중간선	Black (White)	2	Continuous(실선)	0.35

참고) 표는 일반적으로 사용하는 레이어와 선의 색과 두께를 열거하고 있다. 그러나 이는 하나의 예 일 뿐 작업자나 회사에 따라 다르게 적용하는 경우가 많다. 따라서 각 도면을 그릴 때 선의 속성에 따라 제도 통칙을 기준으로 선의 두께를 다르게 적용한다.

- Line end style(선 끝 스타일) : 선의 끝부분의 처리방법을 지정
- Line join style(선 연결 스타일) : 선 모서리의 처리 방법 지정
- Fill style(채움 스타일) : 속이 빈 객체를 채울 유형을 지정

- Edit Lineweights...(선가중치 편집) : 선가중치 편집 대화상자에서 선두께 조절

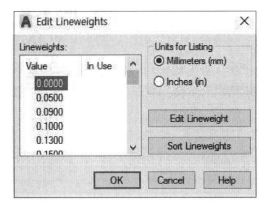

- Save As...(이름 바꾸기) : 플롯 스타일 테이블을 다른 이름으로 저장

9) Shaded viewport options(음영처리된 뷰포트 옵션)
   3D 모델링 객체의 그림자 및 표현 방법에 대해 설정

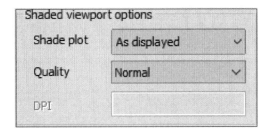

- Shade plot(음영 플롯) : 객체의 '선으로 표현/면으로 표현/숨겨진 선 가리기'등을 설정
- Quality(품질) : 객체의 표현될 품질(해상도) 선택

10) Plot option(플롯 옵션)

Plot options
- ☐ Plot in background
- ☑ Plot object lineweights
- ☐ Plot transparency
- ☑ Plot with plot styles
- ☑ Plot paperspace last
- ☐ Hide paperspace objects
- ☐ Plot stamp on
- ☐ Save changes to layout

- Plot in background(배경 플롯) : 플롯이 배경에서 처리되도록 지정
- Plot object line weights(객체의 선가중치 플롯) : 선 두께에 따라 출력
- Plot transparency(투명도 플롯) : 객체 투명도를 플롯하는지 여부를 지정
- Plot with plot styles(플롯 스타일로 플롯) : 플롯 스타일에 따라 출력
- Plot paperspace last(도면공간을 마지막에 출력) : 종이 영역을 나중에 출력
- Hide paperspace objects(도면공간 객체 숨기기) : 은선을 제거해서 출력
- Plot stamp on (플롯 스탬프 켜짐) : 각 도면의 지정된 구석에 플롯 스탬프를 배치하고 파일에 로그를 기록(플롯 스탬프를 켜면 📑이 생성되고, 이 탭을 클릭하면 설정 대화 상자가 생성)

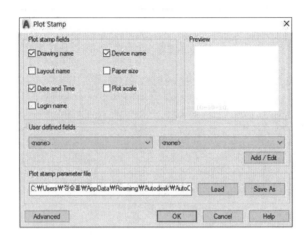

- Save changes to layout(변경사항을 배치로 저장) : 플롯 대화상자에서 변경한 사항을 배치에 저장
11) Drawing orientation(도면 방향)
   인쇄용지의 방향을 설정한다.

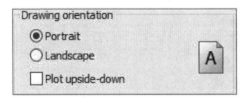

- Portrait(세로) : 용지의 폭이 좁은 부분이 가로가 되도록 설정한 상태에서 출력
- Landscape(가로) : 용지의 폭이 넓은 부분이 가로가 되도록 설정한 상태에서 출력
- Plot upside-down(상하를 뒤집어 플롯) : 도면의 위아래를 뒤집어 플롯

12) Preview (미리보기) : 출력될 도면 전체를 미리보기로 한다.

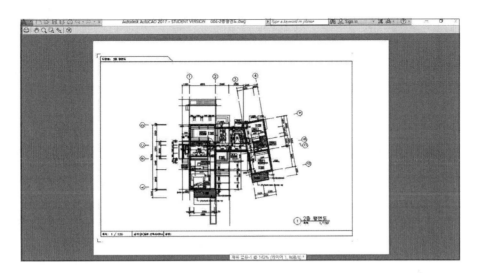

- Preview... 버튼을 클릭하면 종이에 인쇄될 모양을 미리 볼 수 있다.
- 종료 시에는 Enter↵ 나 Esc 또는 Shortcut Key(마우스 오른쪽 버튼)를 눌러 Exit를 클릭

13) Apply to out Apply to Layout : 현재 플롯 대화상자 설정 값을 현재 배치에 저장한다.

14) OK OK : 도면 출력을 실행한다.

CHAPTER
10

그리기 및 편집 예제

1. 단계별 필수 예제 그리기
2. CAD명령 활용 그리기 심화학습

1. 필수 예제 그리기 단계별 학습

 의자 및 테이블 그리기

■ 다음 도면을 따라 그리시오

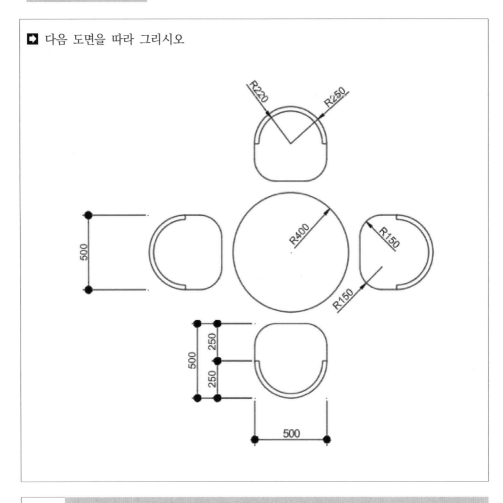

TIP	■ 그리기 순서 TIP 1. 먼저 의자를 그린다. 2. 탁자를 그린다. 3. 탁자를 중심으로 의자를 ARRAY 명령을 사용해 배열한다. ■ 사용 명령어 TIP • arc, array, circle, fillet, line, offset

1) 의자 그리기

STEP1
시작화면에서 새 도면을 시작할 경우 4가지 방법으로 한다.

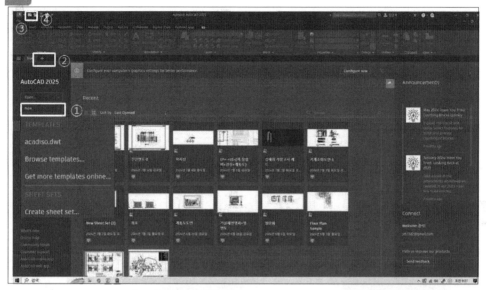

① New(새로만들기) New ⌄ 버튼의 오른쪽
V 버튼을 클릭하면 템플릿 설정 대화상자가 열리면
'acadiso.dwt'를 클릭한다.

② +를 클릭하여 템플릿을 불러온다.

③ A을 클릭하여 New ▶ 클릭 Drawing Start a new drawing with a selected drawing template file. 클릭 하면
'Select template(템플릿 선택)' 대화상자가 열리면 'acadiso.dwt'를 클릭한다.

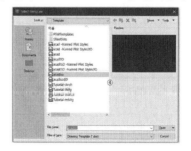

④ 신속접근 도구막대에서 새로만들기 아이콘 을 클릭하여 'Select template(템플릿 선택)' 대화상자가 열리면 'acadiso.dwt'를 클릭한다.

STEP2

Line 명령을 실행하여 임의의 점 P1을 시작점으로 하여 순서대로 작성한다.

Command : LINE [Enter↵]
Specify first point : P1클릭
Specify next point or [Undo] : ⟨Polar on⟩
@250⟨270 [Enter↵]
Specify next point or [Undo]: @500⟨0 [Enter↵]
Specify next point or [Close/Undo]: @250⟨90 [Enter↵]
Specify next point or [Close/Undo] : [Enter↵]

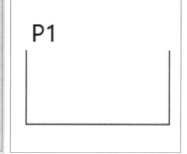

STEP2

리본메뉴에서 홈 탭 → Draww(그리기) → Arc(호)를 클릭하여 여러 옵션 중 Start, End, Angle(시작점, 끝점, 각도)를 선택한다.

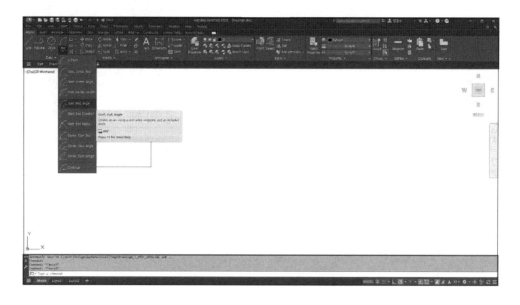

STEP 3
호의 시작점 P1을 클릭하고, 호의 끝점 P2를 클릭하고 Ctrl 키를 누른 채 위 방향
으로 호가 그려지도록 마우스로 방향을 전환한 후 '180도'를 입력한다,

Command: arc [Enter↵]
Specify start point of arc or [Center] : P1클릭
Specify second point of arc or [Center/End] : _e
Specify end point of arc : P2클릭
Specify center point of arc (hold Ctrl to switch direction) or
[Angle/Direction/Radius]: _a
Specify included angle (hold Ctrl to switch direction): 〈Ortho off〉 180 [Enter↵]

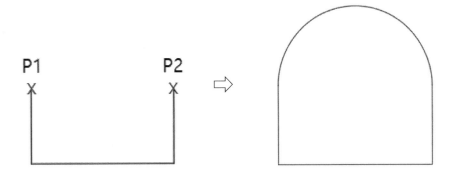

STEP 4
호의 시작점 P1을 클릭하고, 호의 끝점 P2를 클릭하고 Ctrl 키를 누른 채 위 방향
으로 호가 그려지도록 마우스로 방향을 전환한 후 '180도'를 입력한다,

Command : OFFSET [Enter↵]
Current settings: Erase source=No
Layer=Source OFFSETGAPTYPE=0
Specify offset distance or [Through/Erase
/Layer] 〈30.0000〉 : 30 [Enter↵]
Select object to offset or [Exit/Undo] 〈Exit〉 : [Enter↵]
Specify point on side to offset or [Exit/Multiple
/Undo] 〈Exit〉 : P1클릭
Select object to offset or [Exit/Undo] 〈Exit〉 : [Enter↵]

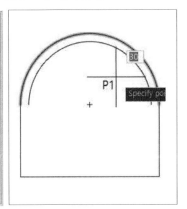

STEP 5

Line 명령을 사용하여 P2와 P3를 연결하고, P4와 P5를 연결한다.

Command: LINE Enter↵

Specify first point : P2클릭

Specify next point or [Undo] : P3 클릭

Specify next point or [Undo] : Enter↵

Command : LINE

Specify first point : P4클릭

Specify next point or [Undo] : P5클릭

Specify next point or [Undo] : Enter↵

 STEP 6

Fillet(모깎기) 명령을 사용하여 S1과 S2, S3와 S4 모서리를 반지름 150으로 모깎기를 하여 의자를 완성한다.

Command : FILLET Enter↵

Current settings: Mode = TRIM, Radius = 0.0000

Select first object or [Undo/Polyline/Radius/Trim/Multiple] : r

Specify fillet radius ⟨0.0000⟩ : 150

Select first object or [Undo/Polyline/Radius/Trim/Multiple] : S1클릭

Select second object or shift-select to apply corner or [Radius] : S2클릭

Command : FILLET Enter↵

Current settings: Mode = TRIM, Radius = 150.0000

Select first object or [Undo/Polyline/Radius/Trim/Multiple] : S3클릭

Select second object or shift-select to apply corner or [Radius] : S41클릭

2) 탁자와 의자 배열하기

STEP1
원 명령을 실행하여 반지름이 400인 탁자를 그린다.

Comman d: CIRCLE
Specify center point for circle or [3P/2P/Ttr (tan tan radius)] : P5
Specify radius of circle or [Diameter]: 400 [Enter↵]

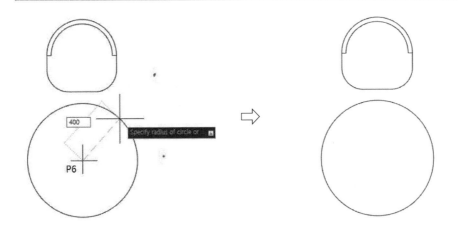

STEP 2
'array(배열)' 명령을 실행하여 'polar(반지름이 400인 탁잘를 그린다.

Command : ARRAY [Enter↵]
Select objects: Specify opposite corner : 9 found (P7드래그 P8)
Select objects: Enter array type [Rectangular/PAth/POlar] 〈Polar〉 : PO
Type = Polar Associative = Yes
Specify center point of array or [Base point/Axis of rotation] : P9 클릭
Select grip to edit array or [ASsociative/Base point/Items/Angle between/Fill angle/ROWs/Levels/ROTate items/eXit]〈eXit〉: a
Specify angle between items or [EXpression] 〈60〉: 90 (의자간의 간격 각도)
Select grip to edit array or [ASsociative/Base point/Items/Angle between/Fill angle/ROWs/Levels/ROTate items/eXit]〈eXit〉: I
Enter number of items in array or [Expression] 〈6〉: 4 (의자의 개수)

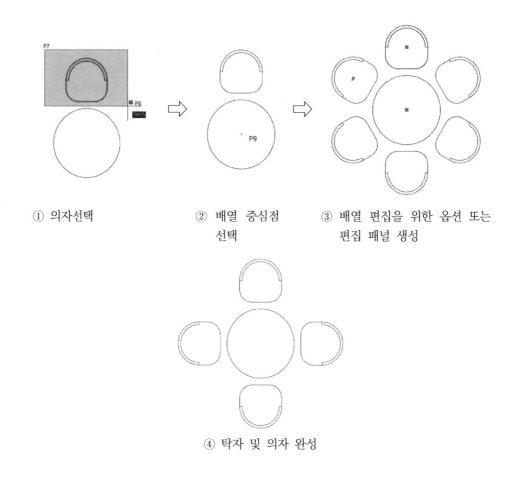

① 의자선택　　　　　② 배열 중심점　　　③ 배열 편집을 위한 옵션 또는
　　　　　　　　　　　　선택　　　　　　　　편집 패널 생성

④ 탁자 및 의자 완성

▶ 명령어 옵션 대신 편집 패널에서 옵션 설정하기
 • 배열 의자 개수 설정 : ① 'Items(항목수)' 변경 6개에서 → ③ 4 개
 • 의자간의 간격 설정 : ② 'Between(사이)' 변경 60도에서 → ④ 90도

 **5인용 식탁 과 의자 그리기**

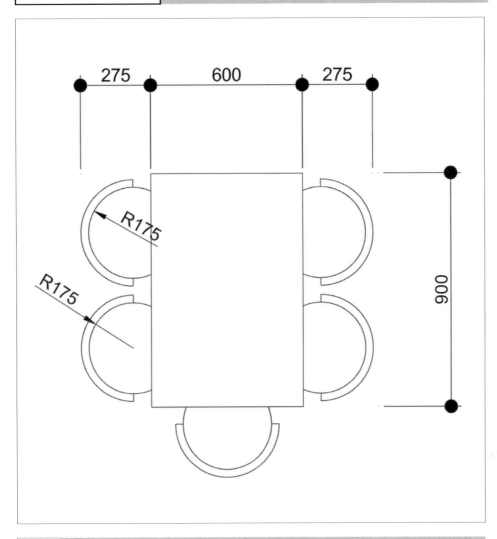

TIP	▶ 그리기 순서 TIP 1. 먼저 의자를 그린다. 2. 탁자를 그린다. 3. 의자 1개를 탁자에 배열하고 Copy, Mirror, Rotate 명령을 사용해 배열한다. ▶ 사용 명령어 TIP • array, circle, trim, line, offset, rotate, copy, mirror

 **도면 양식 그리기**

➡ 다음 도면 양식을 따라 그리시오

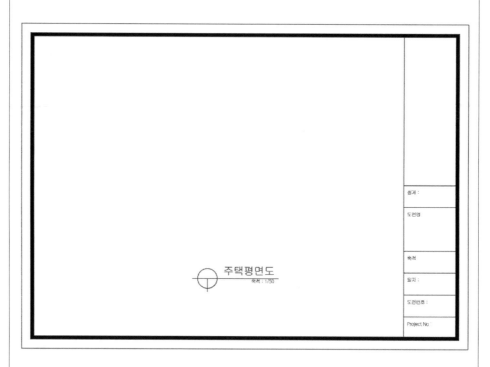

주택평면도
축척 : 1/50

| 설계 : |
| 도면명 |
| 축척 |
| 필지 : |
| 도면번호 : |
| Project No : |

- 도면크기는 A3(420 X 297)를 기준으로 작성한다.
- 도면층은 고려하지 않는다.
- 축척은 1;1로 한다.

TIP

➡ 도면 양식 그리는 순서
1. 종이 크기와 축척을 먼저 정한다.
2. 테두리선을 그린다.
3. 표제란을 그린다.
4. 문자를 기입한다.
➡ 사용 명령어
 - copy, ddedit, dtext, explode, offset, rectang, style, trim

1) 도면 테두리선 그리기

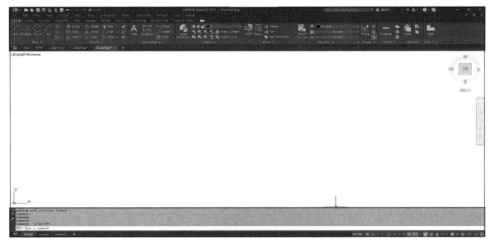

STEP 1

앞서 배운 시작화면에서 새 도면 시작하기 방법 중 하나를 선택하여 템플릿 'acadiso.dwt'을 로드시키다.

STEP 2

A3(420X297) 종이 크기를 그리기 위해 'Rectangle(직사각형)' 명령을 실행한다.

Command : RECTANG [Enter↵]
Specify first corner point or [Chamfer/Elevation/Fillet/Thickness/Width] : 0,0 [Enter↵]
Specify other corner point or [Area/Dimensions/Rotation]: @420,297 [Enter↵]

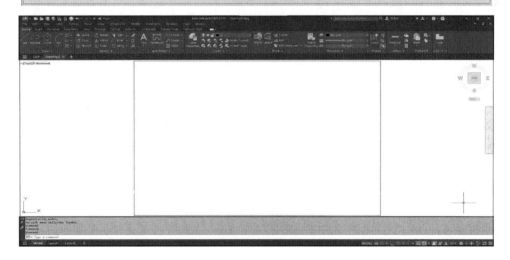

STEP 3
테두리선을 그린다. (축척을 고려하여 간격 치수를 입력해야한다. 1:1 일 경우 10)
'Fillet(간격띄우기)'를 실행하여 안쪽으로 10만큼 작은 직사각형을 그린다.

Command : OFFSET [Enter↵]
Current settings: Erase source=No Layer=Source OFFSETGAPTYPE=0
Specify offset distance or [Through/Erase/Layer] ⟨10.0000⟩ : 10 [Enter↵]
Select object to offset or [Exit/Undo] ⟨Exit⟩ : P1클릭
Specify point on side to offset or [Exit/Multiple/Undo] ⟨Exit⟩ : P2클릭
Select object to offset or [Exit/Undo] ⟨Exit⟩ : [Enter↵]

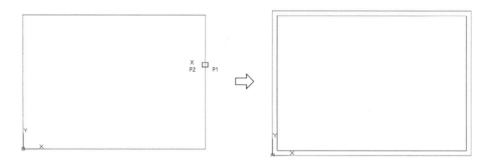

 STEP 4
안쪽 사각형을 'Explode(분해)'명령을 실행하여 사각형을 분해한다.

Command: EXPLODE [Enter↵]
Select objects: 1 found
Select objects : [Enter↵]

2) 표제란 그리기

STEP 1
'Fillet(간격띄우기)' 명령을 실행하여 우측 선을 그린다.

Command : OFFSET `Enter↵`
Current settings: Erase source=No Layer=Source OFFSETGAPTYPE=0
Specify offset distance or [Through/Erase/Layer] 〈10.0000〉 : 50 `Enter↵`
Select object to offset or [Exit/Undo] 〈Exit〉 : P4클릭
Specify point on side to offset or [Exit/Multiple/Undo] 〈Exit〉: P5클릭(안쪽)
Select object to offset or [Exit/Undo] 〈Exit〉 `Enter↵`

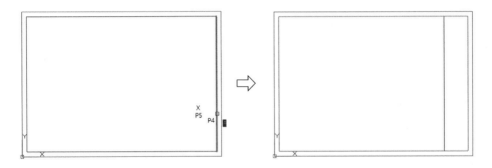

STEP 2
P6를 20 간격으로 'Fillet(간격띄우기)' 명령을 실행하여 7개를 그린다.

Command : OFFSET `Enter↵`
Current settings: Erase source=No Layer=Source OFFSETGAPTYPE=0
Specify offset distance or [Through/Erase/Layer] 〈50.0000〉: 20 `Enter↵`
Select object to offset or [Exit/Undo] 〈Exit〉 : P6클릭
Specify point on side to offset or [Exit/Multiple/Undo] 〈Exit〉 : P6' 윗여백 클릭
Select object to offset or [Exit/Undo] 〈Exit〉 : P7클릭
Specify point on side to offset or [Exit/Multiple/Undo] 〈Exit〉: P7' 윗여백 클릭
⋮
Select object to offset or [Exit/Undo] 〈Exit〉 : P13클릭
Specify point on side to offset or [Exit/Multiple/Undo] 〈Exit〉 : P13'윗여백 클릭
Select object to offset or [Exit/Undo] 〈Exit〉 : `Enter↵`

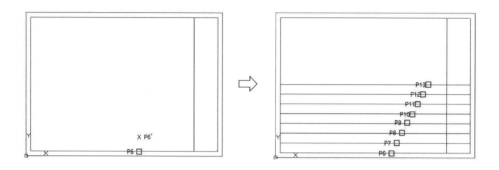

 STEP 3
'Trim(자르기) 명령'을 실행하여 필요없는 선을 정리한다

Command : TRIM [Enter↵]
Current settings: Projection=UCS, Edge=None, Mode=Quick
Select object to trim or shift-select to extend or [cuTting edges/Crossing
/mOde/Project/eRase] : P14 클릭
Select object to trim or shift-select to extend or [cuTting edges/Crossing
/mOde/Project/eRase/Undo] :
Specify next fence point or [Undo] : P15클릭
Specify next fence point or [Undo]:
Select object to trim or shift-select to extend or [cuTting
edges/Crossing/mOde/Project/eRase/Undo] : [Enter↵]

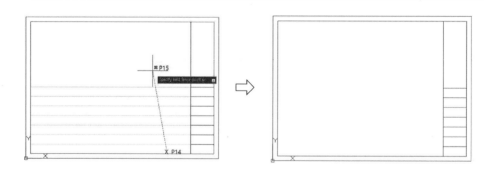

STEP 4

Pedit 명령을 실행하여 테두리선을 'Pline(폴리라인)으로 만들고 선의 두께를 굵게
바꾸어 완성한다.

Command: PEDIT [Enter↵]
Select polyline or [Multiple] : S1 클릭
Enter an option [Close/Join/Width/Edit vertex/Fit/Spline/Decurve/Ltypegen/Reverse/Undo:J [Enter↵]
Select objects: 1 found (S1 클릭)
Select objects: 1 found, 2 total (S2 클릭)
Select objects: 1 found, 3 total (S3 클릭)
Select objects: 1 found, 4 total (S4 클릭)
Select objects : [Enter↵]
3 segments added to polyline
Enter an option [Open/Join/Width/Edit vertex/Fit/Spline/Decurve/Ltype gen /Reverse/Undo] : W [Enter↵]
Specify new width for all segments : 3 [Enter↵]
Enter an option [Open/Join/Width/Edit vertex/Fit/Spline/Decurve/Ltype gen/Reverse/Undo] : [Enter↵]

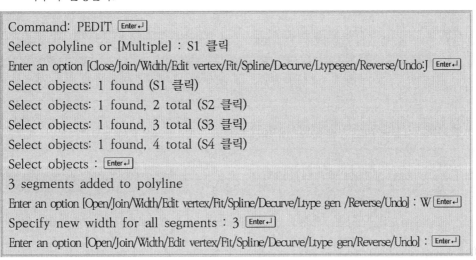

 STEP 5

필요 없는 선을 삭제하고 표제란을 완성한다.

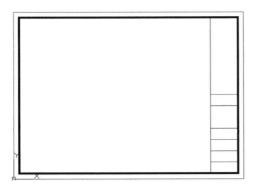

3) 문자 쓰기

 STEP 1
문자 스타일 설정을 위해 [Format] → [Text Style]명령을 실행하여 'Text Style' 대화상자가 열리면 'New(새로만들기)'를 클릭한다. 'New Text Style' 대화상자에서 'Style Name(스타일 이름)'에 '굴림'을 입력하고 'O.K(확인)' 버튼을 클릭한다.

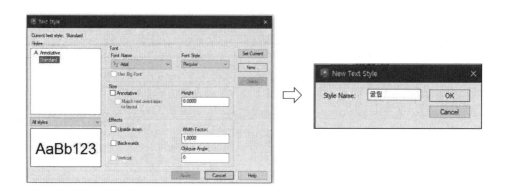

 STEP 2
'Text Style' 대화상자fh 돌아오면 'Font Name(글꼴)'을 지정하고, 'Set Current (현재로 설정)'을 클릭하고 'Close(닫기)를 클릭한다.

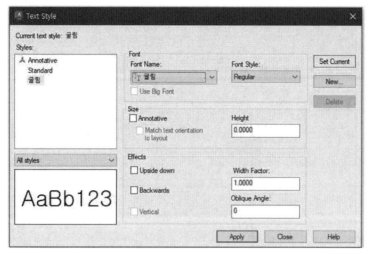

STEP 3
'Text Style' 대화상자fh 돌아오면 'Font Name(글꼴)'을 지정하고, 'Set Current
(현재로 설정)'을 클릭하고 'Close(닫기)를 클릭한다.

Command : DTEXT [Enter↵]
Current text style: "굴림" Text height: 2.5000 Annotative: No Justify: Left
Specify start point of text or [Justify/Style] : T1클릭
Specify height ⟨2.5000⟩ : 3 [Enter↵]
Specify rotation angle of text ⟨0⟩ : [Enter↵]
TEXT 입력 : 설계 [Enter↵] [Enter↵]

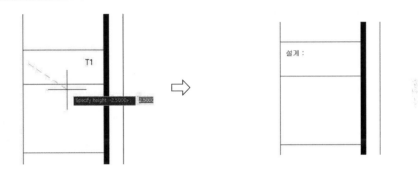

 STEP 4
입력한 문자를 Copy(복사)' 명령을 실행하여 모든 박스의 동일 위치에 복사한다.

Command : COPY [Enter↵]
Select objects : T2 클릭 1 found
Select objects : [Enter↵]
Current settings: Copy mode = Multiple
Specify base point or [Displacement/mOde] ⟨Displacement⟩ : P15클릭
Specify second point or [Array] ⟨use first point as displacement⟩:P16클릭
Specify second point or [Array/Exit/Undo] ⟨Exit⟩:P17클릭
Specify second point or [Array/Exit/Undo] ⟨Exit⟩:P18클릭
Specify second point or [Array/Exit/Undo] ⟨Exit⟩:P19클릭
Specify second point or [Array/Exit/Undo] ⟨Exit⟩:P20클릭
Specify second point or [Array/Exit/Undo] ⟨Exit⟩:[Enter↵]

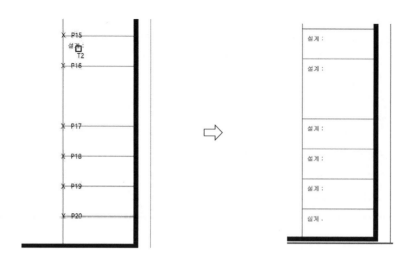

STEP 5

각 문자를 더블 클릭하거나 ddedit 명령을 수행하여 문자를 수정하고 [Enter↵] 클릭하여 문자를 수정한다. 반복적으로 수정하고자 하는 문자에 대해 작업한다.

```
Command : 문자 더블클릭 또는 ddedit
Current settings : Edit mode = Multiple
Select an annotation object or [Undo/Mode] : 더블클릭후 문자 수정 [Enter↵]
Select an annotation object or [Undo/Mode] : 더블클릭 후 문자수정 [Enter↵]
Select an annotation object or [Undo/Mode] : 더블클릭 후 문자수정 [Enter↵]
Select an annotation object or [Undo/Mode] : 더블클릭 후 문자수정 [Enter↵]
```

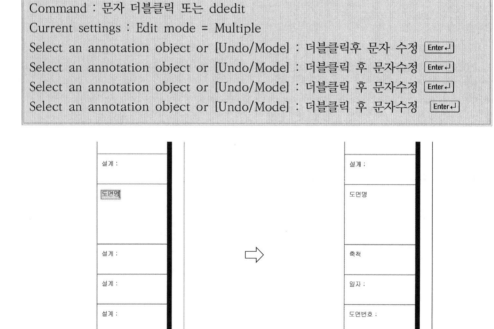

STEP 6

도면 타이틀 및 도면명, 축척 표시등을 하여 A3도면 양식을 완성한다.

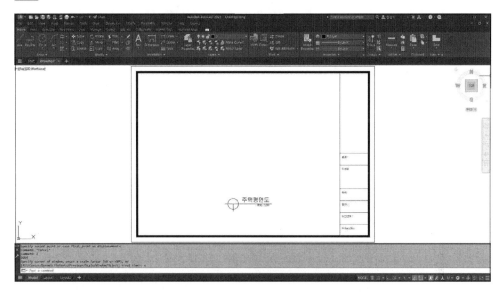

TIP	▣ 도면명 부호 및 문자 치수
	1. 도면명 : 7mm
	2. 축척 : 3mm
	3. 원(버블) : 지름 9mm

▶ 다음 도면 따라 그리시오

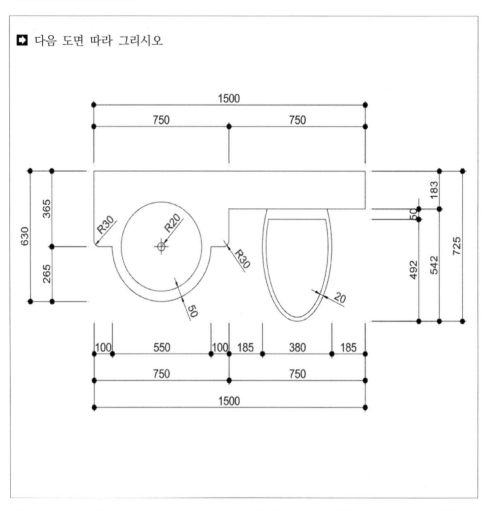

TIP

▶ 도면 양식 그리는 순서
1. 세면대 대리석 커버를 그린다.
2. 세면대 도기부분을 그린다.
3. 변기를 그린다.
▶ 사용 명령어
ddtype, ellipse, fillet, limits, line, offset, point, trim, zoom

1) 세면대 그리기

STEP 1

STEP 1
앞서 배운 시작화면에서 새 도면 시작하기 방법 중 하나를 선택하여 템플릿 acadiso.dwt'을 로드시키다.

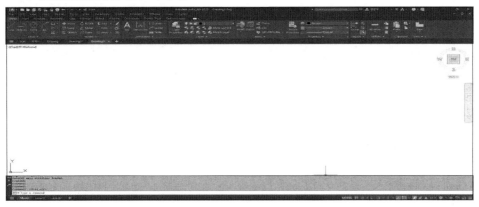

STEP 2
"Limits(도면 영역)' 명령을 실행하고 가로 2500, 세로 2000으로 영역을 설정한다.

Command: LIMITS
Reset Model space limits :
Specify lower left corner or [ON/OFF] ⟨0.0000,0.0000⟩ : Enter↵
Specify upper right corner ⟨420.0000,297.0000⟩ : 2500,2000 Enter↵

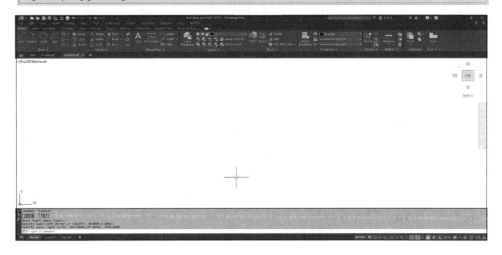

STEP 3
Zoom 명령어 실행 후 'All (전체 보기)'를 한다

Command : ZOOM [Enter↵]
Specify corner of window, enter a scale factor (nX or nXP), or
[All/Center/Dynamic/Extents/Previous/Scale/Window/Object] ⟨real time⟩: a [Enter↵]
Regenerating model.

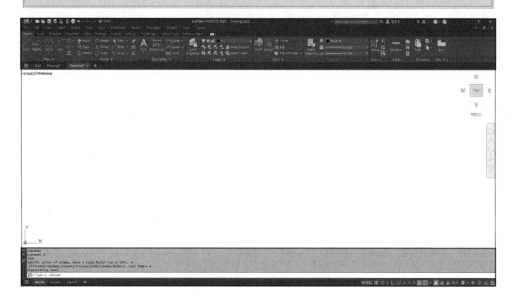

STEP 4
F8을 눌러 직교 모드로 마우스가 움직이도록 하고, Line명령을 실행한 후 P1점에서 시
작하여 순차적으로 진행방향으로 마우스 놓으면서 길이를 입력한다.

Command : LINE [Enter↵]
Specify first point : P1클릭
Specify next point or [Undo]: ⟨Ortho on⟩ 1500 [Enter↵]
Specify next point or [Undo]: 183 [Enter↵]
Specify next point or [Close/Undo]: 750 [Enter↵]
Specify next point or [Close/Undo]: 182 [Enter↵]
Specify next point or [Close/Undo]: 750 [Enter↵]
Specify next point or [Close/Undo]: c [Enter↵]

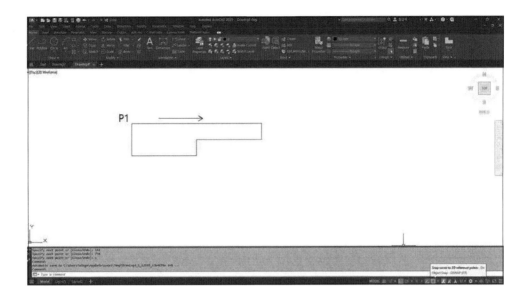

STEP 5

옵션이 'Center(중심점)'인 타원 명령을 실행한 후 선분의 중간점인 중심P2에서 장축 끝점 275, 단축 끝점 265인 타원을 작성한다.

Command: _ellipse Enter↵

Specify axis endpoint of ellipse or [Arc/Center]: _c

Specify center of ellipse : P2클릭

Specify endpoint of axis : @275<0 Enter↵ (또는 직교모드에서 마우스 우측에 위치하고 275 Enter↵)

Specify distance to other axis or [Rotation] : @265<90 Enter↵ (또는 직교모드에서 마우스 위로 위치하고 265 Enter↵)

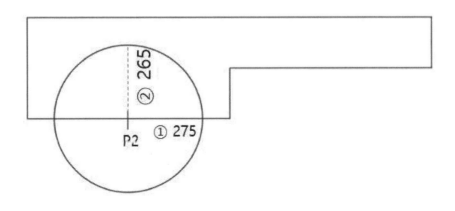

STEP 6

'Offset(간격띄우기)' 명령을 실행하여 타원 안쪽에 12작은 타원을 그린다.

Command : OFFSET [Enter↵]
Current settings: Erase source=No Layer=Source OFFSETGAPTYPE=0
Specify offset distance or [Through/Erase/Layer] 〈Through〉 : 50 [Enter↵]
Select object to offset or [Exit/Undo] 〈Exit〉 : P3클릭
Specify point on side to offset or [Exit/Multiple/Undo] 〈Exit〉 : P4클릭
Select object to offset or [Exit/Undo] 〈Exit〉 : [Enter↵]

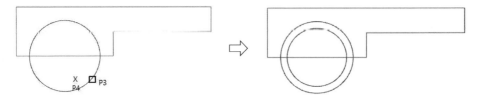

 STEP 7

'Trim(자르기)' 명령을 실행하여 순서에 따라 필요 없는 선을 정리 한다.

Command : TRIM [Enter↵]
Current settings: Projection=UCS, Edge=None, Mode=Quick
Select object to trim or shift-select to extend or [cuTting edges/Crossing/mOde
/Project/eRase] : P5 클릭
Select object to trim or shift-select to extend or [cuTting edges/Crossing/mOde
/Project/eRase/Undo] : P6 클릭
Select object to trim or shift-select to extend or [cuTting edges/Crossing/mOde
/Project/eRase/Undo] : P7 클릭
Select object to trim or shift-select to extend or [cuTting edges/Crossing/mOde
/Project/eRase/Undo] : P8 클릭
Select object to trim or shift-select to extend or [cuTting edges/Crossing/mOde
/Project/eRase/Undo] : [Enter↵]

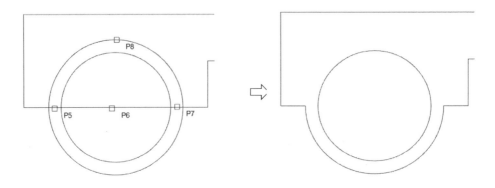

STEP 8

세면대 배수구 부분을 표현하기 위해 '[Format] → [Point Style]을 클릭하면 Point Style 대화상자가 열린다. 점의 형태를 선택하고 크기를 입력하고, 'Set Size Absolute Units(절대단위로 크기설정)'을 선택하고 OK(확인)을 클릭한다. (명령어 입력 : ddptype)

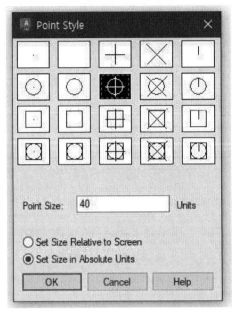

STEP 8

'Point(점)' 명령어를 실행하여 타원 중심점에 배수구를 그린다.

Command : _point [Enter↵]
Current point modes: PDMODE=34 PDSIZE=40.0000
Specify a point : P9 클릭

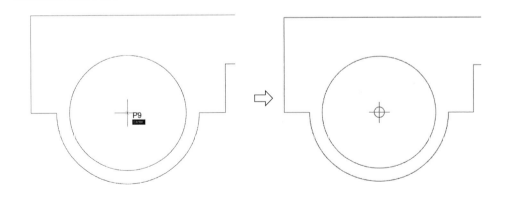

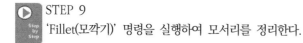

STEP 9
'Fillet(모깍기)' 명령을 실행하여 모서리를 정리한다.

Command : FILLET `Enter↵`
Current settings: Mode = TRIM, Radius = 0.0000
Select first object or [Undo/Polyline /Radius/Trim/Multiple]: r
Specify fillet radius 〈0.0000〉 : 30
Select first object or [Undo/Polyline /Radius /Trim/Multiple : P10클릭
Select second object or shift-select to apply corner or [Radius] : P11클릭
Command : FILLET `Enter↵`
Current settings: Mode = TRIM, Radius = 30.0000
Select first object or [Undo/Polyline /Radius /Trim/Multiple] : P12클릭
Select second object or shift-select to apply corner or [Radius] : P13클릭

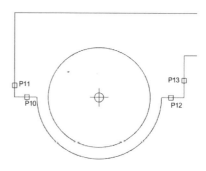

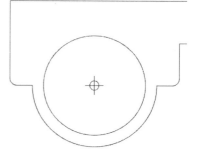

2) 변기 그리기

STEP 1
'Offset(간격띄우기)' 명령을 실행하여 타원을 그리기 위해 가상의 기준선을 그린다.

Command : OFFSET `Enter↵`
Current settings: Erase source=No Layer=Source OFFSETGAPTYPE=0
Specify offset distance or [Through/Erase/Layer] 〈12.0000〉 : 182
Select object to offset or [Exit/Undo] 〈Exit〉 : P14 클릭
Specify point on side to offset or [Exit/Multiple/Undo] 〈Exit〉 : P15방향으로 클릭
Select object to offset or [Exit/Undo] 〈Exit〉 : `Enter↵`

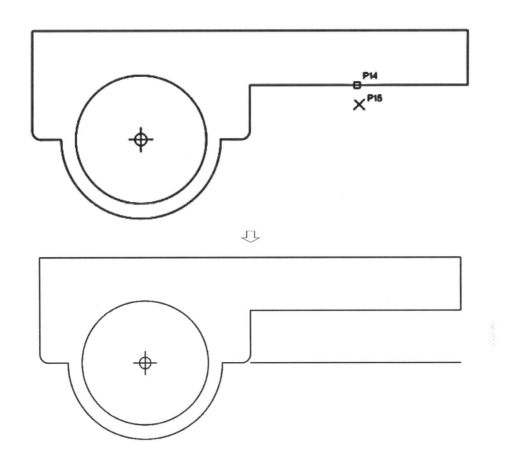

STEP 2

가상의 기준선의 중간점에 타원의 중
심축이 되도록 하여 타원을 그리고
가상선은 지운다.

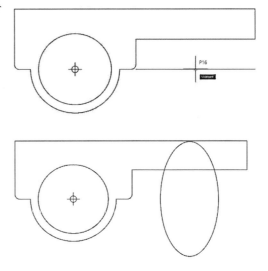

Command : _ellipse Enter↵

Specify axis endpoint of ellipse or
[Arc/Center] : _c

Specify center of ellipse : P16클릭

Specify endpoint of axis : @190<0

Specify distance to other axis
or [Rotation] : @360<90 Enter↵

STEP 3

'Offset(간격띄우기)' 명령을 실행하여 안쪽 작은 타원을 작성한다.

Command : OFFSET [Enter↵]

Current settings : Erase source=No

Layer=Source OFFSETGAPTYPE=0

Specify offset distance or [Through /Erase /Layer] ⟨182.0000⟩: 20

Select object to offset or [Exit /Undo] ⟨Exit⟩ : P17클릭

Specify point on side to offset or [Exit /Multiple/Undo] ⟨Exit⟩ : P18 방향 여백 클릭

Select object to offset or [Exit/ Undo] ⟨Exit⟩ : [Enter↵]

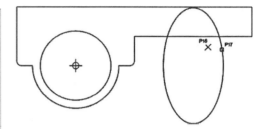

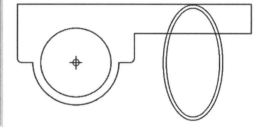

STEP 4

'Offset(간격띄우기)' 명령을 실행하여 50만큼 간격을 띄운다.

Command : OFFSET [Enter↵]

Current settings : Erase source=No

Layer=Source OFFSETGAPTYPE=0

Specify offset distance or [Through/Erase /Layer] ⟨20.0000⟩: 50

Select object to offset or [Exit /Undo] ⟨Exit⟩: P19클릭

Specify point on side to offset or [Exit /Multiple/Undo] ⟨Exit⟩ : P20 방향 여백 클릭

Select object to offset or [Exit/ Undo] ⟨Exit⟩ : [Enter↵]

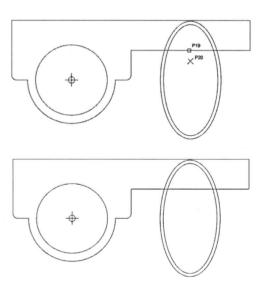

STEP 5

'Trim(자르기)' 명령을 실행하여 각각을 잘라내어 정리한다.

Command : TRIM [Enter↵]

Current settings: Projection=UCS,

Edge=None, Mode=Quick

Select object to trim or shift-select

to extend or [cuTting edges/ Crossing

/mOde/Project/eRase] : P21클릭

⋮

Select object to trim or shift-select

to extend or [cuTting edges/ Crossing

/mOde/Project/eRase] : P28클릭

Select object to trim or shift-select

to extend or [cuTting edges/ Crossing

/mOde/Project/eRase] : [Enter↵]

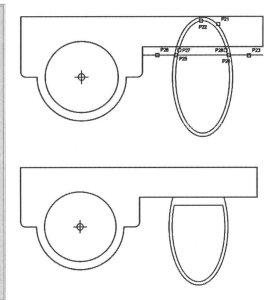

 STEP 6

'Trim(자르기)' 명령은 오토캐드에서 기본적으로 기준선이 자동 설정되므로 자르고자하는 부분만 클릭하면 자르도록 설정되어 있으므로 쉽게 정리할 수 있다. 이제 최종 마무리한다

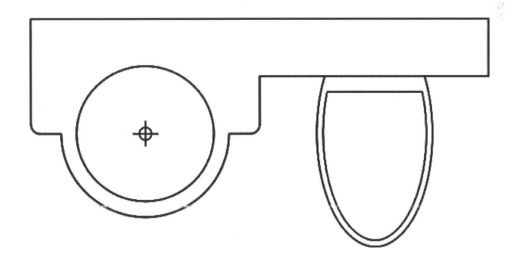

<table>
<tr><td>과 제 ◉◉</td><td>방문 그리기</td></tr>
</table>

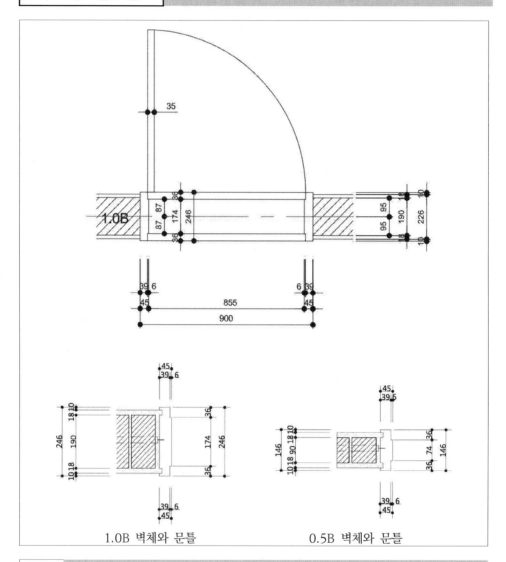

1.0B 벽체와 문틀   0.5B 벽체와 문틀

TIP	▶ 방문 그리는 순서 1. 한쪽 문틀을 그린다. 2. 문의 폭을 정하고 그린 문틀을 Mirror하여 반대편 문틀을 그린다. 3. 문지방을 그린다. 4. 문틀 그리고 문이 열리는 방향에 따라 회전 경로를 표시한다. ▶ 사용 명령어 TIP • array, circle, trim, line, offset, rotate, copy, mirror

창과 외벽 그리기

▶ 다음을 보고 창문과 외벽평면도를 그리시오

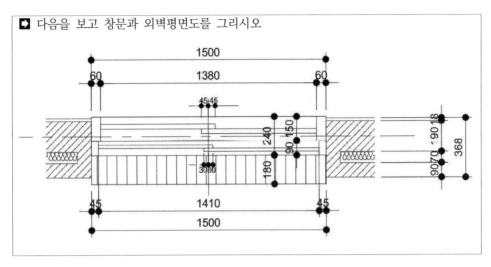

TIP	▶ 방문 그리는 순서 1. 한쪽 문틀을 그린다. 2. 문의 폭을 정하고 그린 문틀을 Mirror하여 반대편 문틀을 그린다. 3. 문지방을 그린다. 4. 문틀 그리고 문이 열리는 방향에 따라 회전 경로를 표시한다. ▶ 사용 명령어 TIP • array, circle, trim, line, offset, rotate, copy, mirror

▶ 참고도 : 조적 외벽 디테일

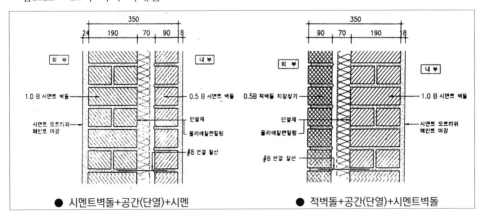

1) 벽체 그리기

STEP 1
앞서 배운 시작화면에서 새 도면 시작하기 방법 중 하나를 선택하여 템플릿 'acadiso.dwt'을 로드시키다.

STEP 2
"Limits(도면 영역)' 명령을 실행하고 가로 2500, 세로 1000으로 영역을 설정한다.

Command: LIMITS
Reset Model space limits :
Specify lower left corner or [ON/OFF] ⟨0.0000,0.0000⟩ : Enter↵
Specify upper right corner ⟨420.0000,297.0000⟩ : 2500,1000 Enter↵

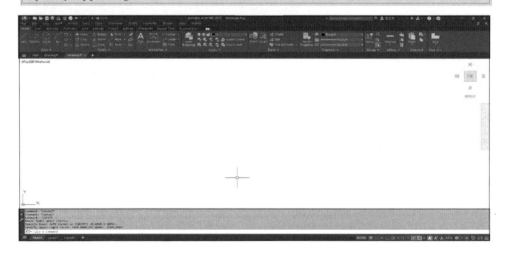

STEP 3

Zoom 명령어 실행 후 'All (전체 보기)'를 한다

Command : ZOOM [Enter↵]

Specify corner of window, enter a scale factor (nX or nXP), or

[All/Center/Dynamic/Extents/Previous/Scale/Window/Object] ⟨real time⟩: a[Enter↵]

Regenerating model.

 STEP 4

'Layer(도면층)' 명령어을 실행 후 창문, 중심선, 벽체, 마감 도면층을 만들고, 중심선 레이어를 더블 클릭하여 현재 레이어로 설정하고, 좌측 상단의 X 표시를 클릭하여 닫는다.

단열 레이어를 위해 Line type에서 Batting 을 설정한다.

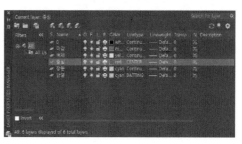

(※ 도면 작업 중 현재 레이어 설정은 홈 탭의 'Layer (도면층)' 패널에서 중심선을 선택하는 것이 편리하다.)

STEP 5

'Line(선)' 명령어을 실행 후 창문, 중심선, 벽체, 마감 도면층을 만들고 좌측 상단의 X 표시를 클릭하여 닫는다.

Command: LINE [Enter↵]
Specify first point : P1클릭
Specify next point or [Undo] : @2000<0
Specify next point or [Undo] : [Enter↵]
Command: LINE [Enter↵]
Specify first point : P2 클릭
Specify next point or [Undo] : @600<270
Specify next point or [Undo] : [Enter↵]

S1 × ㅁP3   × S2

STEP 6

레이어를 벽체로 바꾸고, 'Offset(간격띄우기)' 명령어를 실행 후 창문 가로 폭과 벽체의 두께를 그린다.

Command : OFFSET [Enter↵]
Current settings: Erase source=No
Layer=Source OFFSETGAPTYPE=0
Specify offset distance or [Through/Erase
/Layer] ⟨Through⟩ : L
Enter layer option for offset objects
[Current/Source] ⟨Source⟩ : C
Specify offset distance or [Through/Erase
/Layer] ⟨Through⟩ : 750
Select object to offset or [Exit/Undo] ⟨Exit⟩ : P3클릭
Specify point on side to offset or [Exit
/Multiple /Undo] ⟨Exit⟩ : S1클릭
Select object to offset or [Exit/Undo] ⟨Exit⟩:P3클릭
Specify point on side to offset or
[Exit /Multiple/Undo] ⟨Exit⟩: S2클릭
Select object to offset or [Exit/Undo] ⟨Exit⟩: [Enter↵]

S1 × ㅁP3   × S2

⇩

STEP 7

'Offset(간격띄우기)' 명령어을 실행 후 중심선을 중심으로 벽돌 벽체를 그린다.

Command : OFFSET [Enter↵]
Current settings: Erase source=No
Layer=Source OFFSETGAPTYPE=0
Specify offset distance or [Through/Erase
/Layer] ⟨750.0000⟩: L
Enter layer option for offset objects
[Current/Source] ⟨Source⟩ : C
Specify offset distance or [Through/Erase
/Layer] ⟨Through⟩⟨750.0000⟩ : 95
Select object to offset or [Exit/Undo] ⟨Exit⟩ : P4클릭
Specify point on side to offset or [Exit
/Multiple /Undo] ⟨Exit⟩ : S3클릭
Select object to offset or [Exit/Undo] ⟨Exit⟩:P4클릭
Specify point on side to offset or
[Exit /Multiple/Undo] ⟨Exit⟩: S4클릭
Select object to offset or [Exit/Undo] ⟨Exit⟩: [Enter↵]

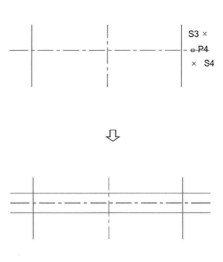

 STEP 8

'Offset(간격띄우기)' 명령어을 실행 후 단열층을 그린다.

Command : OFFSET [Enter↵]
Current settings: Erase source=No Layer=Current
OFFSETGAPTYPE=0
Specify offset distance or [Through/ Erase
/Layer] ⟨95.0000⟩: 70
Select object to offset or [Exit/Undo] ⟨Exit⟩: P5클릭
Specify point on side to offset or [Exit /Multiple
/Undo] ⟨Exit⟩: S5방향 여백 클릭
Select object to offset or [Exit/Undo] ⟨Exit⟩:[Enter↵]
Command: OFFSET [Enter↵]
Current settings : Erase source=No Layer=Current
OFFSETGAPTYPE=0
Specify offset distance or [Through/Erase
/Layer] ⟨70.0000⟩: 90
Select object to offset or [Exit/Undo] ⟨Exit⟩:P5클릭
Specify point on side to offset or [Exit/Multiple
/Undo] ⟨Exit⟩: S5방향 여백 클릭
Select object to offset or [Exit/Undo] ⟨Exit⟩: [Enter↵]

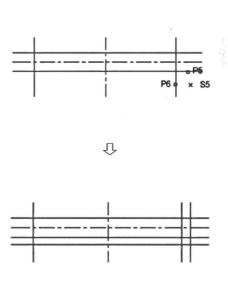

1. 필수예제 단계별 그리기　　359

STEP 9
다시 'Offset(간격띄우기)' 명령어을 실행 후 외벽 벽돌벽을 그린다.

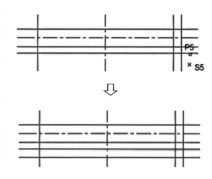

Command : OFFSET [Enter↵]
Current settings: Erase source=No Layer=Current
OFFSETGAPTYPE=0
Specify offset distance or [Through/Erase
/Layer] ⟨90.0000⟩: 90
Select object to offset or [Exit/Undo] ⟨Exit⟩ : P5클릭
Specify point on side to offset or [Exit
/Multiple/Undo] ⟨Exit⟩ : S5방향 여백 클릭
Select object to offset or [Exit/Undo] ⟨Exit⟩: [Enter↵]

STEP 10
'Trim(자르기)' 명령어을 실행 후 필요 없는 선을 제거한다.

STEP 11
'Offset(간격띄우기)'명령을 실행하여 실내측 마감선을 그리고, 'Mirror(대칭)' 명령
을 실행하여 반대편 벽체를 대칭복사한다.

Command : OFFSET [Enter↵]
Current settings: Erase source=No Layer=Source OFFSETGAPTYPE=0
Specify offset distance or [Through/Erase/Layer] ⟨Through⟩: 18
Select object to offset or [Exit/Undo] ⟨Exit⟩ : P6 클릭
Specify point on side to offset or [Exit/Multiple
/Undo] ⟨Exit⟩ : S6 방향 여백 클릭
Select object to offset or [Exit/Undo] ⟨Exit⟩ : [Enter↵]
Command : MIRROR [Enter↵]
Select objects : S7클릭 후 드래그
Specify opposite corner : S8클릭 6 found,
Select objects : [Enter↵]
Specify first point of mirror line: P7클릭
Specify second point of mirror line:P8클릭
Erase source objects? [Yes/No] ⟨No⟩:[Enter↵](지우지 않음)

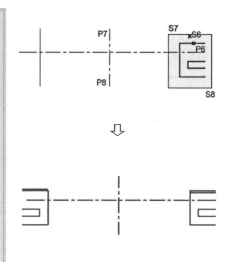

2) 창문 그리기

STEP 1

'Layer(도면층)'을 '창문으로 바꾸고, 'Offset(간격띄우기)' 명령을 실행하여 실내 측으로 10만큼 가상선을 간격 띄우기를 한다.(창문은 벽 마감선에서 10mm돌출하여 설치)

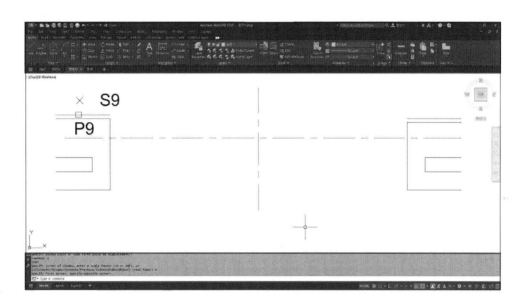

STEP 2

'Line'명령을 실행하여 창문 외곽선을 설정하고 가상선은 지운다.

Command: LINE [Enter↵]
Specify first point : P4클릭
Specify next point or [Undo] : 〈Ortho on〉 1500 (커서를 0도 즉 우측방향 위치)
Specify next point or [Undo] : 420(커서를 270도 즉 아래방향 위치)
Specify next point or [Close/Undo]: 1500 (커서를 180도 즉 좌측방향 위치)
Specify next point or [Close/Undo] : c (시작점으로)

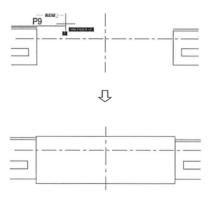

STEP 3
'Offset(간격띄우기)'명령을 실행하여 실내측 창문 프레임 150 간격띄우기를 한다.
실내창호는 목재창호, 실외는 알루미늄 창호이므로 크기가 차이가 있다.)

Command : OFFSET [Enter↵]
Current settings: Erase source=No
Layer=Source OFFSETGAPTYPE=0
Specify offset distance or [Through
/Erase/Layer] ⟨10.0000⟩ : 150
Select object to offset or [Exit/Undo]
⟨Exit⟩ : P10 클릭
Specify point on side to offset or [Exit
/Multiple/Undo] ⟨Exit⟩: S9방향 여백 클릭
Select object to offset or [Exit/Undo]
⟨Exit⟩: [Enter↵]

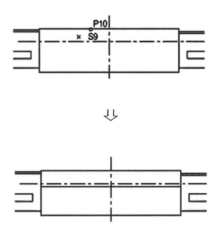

 STEP 4
'Offset(간격띄우기)'명령을 실행하여 실외 창문 프레임(알루미늄프레임) 90 간격띄
우기를 한다.

Command : OFFSET [Enter↵]
Current settings: Erase source=No
Layer=Source OFFSETGAPTYPE=0
Specify offset distance or [Through
/Erase/Layer] ⟨150.0000⟩: 90
Select object to offset or [Exit/Undo]
⟨Exit⟩:P11 클릭
Specify point on side to offset or [Exit
/Multiple/Undo] ⟨Exit⟩: S10방향 여백 클릭
Select object to offset or [Exit/Undo]
⟨Exit⟩: [Enter↵]

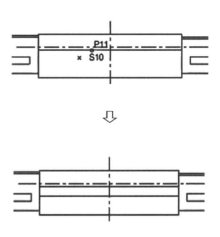

STEP 5

'Offset(간격띄우기)'명령을 실행하여 실내측 창문(목재창) 수직 프레임 60만큼 간격
띄우기한다.

Command : OFFSET [Enter↵]
Current settings: Erase source=No Layer=Source OFFSETGAPTYPE=0
Specify offset distance or [Through/Erase
/Layer] ⟨90.0000⟩ : 60
Select object to offset or [Exit/Undo]
⟨Exit⟩ : P12클릭
Specify point on side to offset or [Exit
/Multiple/Undo] ⟨Exit⟩ : S11방향 여백 클릭
Select object to offset or [Exit/Undo]
⟨Exit⟩ : P132클릭
Specify point on side to offset or [Exit
/Multiple/Undo] ⟨Exit⟩ : S12방향 여백 클릭
Select object to offset or [Exit/Undo] ⟨Exit⟩ : [Enter↵]

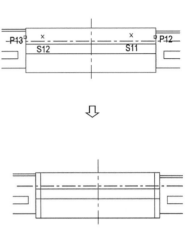

STEP 6

'Offset(간격띄우기)'명령을 실행하여 실외측 창문(알루미늄) 수직 프레임 60만큼
간격띄우기한다.

Command : OFFSET [Enter↵]
Current settings : Erase source=No Layer=Source OFFSETGAPTYPE=0
Specify offset distance or [Through/Erase
/Layer] ⟨90.0000⟩ : 45 [Enter↵]
Select object to offset or [Exit/Undo] ⟨Exit⟩ : P14클릭
Specify point on side to offset or [Exit/Multiple
/Undo] ⟨Exit⟩ : S13방향 여백 클릭
Select object to offset or [Exit/Undo] ⟨Exit⟩
: P15 클릭
Specify point on side to offset or [Exit/Multiple
/Undo] ⟨Exit⟩ : S14방향 여백 클릭
Select object to offset or [Exit/Undo] ⟨Exit⟩ : [Enter↵]

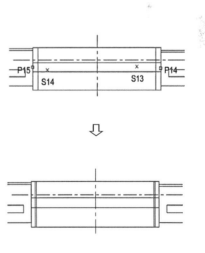

STEP 7
'Trim(자르기)'명령을 실행하여 불필요한 부분을 각각 삭제하여 프레임을 완성한다.

Command : TRIM [Enter↵]
Current settings: Projection=UCS, Edge=None, Mode=Quick
Select object to trim or shift-select to extend or [cuTting edges/Crossing /mOde/Project/eRase] : P16드래그
Select object to trim or shift-select to extend or [cuTting edges/Crossing /mOde/Project/eRase] :
Specify next fence point or [Undo] :
Specify next fence point or [Undo]:
Select object to trim or shift-select to extend or [cuTting edges/Crossing /mOde/Project/eRase] : P17 클릭

Select object to trim or shift-select to extend or [cuTting edges/Crossing /mOde/Project/eRase]:P21클릭
Select object to trim or shift-select to extend or [cuTting edges/Crossing /mOde/Project/eRase] /Undo] : [Enter↵]

P16과 P19는 'Fence(울타리)'로 선택되도록 드래그 한다.

 STEP 8
'Line'명령을 실행하여 실내측 창문을 그리기 위해 창프레임 중앙에서 중앙선을 그린다. (작업시 'Osnap(객체스냅)'에 필요한 부분을 반드시 체크한다.)

Command : LINE [Enter↵]
Specify first point : P22클릭
Specify next point or [Undo] : P23클릭
Specify next point or [Undo] : [Enter↵]

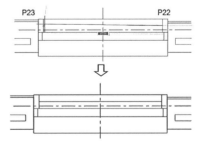

STEP 9

'Offset(간격 띄우기)'명령을 실행하여 중앙선 위와 아래로 유리창의 두께 30을 간격 띄우기 한다.

```
Command : OFFSET  Enter↵
Current settings: Erase source=No   Layer=Source   OFFSETGAPTYPE=0
Specify offset distance or [Through/Erase/Layer] ⟨45.0000⟩: 30
Select object to offset or [Exit/Undo] ⟨Exit⟩ : P24클릭
Specify point on side to offset or [Exit/Multiple/Undo] ⟨Exit⟩ : S15 방향 여백 클릭
Select object to offset or [Exit/Undo] ⟨Exit⟩ : P24클릭
Specify point on side to offset or [Exit/Multiple/Undo] ⟨Exit⟩: S16 방향 여백 클릭
Select object to offset or [Exit/Undo] ⟨Exit⟩: Enter↵
```

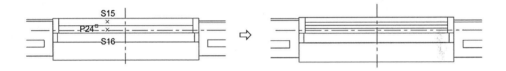

STEP 10

'Offset(간격 띄우기)'명령을 실행하여 창 가운데 프레임을 작성한다.

```
Command : OFFSET  Enter↵
Current settings: Erase source=No   Layer=Source   OFFSETGAPTYPE=0
Specify offset distance or [Through/Erase/Layer] ⟨45.0000⟩: 45
Select object to offset or [Exit/Undo] ⟨Exit⟩ : P25클릭
Specify point on side to offset or [Exit/Multiple/Undo] ⟨Exit⟩:S17방향 여백 클릭
Select object to offset or [Exit/Undo] ⟨Exit⟩ : P25클릭
Specify point on side to offset or [Exit/Multiple/Undo] ⟨Exit⟩:S18방향 여백 클릭
Select object to offset or [Exit/Undo] ⟨Exit⟩ : Enter↵
```

STEP 11

'Trim(자르기)'명령을 실행하여 실내측 창을 완성한다. 굵은 선으로 된 부분을 모두 Trim으로 재거하여 정리한다.

Command : TRIM [Enter↵]
Current settings: Projection=UCS, Edge=None, Mode=Quick
Select object to trim or shift-select to extend or [cuTting edges/Crossing /mOde/Project/eRase] : P25 클릭
⋮
Select object to trim or shift-select to extend or [cuTting edges/Crossing /mOde/Project/eRase] : P28 클릭
⋮
Select object to trim or shift-select to extend or [cuTting edges/Crossing /mOde/Project/eRase] /Undo] : [Enter↵]

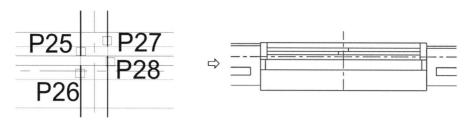

 STEP 12

'Trim(자르기)'명령을 실행하여 실내측 창의 겹치지 않은 부분을 잘라 낸다.

Command : TRIM [Enter↵]
Current settings: Projection=UCS, Edge=None, Mode=Quick
Select object to trim or shift-select to extend or [cuTting edges/Crossing /mOde/Project/eRase] : P28 클릭
Select object to trim or shift-select to extend or [cuTting edges/Crossing /mOde/Project/eRase] : P29 클릭
Select object to trim or shift-select to extend or [cuTting edges/Crossing /mOde/Project/eRase] /Undo] : [Enter↵]

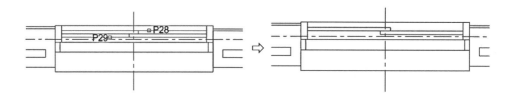

STEP 13

STEP8 ~ STEP12와 같은 과정을 통해서 실외 창문을 작성한다. 다만 알루미늄 창이므로 두께는 20mm, 중앙에 겹치는 부분은 좌우로 30mm로 한다.

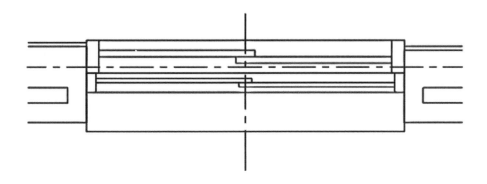

3) 해치 작성하기

STEP 1

조적벽을 표시하는 'Hatch'를 표현하기 위해 닫힌 경계를 만들어주기 위해 벽 끝을 선으로 그어 준다.

```
Command : LINE  Enter↵
Specify first point : P30클릭
Specify next point or [Undo] : P31클릭
Specify next point or [Undo] :  Enter↵
Command : LINE  Enter↵
Specify first point : P32클릭
Specify next point or [Undo] : P33클릭
Specify next point or [Undo] :  Enter↵
```

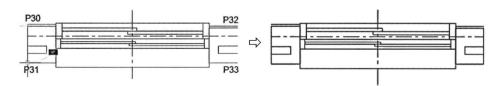

STEP 2
'Hatch" 명령을 실행하기 위해 홈탭 → 그리기 →Hatch를 클릭하면 해치 작성 리
본 탭이 곧 바로 생성된다.

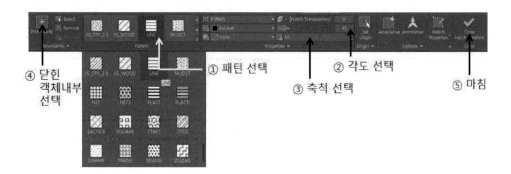

④ 닫힌   ① 패턴 선택   ② 각도 선택
객체내부
선택   ③ 축척 선택   ⑤ 마침

▶ 다음 순서에 의해 조건을 설정한다.

①에서 'LINE'패턴을 선택하고, ②에서 45도 각도를, ③에서 축척 20을 선택하고 ④ PICK
POINT(선택점)을 클릭하여 해치를 하고자하는 도면에서 닫힌 객체 내부(S18 ~S21)를 선택하
여   해치를 삽입하고 경계를 위해 그은 선을 제거 한다.

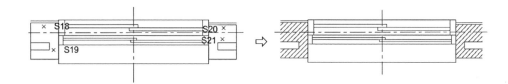

 STEP 3
창턱부분의 적벽돌 세워 쌓기를 표현하기 위해 STEP 3과 같이 'Hatch" 명령을 실
행한다. 'LINE'패턴, 각도 90도, 축척 20을 설정하여 경계내부(S22)를 클릭한다.
'Hatch'가 완성되면 █을 클릭하여 해치 대화상자를 닫는다.

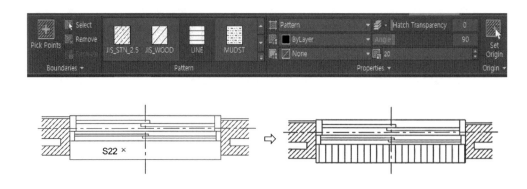

STEP 4

현재 도면층을 단열로 설정하고 Line 명령을 실행하여 단열을 넣는다. 크기가 크면 특성화창을 활성화하여 Linetype Scale을 조정하여 크기를 조정한다.

Command : LINE [Enter↵]
Specify first point : P34클릭
Specify next point or [Undo] : P35클릭
Specify next point or [Undo] : [Enter↵]
Command : LINE [Enter↵]
Specify first point : P36클릭
Specify next point or [Undo] : P37클릭
Specify next point or [Undo] : [Enter↵]

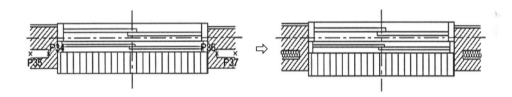

STEP 5

선 길이 등을 정리하여 창문 도면을 완성한다.

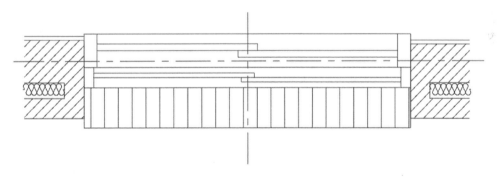

▣ 창과 외벽 그리기에서 실내측 창문의 입면도를 다음을 기준으로 그리시오.
(치수를 넣는다.)

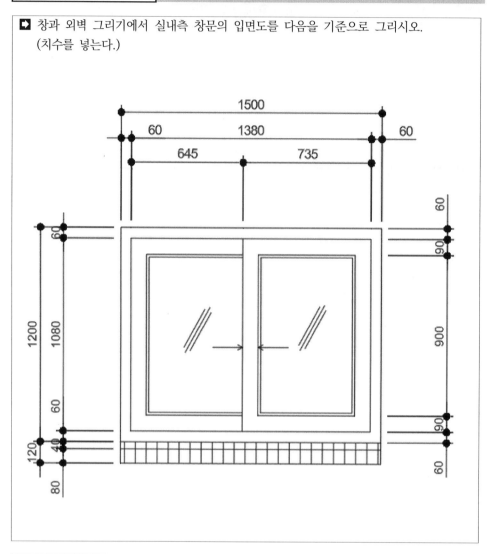

TIP

▣ 창문입면도 그리는 순서
1. 창틀을 그린다.
2. 창문 틀을 그린다.
3. 창문 턱을 해치를 사용하여 그린다.
4. 치수를 넣는다.
▣ 사용 명령어 TIP
• trim, line, offset, copy, mirror

 **자녀방 따라 그리기**

> ▶ 다음 도면 따라 그리시오
> (도면양식을 블록으로 불러와 삽입하여 그린다.)

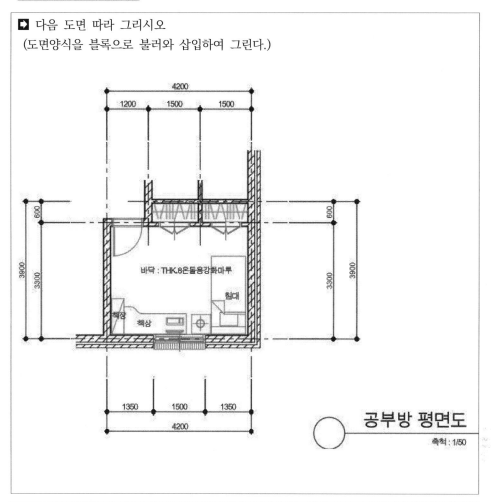

공부방 평면도

축척 : 1/50

TIP	▶ 도면 그리는 순서
	1. 도면 양식을 불러와 삽입한다.
	2. 벽의 중심선을 그린다.
	3. 벽체를 그리고 마감선을 표시한다.
	4. 문과 창문을 그린다.
	5. 치수와 문자를 넣는다.
	5. 해치와 가구를 그려 마감한다.
	▶ 사용 명령어
	ddtype, ellipse, fillet, limits, line, offset, point, trim, zoom, hatch

1) 도면양식 불러오기

STEP 1

앞서 배운 시작화면에서 새 도면 시작하기 방법 중 하나를 선택하여 템플릿 acadiso.dwt'을 로드시키다.

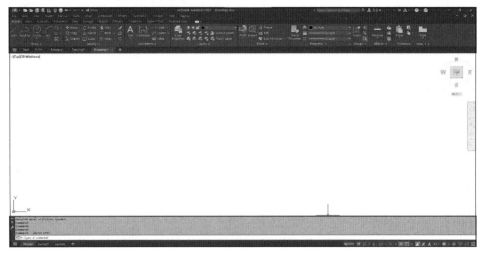

STEP 2

홈탭 → Insert(삽입) → DWG Reference(DWG참조) 명령을 실행하면, 참조파일 'Select Reference File(참조파일선택)' 대화상자가 활성화되면 도면 양식이 저장된 파일을 찾아 선택한다.

STEP 3

"Attach External Reference(외부참조부착)' 화면이 활성화 되면 다음 순서에 따라 설정한다. 'Inset point(삽입점)'의 ① 'Specify On-screen(화면에 지정)' ✔체크 해제 → ② X, Y, Z를 '0' 설정 → Scale(축척) 항의 ③'Uniform Scale(단일축척)' ✔체크 → ④ X에 50 입력 → Rotation(회전)항의 ⑤Angle(각도)는 '0' 지정 → ⑥ 'OK(확인)' 클릭 (축척 1/50 도면 그리기 임)

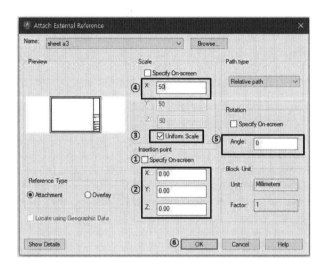

STEP 4

화면 크기가 작아 전체가 보이지 않으므로 'Zoom'명령을 실행후 'All(전체)'를 실행한다.

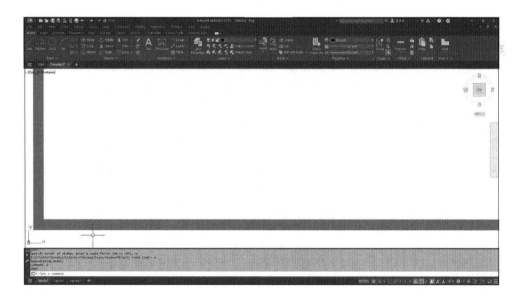

STEP 5

Zoom 명령으로 전체화면 확대하면 아래와 같은 화면이 설정된다.

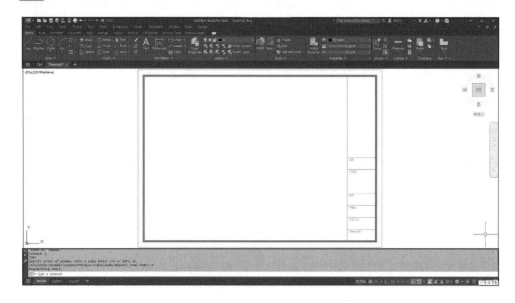

2) 도면층 설정과 중심선 그리기

STEP 1

Layer를 클릭하면 'Layer Properties Manager(도면층 특성관리자)'가 활성화되면 그리고자하는 도면 요소별 도면층을 정하고 선종류를 지정한다.

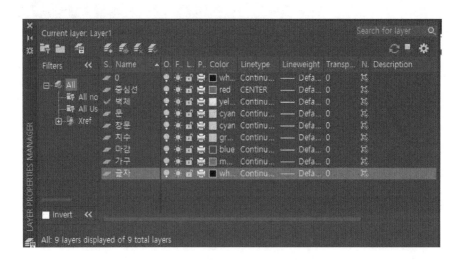

STEP 2

'Layer Properties Manager(도면층 특성관리자)'에서 중심선을 더블클릭하여 현재 도면층으로 설정하고, 왼쪽 상단 X를 클릭하여 도면층 특성관리자를 닫는다.

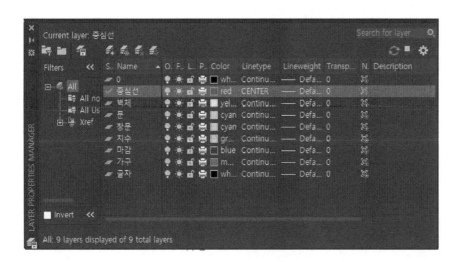

STEP 3

'Line' 명령을 실행하고 P1과 P2, P3와 P4를 연결하는 선을 긋는다.

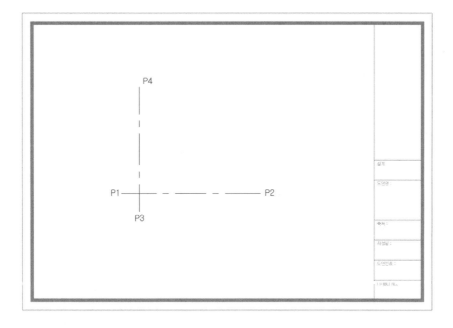

STEP 4

'Offset(간격띄우기)' 명령을 실행하고 P1과 P2, P3와 P4를 연결하는 선을 긋는다.

```
Command : OFFSET Enter↵
Current    settings:    Erase    source=No
 Layer=Source  OFFSETGAPTYPE=0
Specify offset distance or [Through/Erase/Layer]
 〈600.0000〉: 4200
Select object to offset or [Exit/Undo] 〈Exit〉 : P5클릭
Specify point on side to offset or [Exit/Multiple
/Undo] 〈Exit〉 : S1방향 여백 클릭
Select object to offset or [Exit/Undo] 〈Exit〉: Enter↵
Command : OFFSET Enter↵
Current    settings:    Erase    source=No
 Layer=Source  OFFSETGAPTYPE=0
Specify offset distance or [Through/Erase/Layer]
 〈4200.0000〉: 3300
Select object to offset or [Exit/Undo] 〈Exit〉: P6클릭
Specify point on side to offset or [Exit/Multiple
/Undo] 〈Exit〉 : S2방향 여백 클릭
Select object to offset or [Exit/Undo] 〈Exit〉 : Enter↵
```

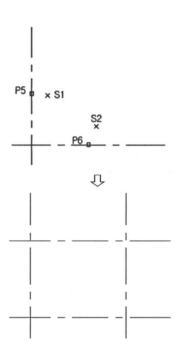

STEP 5

'Offset(간격띄우기)' 명령을 실행하여 P7~P9를 각각 S3~S5 방향으로 간격 띄우기를 한다.

```
Command : OFFSET Enter↵
Current settings: Erase source=No  Layer=Source  OFFSETGAPTYPE=0
Specify offset distance or [Through/Erase/Layer] 〈3300.0000〉: 600
Select object to offset or [Exit/Undo] 〈Exit〉 : P7클릭
Specify point on side to offset or [Exit/Multiple /Undo] 〈Exit〉 : S3방향 여백 클릭
Select object to offset or [Exit/Undo] 〈Exit〉: Enter↵
Command : OFFSET Enter↵
Current settings: Erase source=No  Layer=Source  OFFSETGAPTYPE=0
Specify offset distance or [Through/Erase/Layer] 〈600.0000〉: 1200
Select object to offset or [Exit/Undo] 〈Exit〉: P8클릭
Specify point on side to offset or [Exit/Multiple /Undo] 〈Exit〉 : S4방향 여백 클릭
Select object to offset or [Exit/Undo] 〈Exit〉 : Enter↵
Command : OFFSET Enter↵
Current settings: Erase source=No  Layer=Source  OFFSETGAPTYPE=0
Specify offset distance or [Through/Erase/Layer] 〈1200.0000〉: 1500
Select object to offset or [Exit/Undo] 〈Exit〉: P9클릭
Specify point on side to offset or [Exit/Multiple /Undo] 〈Exit〉 : S5방향 여백 클릭
Select object to offset or [Exit/Undo] 〈Exit〉 : Enter↵
```

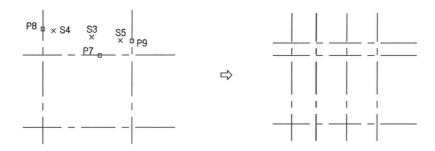

3) 벽선 그리기

STEP 6

'Layer(도면층)'을 '벽체'로 변경하고, 벽체 그리기 예제에서와 같이 'Offset(간격띄우기)'명령을 실행하여 중심선을 간격 띄우기 하여 벽체를 그린다. 벽은 중심선에서 양쪽으로 95씩(P1 ~P5) 간격 띄우기 한다. (벽장 사잇벽(P6~P7)을 0.5B이므로 45간격 띄우기)

```
Command : OFFSET Enter↵
Current settings: Erase source=No  Layer=Source  OFFSETGAPTYPE=0
Specify offset distance or [Through/Erase/Layer] ⟨45.0000⟩: 1 Enter↵
Enter layer option for offset objects [Current/Source] ⟨Source⟩: c Enter↵
Specify offset distance or [Through/Erase/Layer] ⟨45.0000⟩: 95 Enter↵
Select object to offset or [Exit/Undo] ⟨Exit⟩ : P1클릭
Specify point on side to offset or [Exit/Multiple/Undo] ⟨Exit⟩:S1방향 여백 클릭
Select object to offset or [Exit/Undo] ⟨Exit⟩ :P1클릭
            ⋮
Select object to offset or [Exit/Undo] ⟨Exit⟩ : P5클릭
Specify point on side to offset or [Exit/Multiple/Undo] ⟨Exit⟩:S9방향 여백 클릭
Select object to offset or [Exit/Undo] ⟨Exit⟩ : P5클릭
Specify point on side to offset or [Exit/Multiple/Undo] ⟨Exit⟩:S10방향 여백 클릭
Select object to offset or [Exit/Undo] ⟨Exit⟩ : Enter↵
Command : OFFSET Enter↵
Current settings: Erase source=No  Layer=Current  OFFSETGAPTYPE=0
Specify offset distance or [Through/Erase/Layer] ⟨95.0000⟩: 45
Select object to offset or [Exit/Undo] ⟨Exit⟩ : P6클릭
Specify point on side to offset or [Exit/Multiple/Undo] ⟨Exit⟩:S12방향 여백 클릭
Select object to offset or [Exit/Undo] ⟨Exit⟩ : P6클릭
Specify point on side to offset or [Exit/Multiple/Undo] ⟨Exit⟩:S13방향 여백 클릭
Select object to offset or [Exit/Undo] ⟨Exit⟩ : P7클릭
Specify point on side to offset or [Exit/Multiple/Undo] ⟨Exit⟩:S14방향 여백 클릭
Select object to offset or [Exit/Undo] ⟨Exit⟩ : P7클릭
Specify point on side to offset or [Exit/Multiple/Undo] ⟨Exit⟩:S15방향 여백 클릭
Select object to offset or [Exit/Undo] ⟨Exit⟩ : Enter↵
```

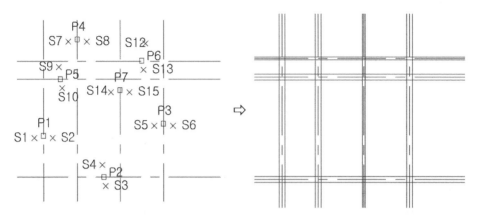

▶ 간격 띄우기 옵션에서 "Layer" "C" 옵션을 선택하지 않으면 중심선으로 Offset되기 때문에 현재 레이어 옵션을 선택하면 두 번 작업하지 않는다.(창과 외벽 그리기 참조)

STEP 7

외벽에 단열재 그리기를 위해 'Offset(간격띄우기)'를 실행하여 70을 간격 띄우기 하고, 적벽돌 외벽 마감을 위해 90을 간격 띄우기 한다.

Command : OFFSET [Enter↵]
Current settings: Erase source=No Layer=Source OFFSETGAPTYPE=0
Specify offset distance or [Through/Erase /Layer] 〈Through〉: 70
Select object to offset or [Exit/Undo] 〈Exit〉: P8클릭
Specify point on side to offset or [Exit /Multiple/Undo] 〈Exit〉: S16방향 여백 클릭
Select object to offset or [Exit/Undo] 〈Exit〉: P9클릭
Specify point on side to offset or [Exit /Multiple/Undo] 〈Exit〉: S17방향 여백 클릭
Select object to offset or [Exit/Undo] 〈Exit〉: [Enter↵]

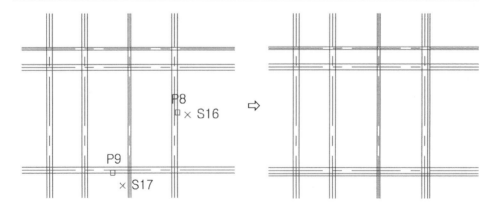

STEP 8

적벽돌 외벽 마감을 위해 'Offset(간격띄우기)'를 실행하여 90을 간격 띄우기 한다.

Command : OFFSET Enter↵
Current settings: Erase source=No Layer=Source OFFSETGAPTYPE=0
Specify offset distance or [Through/Erase/Layer] ⟨70.0000⟩: 90
Select object to offset or [Exit/Undo] ⟨Exit⟩ : P10클릭
Specify point on side to offset or [Exit/Multiple/Undo] ⟨Exit⟩ : S18방향 여백 클릭
Select object to offset or [Exit/Undo] ⟨Exit⟩ : P11클릭
Specify point on side to offset or [Exit/Multiple/Undo] ⟨Exit⟩ : S19방향 여백 클릭
Select object to offset or [Exit/Undo] ⟨Exit⟩ : Enter↵

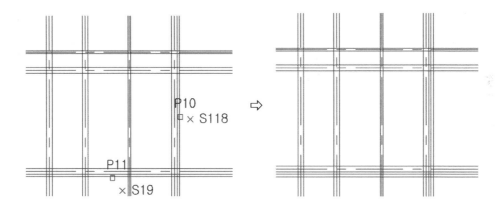

 STEP 9

외벽선을 정리하기 위해 'Fillet(모깍기)'를 실행하고 외벽 선을 정리한다.

Command : FILLET Enter↵
Current settings: Mode = TRIM, Radius = 0.0000
Select first object or [Undo/Polyline/Radius/Trim/Multiple] : P12클릭
Select second object or shift-select to apply corner or [Radius] : P12'클릭
•
•
•
Command : FILLET Enter↵
Current settings: Mode = TRIM, Radius = 0.0000
Select first object or [Undo/Polyline/Radius/Trim/Multiple] : P15클릭
Select second object or shift-select to apply corner or [Radius] : P15'클릭

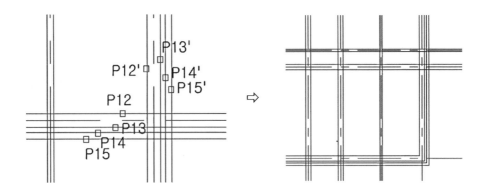

 STEP 10
'Stretch(신축)' 명령을 실행하여 지나치게 밖으로 돌출된 선을 정리한다.(동일한 방법으로 P19, P20을 Cross 잡아 옮길 기준점 P21을 잡고 적당한 곳인 S21을 클릭한다.)

Command : STRETCH `Enter↵`
Select objects to stretch by crossing-window or crossing-polygon...
Select objects : c
Specify first corner: P16클릭 Specify opposite corner: P17클릭　　6 found
Select objects : `Enter↵`
Specify base point or [Displacement] 〈Displacement〉: P18클릭 〈Osnap on〉
Specify second point or 〈use first point as displacement〉 : S20클릭(적당한 곳)

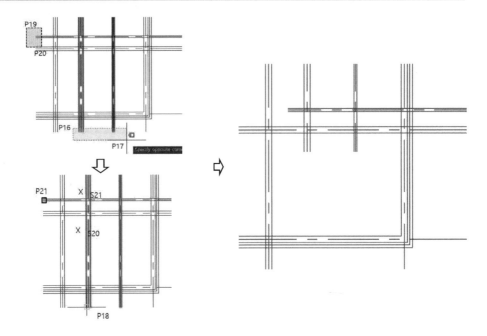

STEP 11

'Trim(자르기)' 명령과 'Erase(지우기)'을 실행하여 내벽과 벽장 간막이 벽을 정리한다. 또한 방문쪽 내벽부분은 'Fillet(모깎기)' 명령을 실행하여 정리한다.

Command : Trim Enter↵
Current settings: Projection=UCS, Edge=None, Mode=Quick
Select object to trim or shift-select to extend or [cuTting edges/Crossing/mOde /Project/eRase] : P22클릭

Select object to trim or shift-select to extend or [cuTting edges/Crossing/mOde /Project/eRase/Undo]: P25클릭
Select object to trim or shift-select to extend or [cuTting edges/Crossing/mOde/Project/eRase/Undo]: Enter↵
Command : ERASE
Select objects : P26클릭   1 found
Select objects: P27클릭   1 found, 2 total
Select objects : Enter↵

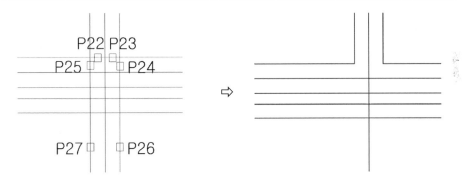

STEP 12

'Offset(간격띄우기)' 명령을 실행하여 내부 마감선 18을 설정하고 끝부분을 'Fillet(모깎기)'로 정리한다.

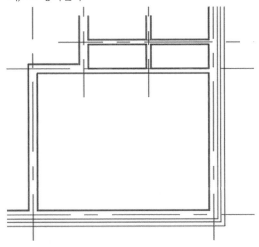

4) 개구부 그리기

 STEP 1
창이 설치되는 지점이 방의 중앙이므로 'Osnap'을 이용하여 중간점을 잡고 수직선을 긋는다.

```
Command : Line  [Enter↵]
Specify first point : P1클릭
Specify next point or [Undo] : P2클릭
Specify next point or [Undo] :  [Enter↵]
```

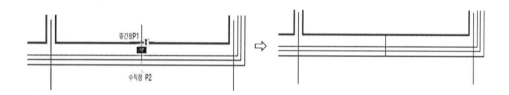

 STEP 2
창문 크기가 1,500이므로 'Offset(간격띄우기)' 명령을 실행하여 중심선 좌우로 750씩 간격 띄우기를 한다.

```
Command : OFFSET  [Enter↵]
Current settings: Erase source=No   Layer=Source   OFFSETGAPTYPE=0
Specify offset distance or [Through/Erase/Layer] ⟨18.0000⟩: 750
Select object to offset or [Exit/Undo] ⟨Exit⟩ : P3클릭
Specify point on side to offset or [Exit/Multiple/Undo] ⟨Exit⟩ : S1 방향 여백 클릭
Select object to offset or [Exit/Undo] ⟨Exit⟩ : P3클릭
Specify point on side to offset or [Exit/Multiple/Undo] ⟨Exit⟩ : S2 방향 여백 클릭
Select object to offset or [Exit/Undo] ⟨Exit⟩ :  [Enter↵]
```

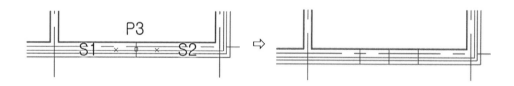

STEP 3

'Offset(간격띄우기)' 명령을 실행하여 방문 900이 되도록 간격 띄우기를 한다.

Command : OFFSET [Enter↵]
Current settings: Erase source=No Layer=Current OFFSETGAPTYPE=0
Specify offset distance or [Through/Erase/Layer] 〈1200.0000〉: 150 [Enter↵]
Select object to offset or [Exit/Undo] 〈Exit〉 : P4 클릭
Specify point on side to offset or [Exit/Multiple/Undo] 〈Exit〉: S3방향 여백 클릭
Select object to offset or [Exit/Undo] 〈Exit〉 : [Enter↵]
Command : OFFSET [Enter↵]
Current settings: Erase source=No Layer=Current OFFSETGAPTYPE=0
Specify offset distance or [Through/Erase/Layer] 〈150.0000〉: 1050 [Enter↵]
Select object to offset or [Exit/Undo] 〈Exit〉 : P4 클릭
Specify point on side to offset or [Exit/Multiple/Undo] 〈Exit〉:S3방향 여백 클릭
Select object to offset or [Exit/Undo] 〈Exit〉:[Enter↵]
Command : OFFSET [Enter↵]
Current settings: Erase source=No Layer=Current OFFSETGAPTYPE=0
Specify offset distance or [Through/Erase/Layer] 〈1050.0000〉: 300[Enter↵]
Select object to offset or [Exit/Undo] 〈Exit〉 : P5 클릭
Specify point on side to offset or [Exit/Multiple/Undo] 〈Exit〉:S4방향 여백 클릭
Select object to offset or [Exit/Undo] 〈Exit〉:[Enter↵]
Command : OFFSET [Enter↵]
Current settings: Erase source=No Layer=Current OFFSETGAPTYPE=0
Specify offset distance or [Through/Erase/Layer] 〈300.0000〉: 1200[Enter↵]
Select object to offset or [Exit/Undo] 〈Exit〉 : P5 클릭
Specify point on side to offset or [Exit/Multiple/Undo] 〈Exit〉:S4방향 여백 클릭
Select object to offset or [Exit/Undo] 〈Exit〉:[Enter↵]
Command : OFFSET [Enter↵]
Current settings: Erase source=No Layer=Current OFFSETGAPTYPE=0
Specify offset distance or [Through/Erase/Layer] 〈1200.0000〉: 300[Enter↵]
Select object to offset or [Exit/Undo] 〈Exit〉 : P6 클릭
Specify point on side to offset or [Exit/Multiple/Undo] 〈Exit〉:S5방향 여백 클릭
Select object to offset or [Exit/Undo] 〈Exit〉:[Enter↵]
Command : OFFSET [Enter↵]
Current settings: Erase source=No Layer=Current OFFSETGAPTYPE=0
Specify offset distance or [Through/Erase/Layer] 〈300.0000〉: 1200[Enter↵]
Select object to offset or [Exit/Undo] 〈Exit〉 : P6 클릭
Specify point on side to offset or [Exit/Multiple/Undo] 〈Exit〉:S5방향 여백 클릭
Select object to offset or [Exit/Undo] 〈Exit〉:[Enter↵]

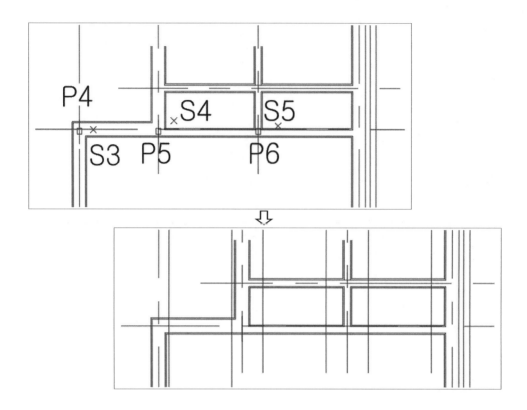

 STEP 4

'Trim(자르기)'명령을 실행하여 방문, 창문, 벽장문 개구부를 정리 한다. T1, T1'부터 T11, T11'까지 자르기를 하고 나머지 필요 없는 부분은 삭제한다.

Command : TRIM [Enter↵]
Current settings: Projection=UCS, Edge=None, Mode=Quick
Select object to trim or shift-select to extend or [cuTting edges/Crossing/mOde /Project/eRase] : T1클릭
Select object to trim or shift-select to extend or [cuTting edges/Crossing /mOde/Project/eRase] : T1'클릭
•
•
•
Select object to trim or shift-select to extend or [cuTting edges/Crossing /mOde/Project/eRase] : T10'클릭
Select object to trim or shift-select to extend or [cuTting edges/Crossing /mOde /Project/eRase] : T11'클릭
Select object to offset or [Exit/Undo] ⟨Exit⟩ : [Enter↵]

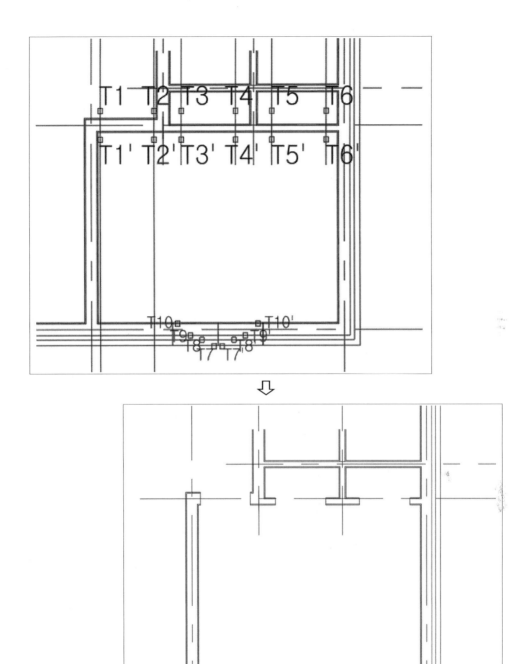

5) 문, 창문, 가구 삽입

STEP 1

'Layer(도면층)'을 '문'으로 현재 도면층으로 지정한다.(홈탭 → 'Layer(도면층) 패널 → 목록 → '문' 도면층 선택)

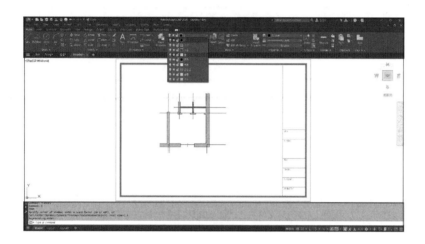

STEP 2

정밀도를 위해 큰 화면이 필요하므로 'Zoom' 명령을 실행한다.

Command : ZOOM [Enter↵]
Specify corner of window, enter a scale factor (nX or nXP), or
[All/Center/Dynamic/Extents/Previous/Scale/Window/Object] ⟨real time⟩: w
Specify first corner: Specify opposite corner:

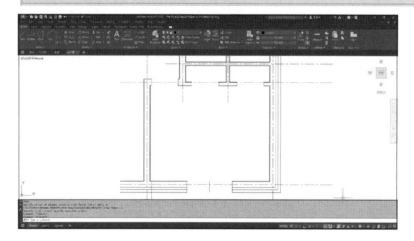

STEP 3

문 블록을 삽입하기 위해서 'Insert(삽입)' → 'DWG Reference(DWG 참조)' → 저
장된 'Block' 폴더 → 'door block' 파일 선택한다.

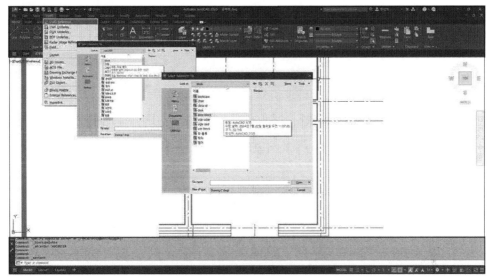

STEP 4

'Attach External Reference(외부참조파일선택) 대화상자가 나타나면 ①에서 삽입
점, ②③은 축척, ④ 각도를 그림과 같이 설정하고 ⑤ 확인 버튼을 클릭한다.

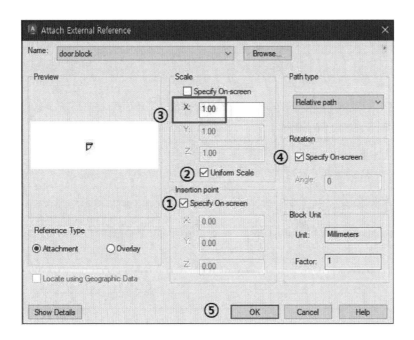

STEP 5

삽입점 P1을 클릭하고, 각도 회전이 필요 없으므로 회전 각도는 '0'으로 하여 문을 안족으로 열리게 삽입한다.

Command : ZOOM `Enter↵`
Command : _xattach
Xref "door.block" has already been defined.
Using existing definition.
Specify insertion point or [Scale/X/Y/Z/Rotate/PScale/PX/PY/PZ/PRotate]
: P1클릭
Specify rotation angle ⟨0⟩: `Enter↵` (회전각도 입력)

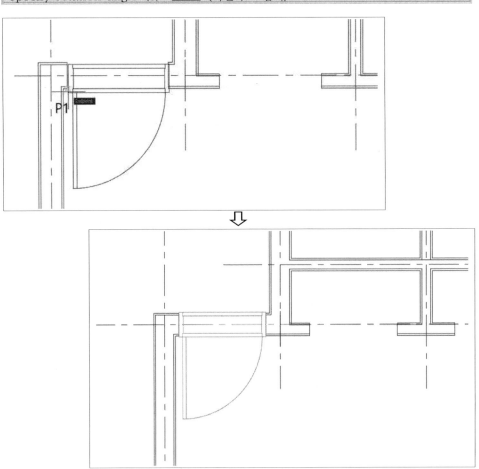

STEP 6

'Layer(도면층)'을 '문'으로 현재 도면층으로 지정한다.(홈탭 → 'Layer(도면층) 패널 → 목록 → '창문' 도면층 선택) 문 삽입과 같은 과정으로 창문을 삽입한다.

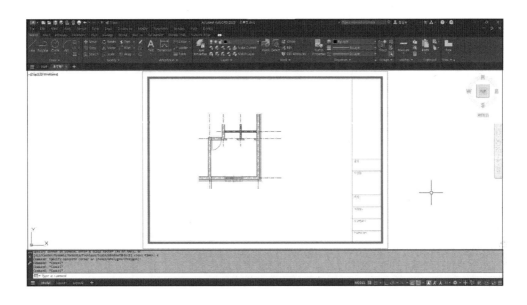

 STEP 7

STEP 1 ~ STEPT 5와 같은 방법으로 벽장의 문을 삽입한다.

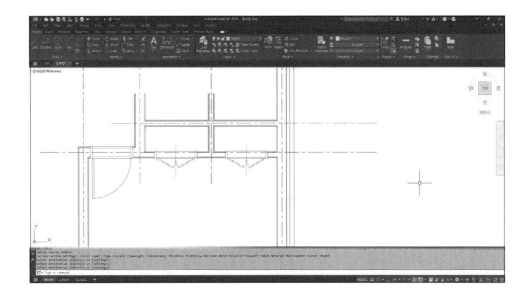

STEP 8

각각에 해당하는 도면층을 변경하고 앞선 블록 삽입방법에 따라 가구블럭을 삽입한다.

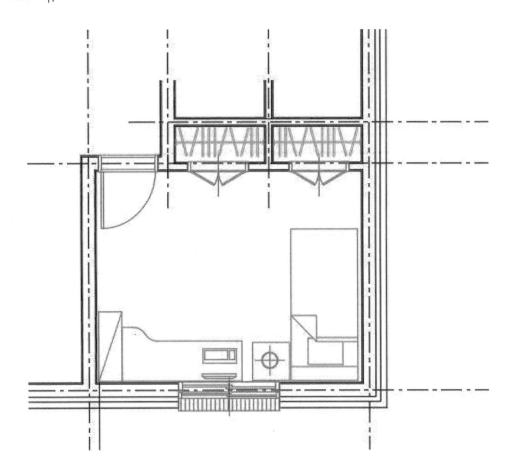

6) 치수 넣기

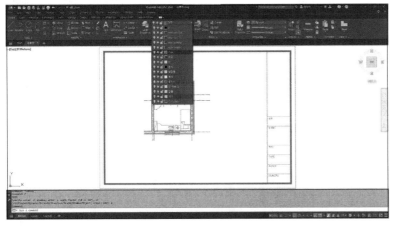

STEP 1
'Layer(도면층)'을 '치수'를 선택하여 현재 도면층으로 지정한다.(홈탭 → 'Layer(도면층) 패널
→ 목록 → '치수' 도면층 선택)

STEP 2
현 도면에 적합한 치수 스타일 설정을 위해 [Format(형식)] → [Dimmension Style(치수 스
타일)] 명령을 실행하면 '치수스타일 관리자', 치수스타일 수정' 대화상자가 나타나면 그림과
같은 순서로 설정한다.

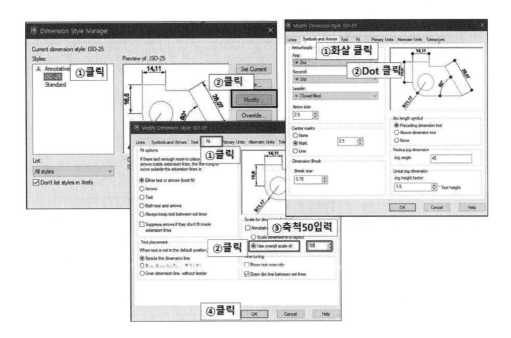

STEP 3

차수를 입력하기 전에 보조선의 길이를 정리하기 위해 'Rectangle' 명령을 실행하여 기준을 잡아 'Trim' 또는 'Extend' 명령을 실행하여 정리한다.(Trim'명령에서 [Shift]를 누르면 'Extend' 명령을 실행함)

Command : RECTANG [Enter↵]
Specify first corner point or [Chamfer/Elevation/Fillet/Thickness/Width] : P1클릭
Specify other corner point or [Area/Dimensions/Rotation] : P2클릭
Command : TRIM [Enter↵]
Current settings: Projection=UCS, Edge=None, Mode=Quick
Select object to trim or shift-select to extend or [cuTting edges/Crossing/mOde /Project/eRasel:C
Specify first corner : P3클릭
Select object to trim or shift-select to extend or [cuTting edges/Crossing/mOde /Project/eRase/Undo]: Specify opposite corner : P4클릭
Select object to trim or shift-select to extend or [cuTting edges/Crossing/mOde /Project/eRase/Undo] : [Shift]+P5클릭
Select object to extend or shift-select to trim or [Boundary edges/Crossing/mOde /Project/Undo]: Specify opposite corner : [Shift]+P7클릭
Select object to extend or shift-select to trim or [Boundary edges/Crossing/mOde /Project/Undo]: Specify opposite corner : [Shift]+P7클릭
Select object to trim or shift-select to extend or [cuTting edges/Crossing/mOde /Project/eRase/Undo] : [Shift]+P8클릭
Select object to trim or shift-select to extend or [cuTting edges/Crossing/mOde/ Project/eRase/Undo] : [Shift]+P9클릭
Select object to trim or shift-select to extend or [cuTting edges/Crossing/mOde /Project/eRase/Undo] : [Shift]+P10클릭
Select object to trim or shift-select to extend or [cuTting edges/Crossing/mOde /Project/eRase/Undo] : [Shift]+P10클릭
Select object to trim or shift-select to extend or [cuTting edges/Crossing/mOde/Project /eRase/Undo] : [Enter↵]
Command: ERASE [Enter↵]
Select objects : P12 1 found
Select objects : [Enter↵]

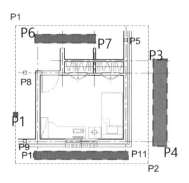 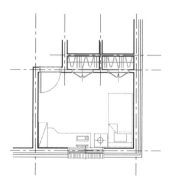

STEP 4

"Osnap(객체스냅)'을 'On'으로 하고, 'Layer(도면층)'은 '차수'로 설정한 후 선형치수 명령을 실행하여 치수를 기입한다. 작은 치수는 안쪽 큰 치수는 바깥쪽에 기입한다.

Command : DIM `Enter↵`
Specify first extension line origin or ⟨select object⟩ : P12클릭
Specify second extension line origin : P13클릭
Specify dimension line location or [Mtext/Text/Angle/Horizontal /Vertical/Rotated] : S1클릭
Dimension text = 1200
Command : _dimcontinue (풀다운 메뉴 Dimmension → Continue 클릭)
Specify second extension line origin or [Select/Undo] ⟨Select⟩ : P14클릭
Dimension text = 1500
Specify second extension line origin or [Select/Undo] ⟨Select⟩ : P15클릭
Dimension text = 1500
Specify second extension line origin or [Select/Undo] ⟨Select⟩ : `Enter↵`
Select continued dimension : `Enter↵`
Command: _dimlinear `Enter↵`
Specify first extension line origin or ⟨select object⟩ : P12클릭
Specify second extension line origin : P15클릭
Specify dimension line location or [Mtext/Text/Angle/Horizontal /Vertical/Rotated] : S2클릭
Dimension text = 4200

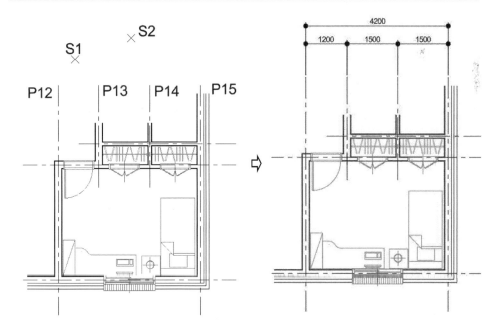

STEP 5

STEP 4와 같은 방법으로 좌우 세로 치수와 아래쪽 가로 치수를 입력한다.

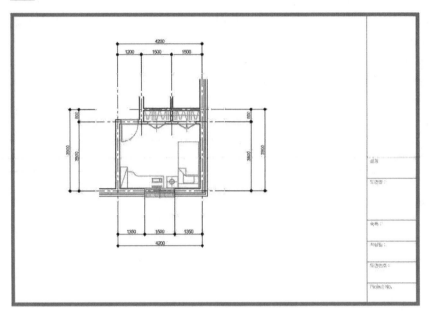

7) 문자 입력하기

STEP 1

'Layer(도면층)'을 '문자'를 선택하여 현재 도면층으로 지정한다.(홈탭 → 'Layer(도면층) 패널 → 목록 → '문자' 도면층 선택)

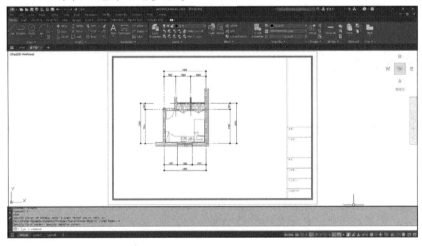

STEP 2

'Single Line(단일행 문자)'를 실행하여 필요한 문자를 기입한다.

Command : DT [Enter↵]
Current text style: "Standard" Text height: 300.0000 Annotative: No Justify: Left
Specify start point of text or [Justify/Style] : P1클릭
Specify height ⟨300.0000⟩: 150 [Enter↵]
Specify rotation angle of text ⟨0⟩ : [Enter↵]
Text : 문자입력 후 [Enter↵] [Enter↵]

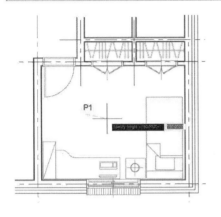 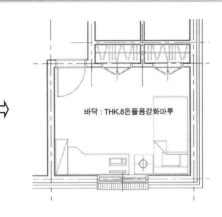

STEP 3

같은 방법으로 나머지 문자도 모두 기입한다.

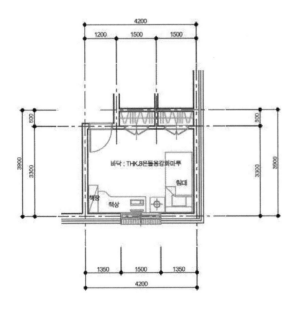

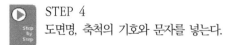

STEP 4
도면명, 축척의 기호와 문자를 넣는다.

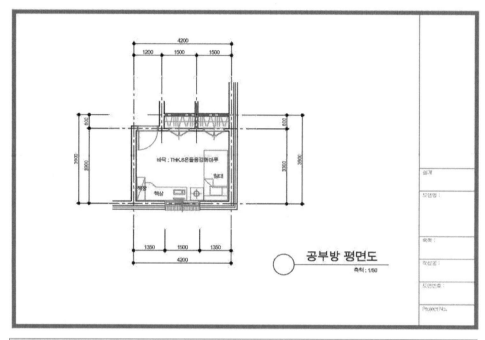

도면명을 나타내는 원형 버블의 크기는 축척이 1:1 일 경우 반지름 9, 도면명 문자 크기 7, 축척 문자 3으로 할 경우 1/50축척으로 한다면 원 반지름 450, 도면명 문자 크기 350, 축척문자 크기 150이 된다.

8) 해치 넣고 도면 그리기 마무리

STEP 1
'Layer(도면층)'을 '해치'를 선택하여 현재 도면층으로 지정한다.(홈탭 → 'Layer(도면층) 패널 → 목록 → '문자' 도면층 선택)

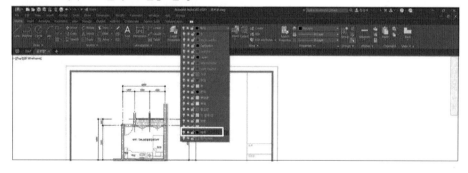

STEP 2

Step by Step

'해치를 넣기 전에 신속하고 정확히 해치를 넣기 위해 중심선을 잠시 'Off' 또는 동결시켜두면 편리하다. 닫힌 도형이 아닐 경우 가상선을 그어 닫힌 도형으로 만들어 두고 완성되면 가상선을 지운다.

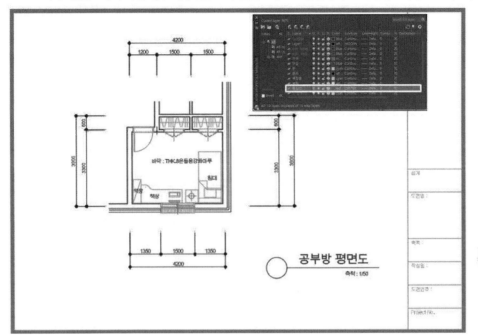

STEP 3

'해치'명령을 실행한다. 해치명령을 실행하면 홈탭에 생성된 해치 편집상자에서 아래와 같은 순서로 작업한다.

STEP 4
벽돌 벽체 내부를 또는 기타 해치도 동일한 방법으로 수행한다.

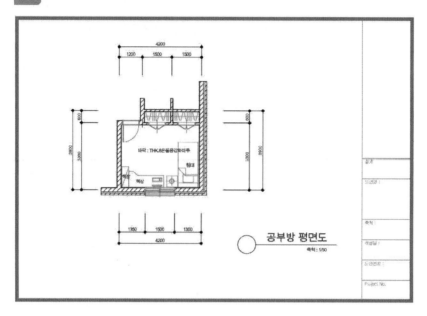

STEP 5
동결된 중심선을 동결해제하고 추가로 필요한 사항을 기입하거나 필요없는 가상선 등을 삭제하여 도면을 완성한다.

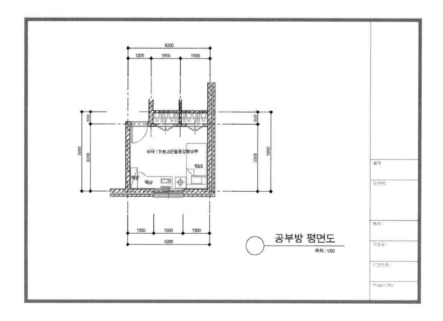

▶ 원룸을 작업순서에 따라 그리시오

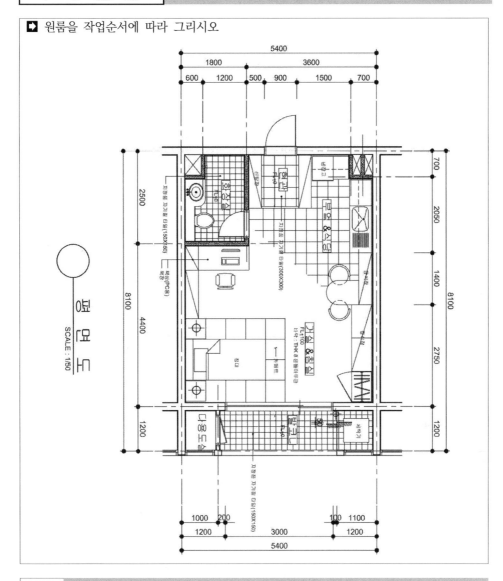

TIP	▶ 원룸 그리는 순서
	1. 도면양식 블록을 불러오고, 중심선을 그린다.
	2. 벽선을 그린다..
	3. 마감과 가구를 그린다.
	4. 치수와 문자를 넣는다.
	▶ 사용 명령어 TIP
	• 모든 명령를 적절히 활용

2. CAD명령어 활용 그리기 심화 학습

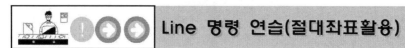 Line 명령 연습(절대좌표활용)

▶ Line 명령을 사용하여 그리기 연습

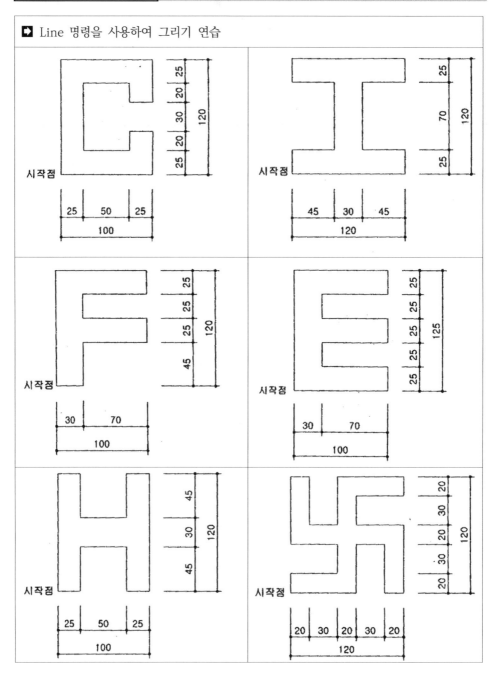

Line 명령 응용1

▶ Line 명령을 사용하여 문 그리기 연습

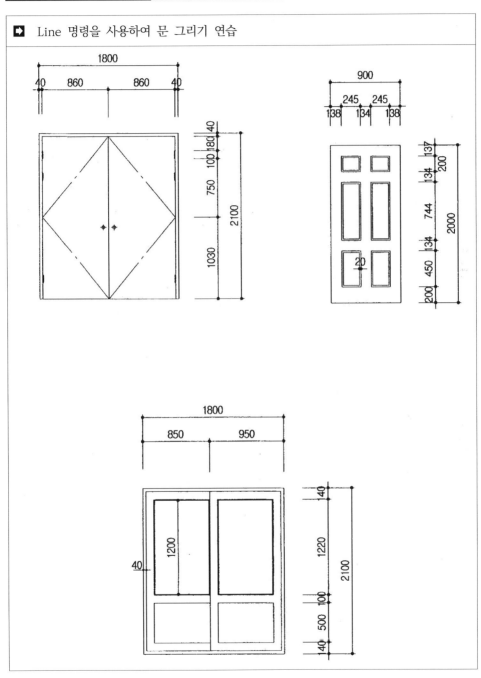

Line 명령 응용2

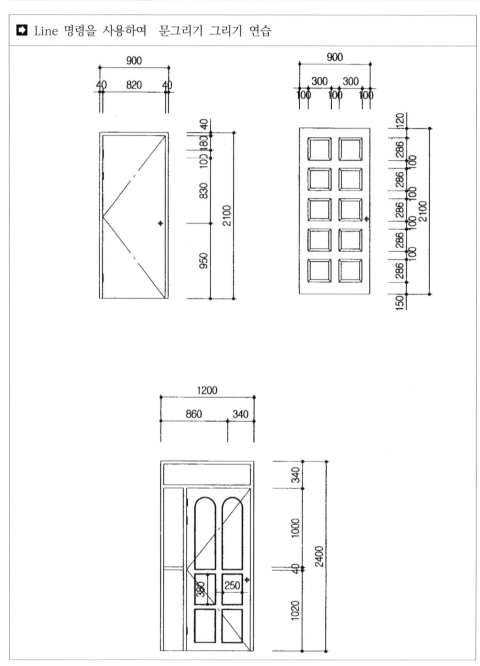

Line 명령을 사용하여 문그리기 그리기 연습

▶ Line 명령을 사용하여 침대 그리기 연습

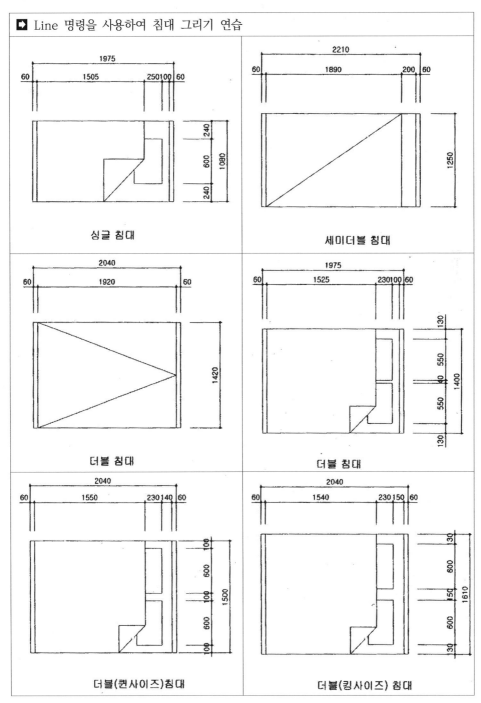

싱글 침대

세미더블 침대

더블 침대

더블 침대

더블(퀸사이즈)침대

더블(킹사이즈) 침대

원, 원호 명령 연습

■ Circle 명령 사용 원 그리기 연습

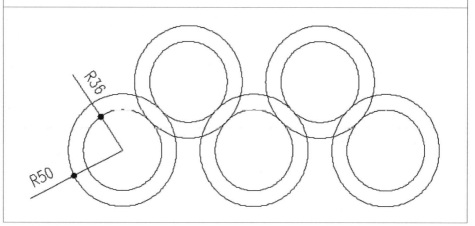

R36

R50

■ **사용된 명령어를 열거하시오.**

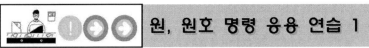

원, 원호 명령 응용 연습 1

▶ Circle, Line 명령 사용 도형 그리기 연습

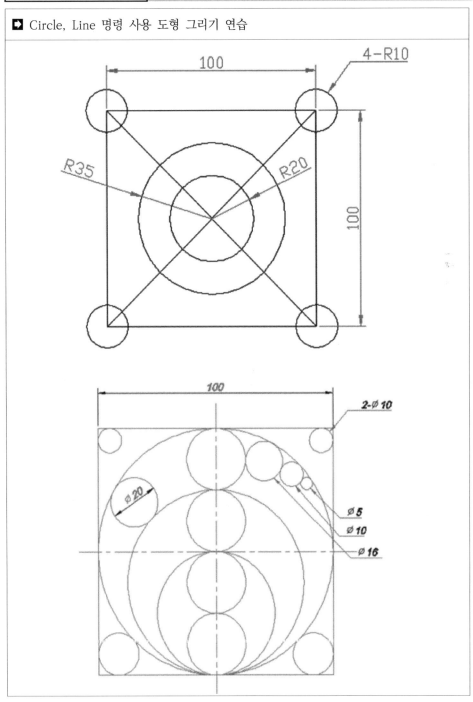

2. CAD 명령활용 심화학습   405

■ Circle, Line 명령 사용 도형 연습

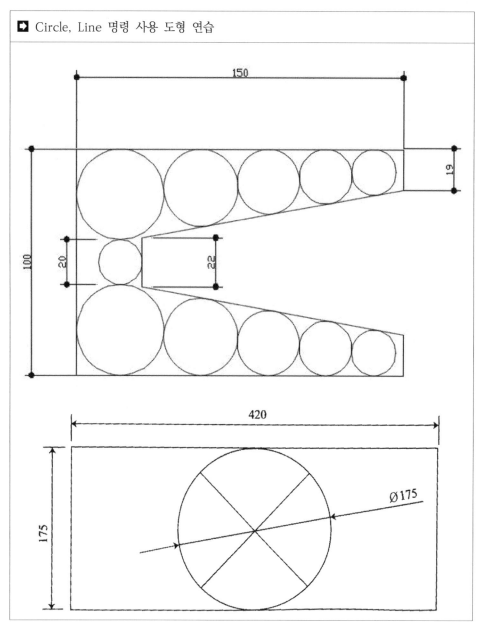

➡ Circle, Line, Rectangle 명령을 사용한 도형 그리기 연습

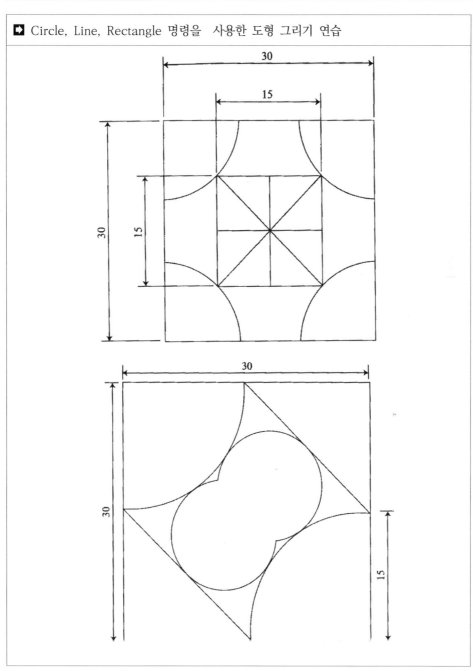

➡ Circle, Line, Rectangle 명령을 사용한 도형 그리기 연습

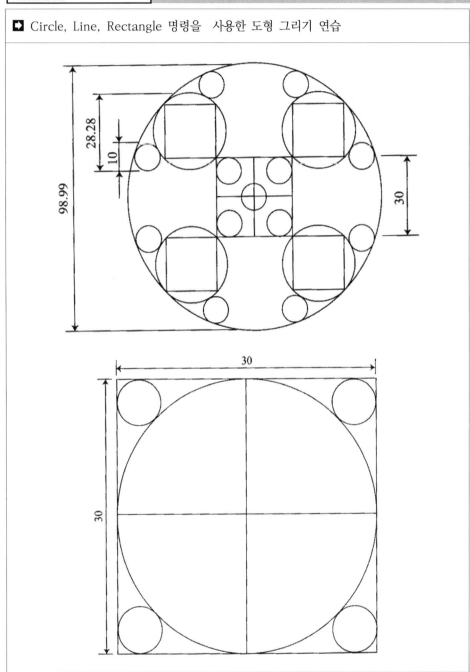

➡️ Circle, Line, Rectangle 명령을 사용한 도형 그리기 연습

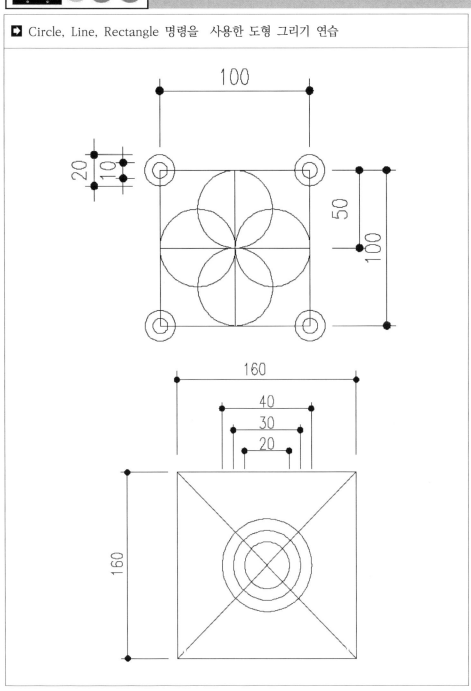

■ Circle, Line, Rectangle 명령을 사용한 도형 그리기 연습

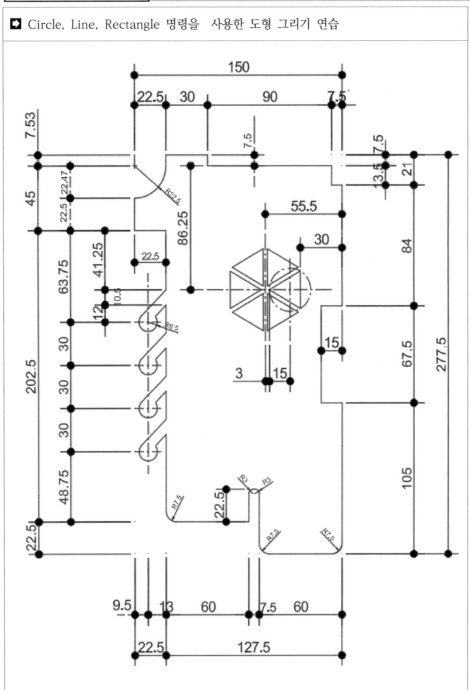

 # 가구그리기 연습 1

➡ Circle, Line, Rectangle 명령을 사용한 소파, 탁자 그리기 연습

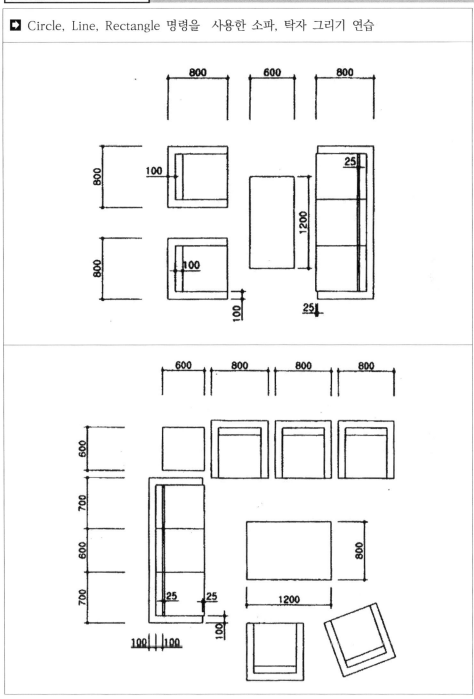

2. CAD 명령활용 심화학습   411

➡ Circle, Line, Rectangle, Array 명령을 사용한 가구 그리기 연습

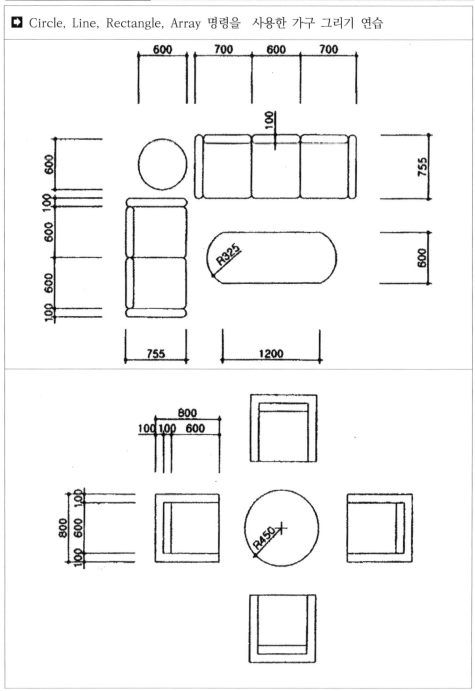

➡ Circle, Line, Rectangle, Fillet 명령을 사용한 가구 그리기 연습

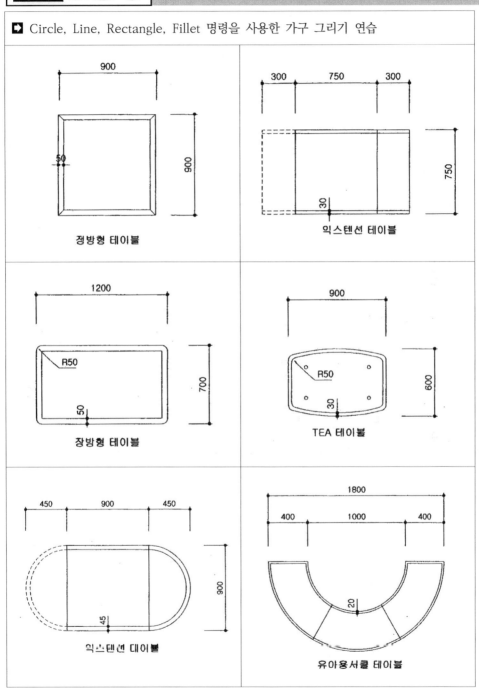

정방형 테이블

익스텐션 테이블

장방형 테이블

TEA 테이블

익스텐션 테이블

유아용서쿨 테이블

➡ Circle, Line, Rectangle, Fillet 명령을 사용한 가구 그리기 연습

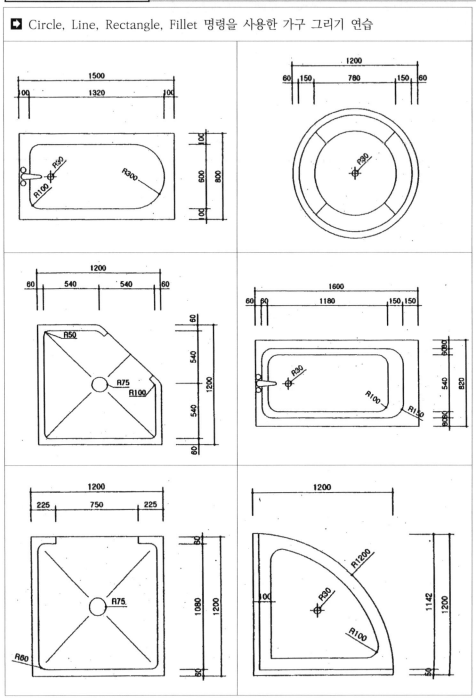

CIRCLE, LINE, RECTANGLE, FILLET 연습 응용2

▶ Circle, Line, Rectangle, Fillet 명령을 사용한 세면대 그리기 연습

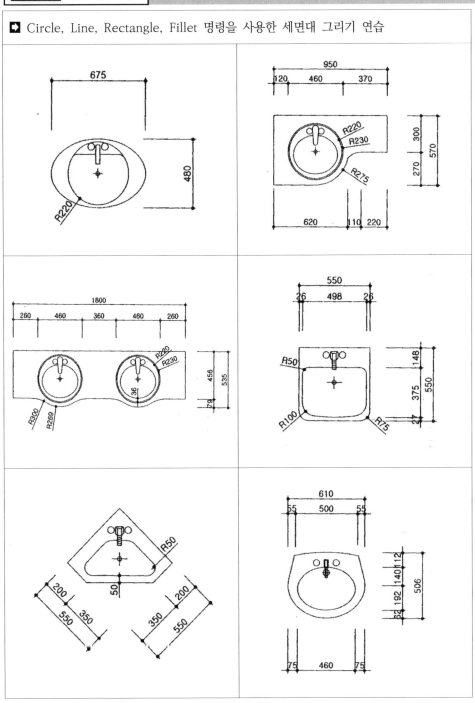

➡️ Circle, Line, Rectangle, Fillet 명령을 사용한 변기 그리기 연습

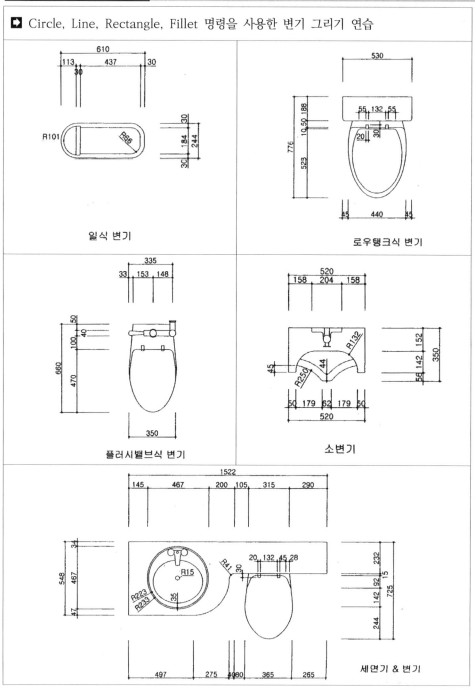

일식 변기

로우탱크식 변기

플러시밸브식 변기

소변기

세면기 & 변기

CAD명령응용그리기(투상도 연습)1

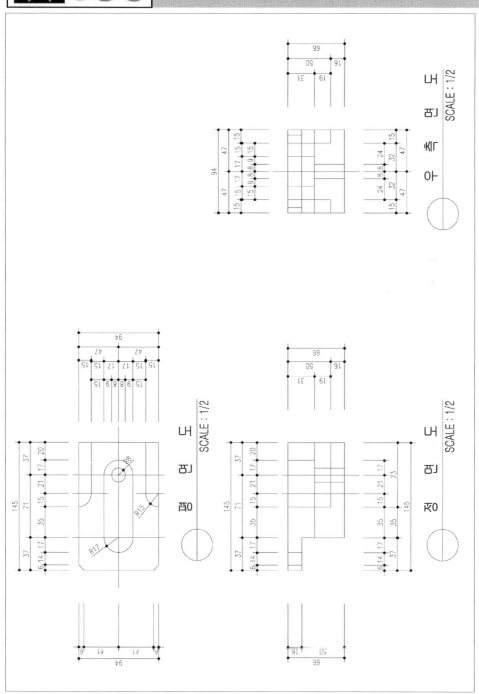

2. CAD 명령활용 심화학습　　417

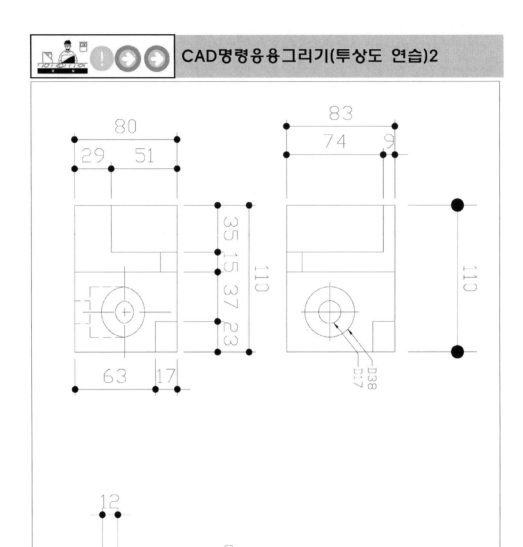

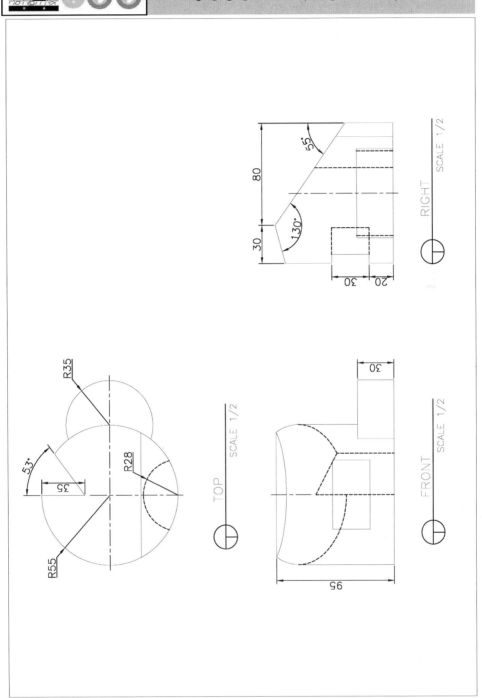

CAD명령응용그리기(투상도 연습)4

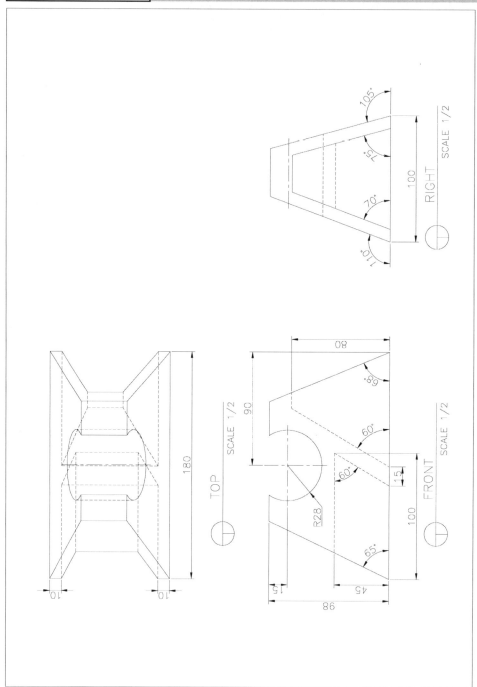

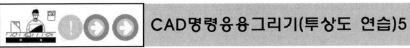
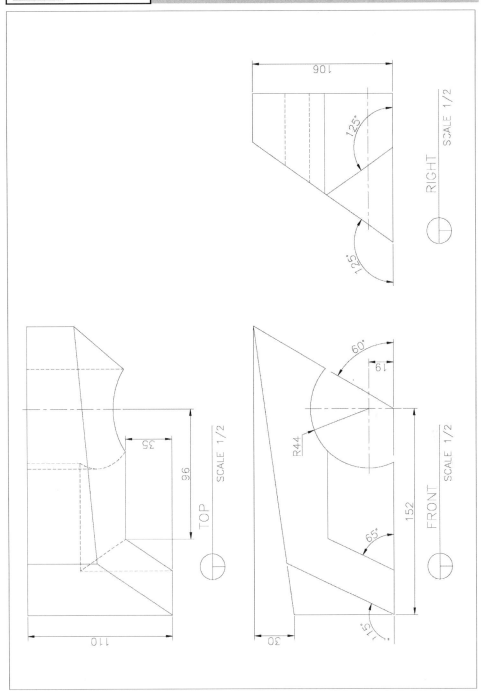

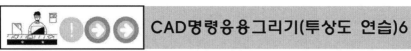
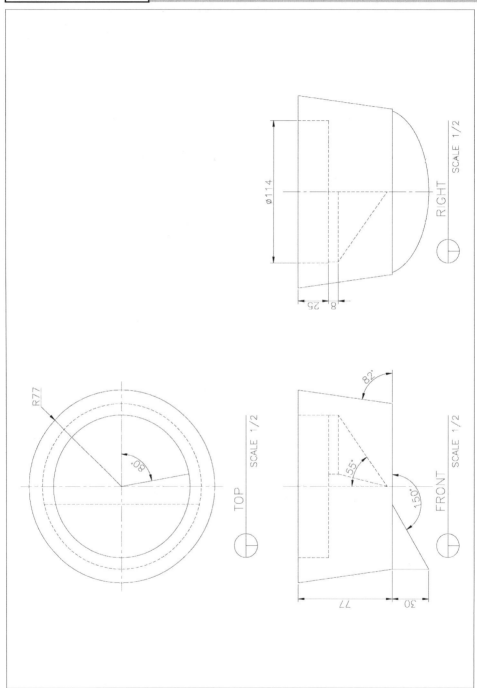

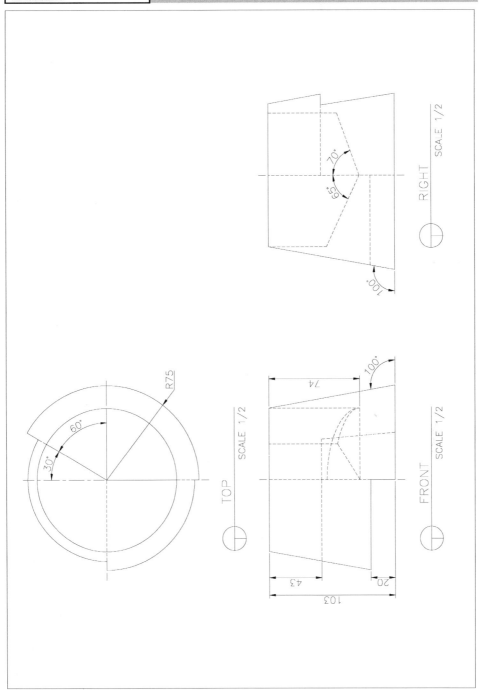

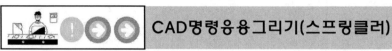
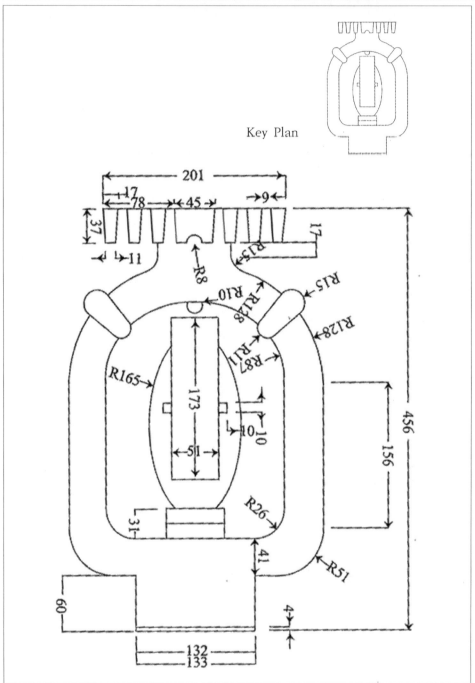

Key Plan

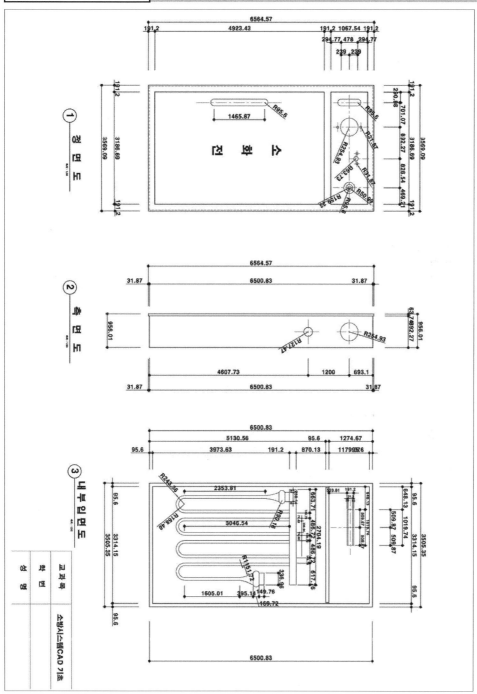

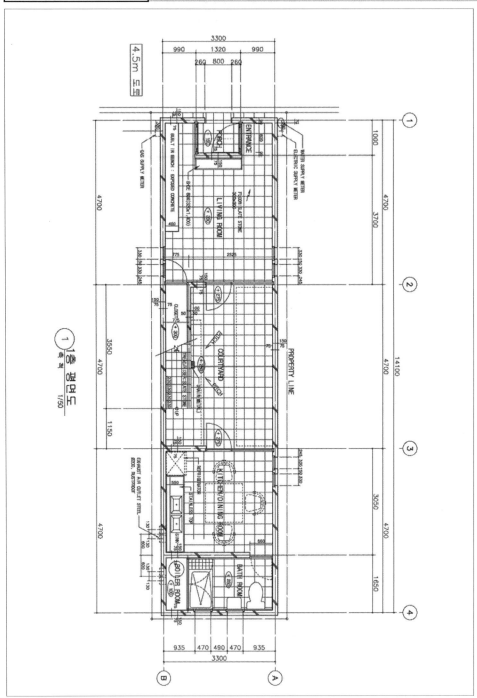

1층 평면도
축척 1/50

CAD명령응용(주택2층)

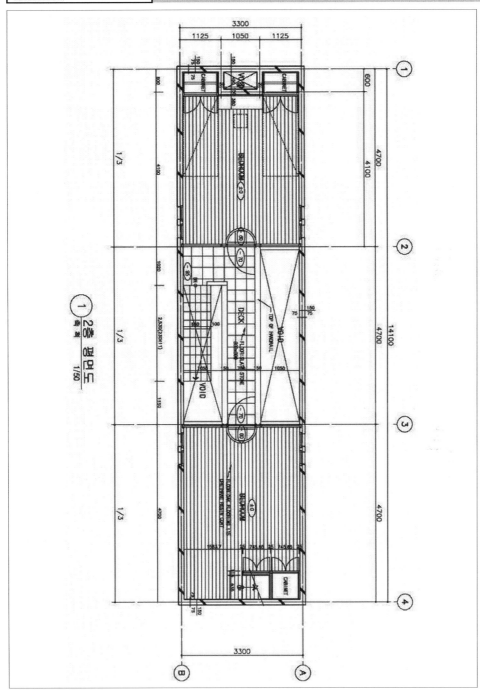

오토캐드 2025 기초 및 응용

발 행 | 2024년 07월 31일

저 자 | 정경석 김자연 강인원

펴낸이 | 한건희

펴낸곳 | 주식회사 부크크

출판등록 | 2014.07.15(제2014-16호)

주 소 | 서울특별시 금천구 가산디지털1로 119 SK트윈타워 A동 305호

전 화 | 1670-8316

이메일 | info@bookk.co.kr

ISBN | 979-11-410-9785-1

www.bookk.co.kr

ⓒ AutoCAD 2025 기초 및 응용